英検®

準1級

頻出度別問題集

高橋書店

はじめに

グローバル化が加速する今日，職場での国際取引，学校での留学生との交流，街中での外国人観光客との遭遇は日常的な光景となりました。この現実がより一般化するにつれ，英語によるコミュニケーション能力の重要性は増すばかりです。多くの企業が海外展開を視野に入れ，高度な英語力を持つ人材を求めています。この状況を「危機」と捉えるか「機会」と捉えるかは個人の視点によりますが，客観的に証明できる英語力を持つことは，競争の激しい現代社会で大きな強みとなるでしょう。

英語力の対外的証明の一つが「英検」です。「英検」準1級は英語の4技能「読む」「書く」「聞く」「話す」の習得度を測る試験です。合格率は15 %前後と低く，同25 %前後の2級に比べても，その難易度の高さは明らかです。受験者も，2級でおよそ15 % を占める社会人の割合が，準1級では45 %近くになります。また，教職者，会社員の割合が，それぞれ2級の18倍，6倍と高いことをみると，準1級のライセンスが教育やビジネスに関わる人々にとっても，一つの指標となっている実情がうかがえます。

準1級は2級と比べて語彙，トピック，要求される英語力のレベルが格段に上がります。そのため，効率的な学習方法と的確な対策が不可欠です。特に，学生や時間の限られた忙しいビジネスパーソンにとっては，やみくもに挑戦するのではなく，効果的な準備が重要です。

本書は，最新の出題傾向を徹底的に分析し，効果的な学習戦略を提供することで，受験者の皆様の合格への道のりをサポートします。過去問のデータを詳細に検討し，確かな出題傾向と受験対策を提供しています。また，英文やトピックの一つ一つは，現在の傾向に基づきつつ，今後の出題の予測も考慮して構成しています。

グローバル社会で活躍するためのツールとして，英検準1級の価値は今後さらに高まると予想されます。本書を受験対策の最初の手がかりとして，また最後のまとめとして十分に活用し，得た知識と戦略を活かして自信を持って試験に臨んでください。より多くの方が合格の喜びを味わえることを心より願っております。

著者

音声の使いかた

●パソコン・スマホで音声が聞ける！

リスニング用の音声は，パソコン・スマホで聞くことができます。以下の手順を参考に，学習環境に合わせてご利用ください。

・下記の専用サイトにアクセス，もしくは二次元コードを読み取り，お使いの書籍を選択してください

https://www.takahashishoten.co.jp/audio-dl/43190.html

・パスワード入力欄にシリアルコード（43190）を入力してください

・全音声をダウンロードするをクリック

※ストリーミングでも再生できます

※本サービスは予告なく終了することがあります。
※パソコン・スマートフォンの操作に関する質問にはお答えできません。

英検®準1級 頻出度別問題集

Pre-1st Grade

第5章 リスニング

Part 1 会話の内容一致選択

Part 2 文の内容一致選択

Part 3 Real-Life形式の内容一致選択

二次試験

第6章 面接

Contents

編集協力 株式会社エディット DTP 株式会社アクト 録音 株式会社スタジオスピーク
CD協力 Jason Ford, Sarah A. Dearing, 山中万里 本文イラスト 鳥居春香(キャッツイヤー)
本文デザイン 有限会社エムアンドケイ データ分析 岡野秀夫
校正 株式会社鷗来堂, 株式会社ぷれす

英検®準1級受験について

「英検」準1級は，大学中級程度のレベルとされています。エッセイ形式の実践的な英作文の問題が出題されます。

一次試験は筆記(90分)とリスニング(約32分)があります。一次試験に合格すると，二次試験の受験資格が与えられます。二次試験は面接形式のスピーキングテストとなります。

●一次試験

筆記

形式	内容	問題数
1 短文の語句空所補充	短文，会話文の空所に入る適切な語句を4つの選択肢から選ぶ。	18問
2 長文の語句空所補充	パッセージの空所に，文脈に合う適切な語句を補う。	6問
3 長文の内容一致選択	パッセージの内容に関する質問に答える。	7問
4 英作文	文章の内容を英語で要約する	1問
	指定されたトピックについて，120 ~ 150語の小論文を書く。	1問

リスニング

形式	内容	問題数
Part 1 会話の内容一致選択	会話文と質問を聞いて，もっとも適切な答えを4つの選択肢から選ぶ。	12問
Part 2 文の内容一致選択	英文と質問を聞いて，もっとも適切な答えを4つの選択肢から選ぶ。	12問
Part 3 Real-Life形式の内容一致選択	与えられた状況をもとに，アナウンスなどを聞いて，質問に対してもっとも適切な答えを4つの選択肢から選ぶ。	5問

二次試験

面接（約8分）

形式	内容	問題数
ナレーション	問題カードの4コマのイラストを見て，その展開を説明する。(2分間)	1問
質疑応答	イラストに関連した質問に答える。	1問
	問題カードのトピックに関連した内容の質問に答える。	2問
	問題カードのトピックにやや関連した，社会性のある内容についての質問に答える。	1問

合格基準スコア

一次試験　1792/2250
二次試験　512/750

試験日程

第1回		第2回		第3回	
一次試験	6月	一次試験	10月	一次試験	1月
二次試験	7月	二次試験	11月	二次試験	2月

一次試験免除について

一次試験に合格し二次試験を棄権，あるいは二次試験が不合格だった場合，一次試験が1年間免除され，二次試験から受験できます。ただし，申込時に申請が必要です。

申込方法

インターネット，全国のコンビニエンスストア・一部の書店から申し込めます。

本書の特長

本書は，過去の準１級試験問題を語彙，設問形式，トピック，解き方などさまざまな角度から分析して出した頻出度と，今後の出題傾向を考慮して構成しています。複数の観点から，大問ごとに頻出度・重要度の高い順にA～Cのランクに分け，学習の優先順位が一目でわかるようになっています。

各章の始めの「攻略メソッド」で，各大問の特徴やその対策を確認し，「練習問題」に取り組みましょう。

第1章

短文の
語句空所補充

Pre-1st Grade

攻略メソッド　短文の語句空所補充

POINT

出題のねらいは語彙の知識。準 1 級に必要な語彙は一般に 7500 語程度といわれているが，大問 1 では意味がわかる程度で十分。不要な選択肢を減らしていく消去法が有効だ。

Method ❶ 論理的な関係に注目

英文が 2 文の場合や，重文や複文の場合，文と文，節と節の**論理関係**から，選択肢が絞れる。

- 逆接，順接，因果関係を表す語（but, however, so, because, therefore など）に注目。
- 指示語（this，that，suchなど）や代名詞にも注目し，論理関係を理解する。
- 論理関係を明確にして筋道を立てるロジックを使い，空所に入る語の意味を想像する。

Method ❷ 前後の言い換えに注目

英文にジャンルを示す**キーワード**や**具体例**，**類義表現**が含まれる場合がある。

- 英文中の「具体的な内容 → 一般的な語句，類義語」などの言い換えがヒントに。
- キーワードから語句の意味を予測する。

> ⚠ **逆接を示す語には要注意！**
>
> 英文に逆接を示す語がある場合，空所には英文中のヒントとなる語の反意語が入る可能性もある。Method❶と組み合わせて考えよう。

Method ❸ 接頭辞・接尾辞から意味を推測

単語の前後に付いて，元の単語の意味や品詞を変化させる働きをする「接頭辞」「接尾辞」が持つ意味から，語意を想像できる。

おさえておきたい接頭辞・接尾辞⇒（ポイント），p.282-283

- 主な接頭辞・接尾辞をマスターして，語彙を増やす。

問題数 18。短い英文または会話文の空所に入るもっとも適切な語句を，4 つの選択肢から選ぶ。最後の 4 問は熟語が出題される。

Method ④ 熟語理解のためにおさえるべきは out，up，off，down

前置詞・副詞	イメージ
out	外に，広がる，なくなる
up	上へ，仕上げる，近づく，補う
off	～を離れて
down	下方に行く，弱まる

これを理解していれば，たとえば― run out，run up，run off，run down の意味が①「(借金などを)増やす」，②「消耗させる」，③「使い果たす」，④「走って逃げる」のどれに当たるか想像できる。

(正解：run out ― ③，run up ― ①，run off ― ④，run down ― ②)

熟語は前置詞・副詞を理解して，知識を使い回す。

ココにも注目！

ポイント おさえておきたい接頭辞・接尾辞

col-，com-，co-：一緒に　例 collaborate「共同制作[研究]する」，company「仲間，親交」，cooperate「協力する」

dis-，de-：～ない　例 dislike「嫌う」，deactivate「無力化する」

re-：再び，もう一度　例 reactivate「再開させる」，renovate「修復する」

-able：～できる　例 doable「実行可能な」，foreseeable「予測できる」

-en：～させる　例 strengthen「強化する」，widen「広くする」

-ous，-eous，-ious：～が多い，～の性質を持つ　例 mountainous「山地の」，outrageous「非道な」

-ward，-wards：～のほうへ　例 backward「後方へ」，afterwards「あとで」

▶▶▶「解答と解説」のマークの意味

ロジック　論理関係を手がかりにして解く　　言い換え　言い換えの表現に注目する

キーワード　ジャンルを示すキーワードに注目する

短文の語句空所補充　動詞

To complete each item, choose the best word or phrase from among the four choices.

[**1**] ☐ All the instructors of their classes will closely (　　) students' progress. A report will be issued at the end of each month and mailed to their guardians.

1 multiply　**2** encase
3 overdo　**4** assess

[**2**] ☐ The basic method to (　　) of nuclear waste is to bury and store it in the ground safely until the radioactivity wears off.

1 dismiss　**2** dispose
3 disable　**4** dislocate

[**3**] ☐ At the press conference he said he had been thinking about retirement for more than a year. He had (　　) his baseball life to Eagles for fifteen years.

1 dedicated　**2** donated
3 alleviated　**4** abandoned

[**4**] ☐ Students who repeatedly fail to (　　) with school rules could be expelled. Once they are, they will never be allowed to be on campus.

1 conspire　**2** comply
3 compile　**4** correspond

解答と解説

目標時間30秒／問

次の英文の（　）に当てはまるもっとも適切なものを1つ選びなさい。

［1］ ロジック ▶ students' progressに注目 **ANSWER 4**

訳 彼らのクラスのすべての講師は，生徒の進度を入念に評価する。毎月末にはレポートが作られ，生徒の保護者に郵送される。

解説 「生徒の進度」をどうするか考える。**1** multiply「大量に増やす，掛け算をする」，**2** encase「完全に包む」，**3** overdo「やりすぎる」，**4** assess「評価する」

［2］ キーワード ▶ nuclear wasteに注目 **ANSWER 2**

訳 核廃棄物を処理する基本的な方法は放射能が消失するまで安全に地下に埋めて保管することである。

解説 nuclear waste「核廃棄物」に関連する文。また，直後のofにも注目する。dispose of ～で「～を処理する」の意味。**1** dismiss「退ける」，**3** disable「障害を負わせる」，**4** dislocate「狂わせる」

［3］ **ANSWER 1**

訳 記者会見で，彼は1年以上引退を考えていたと言った。彼は15年間野球人生をイーグルズにささげてきた。

解説 for fifteen years「15年間」に注目。引退前に野球人生をどうしてきたかを考える。**1** dedicate「ささげる」，**2** donate「寄付する」，**3** alleviate「緩和する」，**4** abandon「見捨てる」

［4］ **ANSWER 2**

訳 繰り返し校則に従わなかった生徒は退学になることもある。いったん退学になると，学校に立ち入ることは許されない。

解説 退学になることもある，という内容から考える。comply with ～で「～に従う」。**1** conspire「共謀する」，**3** compile「蓄積する」，**4** correspond「一致する」

[**5**] ☐ My parents are now (　　) living abroad, so they are looking for detailed information about some countries to decide where to live.

1 contemplating　　**2** conserving
3 according　　**4** evacuating

[**6**] ☐ Parents should not frequently (　　) their children on their good behavior. They should behave simply for the sake of themselves and others.

1 supplement　　**2** surrender
3 compliment　　**4** disown

[**7**] ☐ The committee has (　　) Mr. Jackson for reducing the department's expenditure by 30% and given him a special bonus.

1 commended　　**2** hatched
3 molded　　**4** secluded

[**8**] ☐ The welfare organization was established by donations, but their activities are momentarily (　　) because of lack of funds.

1 objected　　**2** disrupted
3 decayed　　**4** intimidated

[**9**] ☐ You can read the files if you download this software, but you have to (　　) the compatibility before downloading it.

1 empower　　**2** integrate
3 clarify　　**4** verify

[5] ロジック ▶ 結果を表す接続詞soに注目 ANSWER 1

(訳) 私の両親は現在，海外に住むことを考えているので，どこに住むかを決めるためにいくつかの国についての詳しい情報を求めている。

解説 なぜ情報を求めているのか考える。contemplate *do*ing「～しようと意図する」，**2** conserve「保護する」，**3** accord「一致する」，**4** evacuate「避難する」

[6] ANSWER 3

(訳) 親は子どもの行いが良いからといって頻繁にほめるべきではない。子どもたちは単に自分や他人のために行儀よくするべきなのだ。

解説 子どもの良い行いに対して親がしがちな行動を考える。**1** supplement「補う」，**2** surrender「引き渡す」，**3** compliment「ほめる」，**4** disown「勘当する」

[7] ANSWER 1

(訳) 委員会は，部署の経費を30パーセント削減したとしてジャクソン氏を称え，特別ボーナスを彼に与えた。

解説 ボーナスを与えたことから考える。**1** commend「称える」，**2** hatch「孵化（ふか）する」，**3** mold「型で作る」，**4** seclude「遮断する」

[8] ロジック ▶「資金難」の結果，どうなっているか ANSWER 2

(訳) その福祉団体は寄付によって設立されたが，資金難によって活動が一時的に中断している。

解説 団体が資金難に陥ると活動が止まると考えられる。**1** object「反対する」，**2** disrupt「中断させる」，**3** decay「衰える」，**4** intimidate「おびえさせる」

[9] ANSWER 4

(訳) このソフトウエアをダウンロードすればファイルが読めますが，ダウンロードする前にあなたのコンピューターと互換性があるかどうかを確認しなければいけません。

解説 選択肢の中で，ソフトウエアをダウンロードする前にしておかなければいけないのは，互換性を**4** verify「確かめる」こと。**1** empower「権限を与える」，**2** integrate「統合する」，**3** clarify「明らかにする」

[**10**] ☐ A racing car can reach its top speed rapidly. It (　　) from zero to one hundred and sixty kilometers per hour within five seconds.

1 elevates　　**2** torments
3 trespasses　　**4** accelerates

[**11**] ☐ Unless patients (　　) their problems, there will not be much that therapists can do. Only when patients realize that they have problems, counseling will be meaningful.

1 compress　　**2** socialize
3 disguise　　**4** acknowledge

[**12**] ☐ Politicians often attend meetings and events held in their local community in order to (　　) good relationships with the residents.

1 cultivate　　**2** eliminate
3 calculate　　**4** duplicate

[**13**] ☐ To (　　) that every building is equipped with a fire extinguisher, officials from the fire department visit the company every year.

1 warrant　　**2** ensure
3 exceed　　**4** rejoice

[**14**] ☐ The police issued a guidance on what to do in a terror attack: escape as quickly as possible, (　　) yourself in, and prostrate yourself.

1 escort　　**2** protect
3 observe　　**4** barricade

[10] 言い換え ▶ 1文目の内容を具体的に言い換える　ANSWER 4

訳 レーシングカーはすぐに最高速度に到達できる。5秒以内に時速0キロから160キロまで加速する。

解説 時速0キロから160キロまでと言っているので，**4** accelerate「加速する」を選ぶ。**1** elevate「高める」，**2** torment「悩ます」，**3** trespass「侵入する」

[11] ロジック ▶ 接続詞unlessに注目　ANSWER 4

訳 患者が自分の問題を認識しないかぎり，セラピストができることはほとんどない。患者が問題のあることを理解してはじめて，カウンセリングが意味を持つ。

解説 患者とセラピストの関係で必要なことを考える。2文目の内容も手がかりになる。**1** compress「圧縮する」，**2** socialize「社会生活に適合させる」，**3** disguise「偽装する」，**4** acknowledge「認識する」

[12]　ANSWER 1

訳 政治家は住民たちと良い関係を築くために，地元で開かれる会合や行事にしばしば参加する。

解説 政治家がなぜ地元の会合や行事に参加するのかを考える。**1** cultivate「(関係を)築く」，**2** eliminate「除去する」，**3** calculate「算出する」，**4** duplicate「二重にする」

[13]　ANSWER 2

訳 すべてのビルに消火器が備わっていることを確認するために，毎年消防署から職員がその会社を訪れる。

解説 消防署の職員が会社を訪問するのは，消火器が備わっていることを「確認する」ため。**1** warrant「正当化する」，**2** ensure「確認する」，**3** exceed「超える」，**4** rejoice「喜ぶ」

[14] キーワード ▶ what to do in a terror attackに注目　ANSWER 4

訳 警察はテロ襲撃の際の対処法について，できるだけ早く逃げ出す，バリケードを築いて立てこもる，身を伏せる，という指針を公表した。

解説 キーワードから，身を守る方法に関する語を選ぶ。**1** escort「護衛する」，**2** protect「保護する」，**3** observe「観察する」，**4** barricade「バリケードを築いて守る」

[**15**] Since an unexpected volcanic explosion happened, several airports in
☐ Europe were ( ) every day with many people waiting for flights to depart.

1 complemented **2** congested
3 swelled **4** accommodated

[**16**] Since there were too many spectators, several police cars ( ) marathon
☐ runners so that they would remain on the correct route without any incident.

1 empowered **2** scattered
3 escorted **4** proclaimed

[**17**] In order to make the presentation more engaging, the group decided to
☐ ( ) interactive slides to keep the audience interested.

1 abolish **2** liberate
3 medicate **4** incorporate

[**18**] The citizens were inspired by the revolutionary ideas and decided to
☐ ( ) the oppressive regime to establish a new government that would better serve the people.

1 overthrow **2** harmonize
3 outsource **4** redeem

[**19**] The production lines were ( ) after hundreds of food packages with
☐ foreign objects were discovered.

1 beckoned **2** imploded
3 halted **4** distressed

[15] ANSWER 2

訳 予期せぬ火山の噴火が起こり，ヨーロッパのいくつもの空港が出発便を待つたくさんの人で連日混雑していた。

解説 予期せぬ事態で，空港がどのような状態かを考える。congest ～ with ...で「～を…でいっぱいにする」。**1** complement「補足する」，**3** swell「膨張する」，**4** accommodate「収容する」

[16] ANSWER 3

訳 あまりにも見物客が多かったので，マラソンランナーが問題なく正しいルートを走り続けられるように数台のパトカーが彼らと伴走した。

解説 パトカーがマラソンランナーに対して何をするのかを考える。**1** empower「権限を与える」，**2** scatter「まき散らす」，**3** escort「付き添う；護衛する」，**4** proclaim「宣言する」

[17] ロジック ▶ in order toに注目 ANSWER 4

訳 プレゼンテーションをより魅力的にするために，聴衆の興味を引きつけておくような双方向のスライドを取り入れることにした。

解説 プレゼンテーションを魅力的にするために何をするか考える。**1** abolish「廃止する」，**2** liberate「解放する」，**3** medicate「投薬する」，**4** incorporate「取り入れる」

[18] ANSWER 1

訳 市民は革命思想に感化され，より民衆のためになる新政府を樹立するために圧政を打倒することを決意した。

解説 the oppressive regime「圧政」と結びつく動詞を考える。**1** overthrow「打倒する」，**2** harmonize「調和させる」，**3** outsource「外注する」，**4** redeem「挽回する」

[19] ロジック ▶ after以降の内容に注目 ANSWER 3

訳 異物が混入した食品パッケージが何百も見つかったあと，生産ラインは停止させられた。

解説 異物混入が発覚してから，生産ラインがどうなったか考える。**1** beckon「手招きする」，**2** implode「内側に破裂する」，**3** halt「停止する」，**4** distress「苦しめる」

[**20**] When the soldiers came to (　　) the prisoners, they were confused and were not sure if they were free to go.

1 liberate　　**2** scan
3 reveal　　**4** recollect

[**21**] After taking a break from college, I decided to (　　) my studies by enrolling in a training program to improve my skills and knowledge.

1 proclaim　　**2** resume
3 impede　　**4** wield

[**22**] The auto company is planning to (　　) its latest fully electric car in the motor show that will be held in Atlanta next year.

1 unveil　　**2** unravel
3 provoke　　**4** confine

[**23**] Although these apples need to be picked within a couple of days, the farmers are stranded out of town because of the hurricane. Therefore, these apples are more likely to (　　).

1 brag　　**2** flash
3 decay　　**4** eject

[**24**] Ms. Hill got shocked when she went to the slum and saw the people who lived there. She tried to (　　) support from major companies in order to organize a charity for the poor.

1 collaborate　　**2** blink
3 mash　　**4** enlist

[20] ロジック ▶ 主節の内容を踏まえる　ANSWER 1

訳 兵士たちが囚人たちを解放しに来たとき，彼らは困惑して，行ってよいのかわからなかった。

解説 囚人たちが行ってよいのかどうかわからなかったのはどうされたときかを考える。**1** liberate「解放する」，**2** scan「細かく調べる」，**3** reveal「暴露する」，**4** recollect「思い出す」

[21] ロジック ▶ After taking a break from collegeに注目　ANSWER 2

訳 大学を休学した後，私はスキルと知識を向上させるためにトレーニングプログラムに登録することで，勉強を再開することにした。

解説 「大学を休学」，「トレーニングプログラムに登録」の2点からふさわしい動詞を考える。**1** proclaim「明らかにする」，**2** resume「再開する」，**3** impede「遅らせる」，**4** wield「扱う」

[22]　ANSWER 1

訳 その自動車会社は，来年アトランタで開かれるモーターショーで最新の完全電気自動車を初公開する予定だ。

解説 モーターショーで自動車会社は何をするか。**1** unveil「ベールを取る」，**2** unravel「ほどく」，**3** provoke「引き起こす」，**4** confine「制限する」

[23] ロジック ▶ 結果を表す副詞thereforeに注目　ANSWER 3

訳 これらのリンゴは2，3日以内に摘み取らなければならないが，農民たちはハリケーンのために町の外で足止めされている。したがってこれらのリンゴはおそらく腐敗するだろう。

解説 摘み取ることができないリンゴがどうなるか考える。**1** brag「自慢する」，**2** flash「ぴかっと光る」，**3** decay「腐敗する」，**4** eject「追放する」

[24] ロジック ▶ in order toに注目　ANSWER 4

訳 ヒルさんはスラム街へ行き，そこで暮らす人々を見て衝撃を受けた。彼女は貧しい人々のための慈善事業を運営するために，大企業からの支援を得ようとした。

解説 慈善事業を運営するという目的のためには，企業からの支援を「得る」必要があると考える。**1** collaborate「協力する」，**2** blink「点滅する」，**3** mash「すりつぶす」，**4** enlist「(支援などを)得る」

[**25**] Since the film (　　) the architect as stubborn and inhumane, his family
☐ submitted an official letter of complaint to the production company.

1 verified　　**2** hovered
3 portrayed　　**4** concealed

[**26**] Yesterday's meeting did not proceed well and we did not come to
☐ agreement. Both the manager and the employees found it difficult to (　　).

1 mediate　　**2** renovate
3 reconcile　　**4** repel

[**27**] The internet allows people to (　　) information across the world in an
☐ instant, which has revolutionized the way we communicate and share knowledge.

1 transmit　　**2** offend
3 chill　　**4** nauseate

[**28**] The sales representative instructed the customer not to (　　) the receipt
☐ until she makes sure that the computer starts up and functions without a problem.

1 magnify　　**2** endorse
3 obstruct　　**4** discard

[**29**] Mr. Smith's radical opinion about an education reform caused a serious
☐ problem to his party. He persisted in saying that it was his belief, but finally he had to (　　) his remark.

1 overdraw　　**2** impose
3 displace　　**4** withdraw

[25] ロジック ▶ since ～は理由を表す **ANSWER 3**

訳 その映画はその建築家を頑固で不人情に描いたので，彼の家族は制作会社に正式な抗議文を提出した。

解説 制作会社に対して抗議文が提出された理由を考える。**1** verify「確かめる」，**2** hover「空中に停止する」，**3** portray「描写する」，**4** conceal「隠す」

[26] 言い換え ▶ did not come to agreementに注目 **ANSWER 3**

訳 昨日の会議は順調には進まず，私たちは合意に達しなかった。経営者も従業員たちも和解するのは困難であることがわかった。

解説 「合意に達しない」と言っているので，「和解が困難」と考える。**1** mediate「調停する」，**2** renovate「修理する」，**3** reconcile「和解する」，**4** repel「追い払う」

[27] ロジック ▶ the internet, informationに注目 **ANSWER 1**

訳 インターネットによって，人々は一瞬にして世界中に情報を発信することができるようになり，コミュニケーションや知識の共有の仕方に革命が起こった。

解説 インターネットによって人々は情報をどうすることができるようになったのか考える。**1** transmit「発信する」，**2** offend「怒らせる」，**3** chill「冷やす」，**4** nauseate「吐き気を催させる」

[28] **ANSWER 4**

訳 その営業担当者はその客に，コンピューターが立ち上がり，問題なく機能することを確かめるまではレシートを捨てないようにと教えた。

解説 確認ができるまでレシートはどうしておくべきか考える。**1** magnify「拡大する」，**2** endorse「承認する」，**3** obstruct「妨害する」，**4** discard「捨てる」

[29] ロジック ▶ 逆接を表す接続詞butに注目 **ANSWER 4**

訳 スミス氏の教育改革についての急進的な意見は，彼の党に重大な問題を引き起こした。彼は，それは自分の信念であると言い続けたが，最後には発言を撤回しなければならなくなった。

解説 「主張し続ける」と対立する内容にする。**1** overdraw「（預金を）借り越す」，**2** impose「押しつける」，**3** displace「移す」，**4** withdraw「撤回する」

[**30**] Some of his organs were (　　) as he had indicated his wish to do so upon his death on his driver's license.

1 donated　　**2** outlawed
3 expired　　**4** tempted

[**31**] Everyone was disappointed when Japan was (　　) from the soccer tournament. Nobody had mentioned the possibility that the team would not go to the World Cup.

1 eliminated　　**2** encased
3 enriched　　**4** erupted

[**32**] Although those arrested in democracies are (　　) innocent until proven guilty, the media sometimes portrays them as guilty from the beginning.

1 branded　　**2** instilled
3 presumed　　**4** disregarded

[**33**] The President plans to (　　) his former rival as the secretary of the state. He wants to show that his administration is inclusive.

1 transmit　　**2** designate
3 minimize　　**4** interrupt

[**34**] Police officers' duty is to (　　) their promise to protect and serve the community, which requires them to act with integrity and respect.

1 detain　　**2** uphold
3 detach　　**4** recede

[30] キーワード ▶ organs, had indicated his wishに注目 ANSWER 1

訳 彼の臓器のいくつかは，彼が運転免許証に死亡の際は臓器を提供する意思を表明していたので，提供された。

解説 キーワードから，臓器移植に関する文であることがわかる。**1** donate「提供する」，**2** outlaw「不法とする」，**3** expire「吐き出す」，**4** tempt「そそのかす」

[31] ANSWER 1

訳 日本がサッカーのトーナメントで敗退したとき，みんな落胆した。だれも日本がワールドカップに行けない可能性について言及していなかった。

解説 みんなが落胆した理由を考える。２文目の内容から負けたことがわかる。**1** eliminate「敗退させる」，**2** encase「包む」，**3** enrich「裕福にする」，**4** erupt「爆発させる」

[32] ロジック ▶ 譲歩の接続詞althoughに注目 ANSWER 3

訳 民主主義国家では，逮捕された者は有罪が確定するまでは無罪と推定されるが，時にメディアは最初から彼らを有罪と描写する。

解説 前半と後半で相反する内容が述べられていると考える。**1** brand「決めつける」，**2** instill「しみ込ませる」，**3** presume「推定する」，**4** disregard「無視する」

[33] キーワード ▶ asに注目 ANSWER 2

訳 大統領は以前のライバルを国務長官に指名するつもりだ。彼は，自分の政権は様々な人を受け入れることを示したいのである。

解説 designate ～ as ...で「～を…に指名する」の意味。**1** transmit「送る」，**3** minimize「最小限にする」，**4** interrupt「中断する」

[34] キーワード ▶ their promiseに注目 ANSWER 2

訳 警察官の義務は，地域社会を守り，奉仕するという約束を守ることであり，そのためには誠実さと尊敬をもって行動することが求められる。

解説 キーワードの「約束」に結びつく語を考える。**1** detain「拘束する」，**2** uphold「守る」，**3** detach「切り離す」，**4** recede「退く」

短文の語句空所補充　名詞

To complete each item, choose the best word or phrase from among the four choices.

[**1**] Although he is not completely in ( ) with the bill, he needs to vote for it since a member of his own party proposed it.

1 assumption　**2** accord
3 estate　**4** creek

[**2**] The police officers need to stop the chase if there is a high possibility of exposing the lives of innocent ( ) to danger.

1 ancestor　**2** successors
3 bystanders　**4** pioneers

[**3**] The woman could not reach the overhead ( ) and had to put her backpack under the seat in front of her.

1 council　**2** symptom
3 compartment　**4** foe

[**4**] Many patients who underwent surgery died due to ( ) after surgeries. The surgeries were the direct cause of death only in a few cases.

1 definitions　**2** comparisons
3 complications　**4** reputations

解答と解説

目標時間30秒／問

次の英文の（　）に当てはまるもっとも適切なものを1つ選びなさい。

［1］ ロジック ▶ 譲歩を表すalthoughと理由を表すsinceに注目　**ANSWER 2**

訳 彼はその法案に完全に合意しているわけではないが，自党の政党員が提出した法案なので賛成票を投じなければならない。

解説 in accord with ～で「～に合意して，調和して」の意味。**1** assumption「仮定」，**3** estate「土地」，**4** creek「小川」

［2］　**ANSWER 3**

訳 罪のない見物人の命を危険にさらす可能性が高い場合は，警察官は追跡をやめなければならない。

解説 警察の追跡によって危険にさらされるおそれがある罪のない人とは誰か考える。**1** ancestor「先祖」，**2** successor「後継者」，**3** bystander「見物人」，**4** pioneer「先駆者」

［3］　**ANSWER 3**

訳 その女性は頭上にある荷物入れに手が届かなかったので，前の座席の下にバックパックを置いておかなければならなかった。

解説 なぜ荷物を前の座席の下に置く必要があったのか考える。compartmentは「(仕切られた)部屋」の意味もある。**1** council「議会」，**2** symptom「症状，徴候」，**3** compartment「区画，荷物入れ」，**4** foe「敵」

［4］　**ANSWER 3**

訳 手術を受けた多くの患者が術後の合併症によって亡くなった。手術が死亡の直接の原因であったのはほんの数例であった。

解説 術後に亡くなったことと，手術が死亡原因ではないことから考える。**1** definition「定義」，**2** comparison「比較」，**3** complication「(複数形で)合併症」，**4** reputation「評判」

[**5**] More than sixty peaceful protesters were taken into police ( ). The footage of them being forcibly taken triggered international outcry.

1 custody　**2** collapse
3 bait　**4** configuration

[**6**] The exchange student did not make efforts to overcome the language barrier, which was one of the major ( ) to communicating with him.

1 rituals　**2** amnesties
3 confirmations　**4** obstacles

[**7**] **A**: Have you heard that Jack is facing ( ) for business malpractice?
B: I don't think he'll be fired because he is the son of the founder of this company.

1 distraction　**2** disorder
3 dismissal　**4** distress

[**8**] A study shows that there is a significant ( ) between communication and trust between parents and their children. Children who have more opportunity to talk with their parents are more likely to trust them.

1 curse　**2** summit
3 renovation　**4** correlation

[**9**] The rebels' actions caused chaos and ( ) in the streets as they protested against the government's policies and demanded change.

1 errand　**2** anarchy
3 disclosure　**4** frailty

[5] キーワード ▶ take ～ into ...に注目 **ANSWER 1**

訳 平和的に抗議をしていた60人以上が警察に勾留された。強制的に連行される彼らの一連の映像によって，国際的に非難の声が上がった。

解説 take ～ into custodyで「～を勾留する」という意味。**2** collapse「崩壊」，**3** bait「えさ」，**4** configuration「形状」

[6] 言い換え ▶ which以下はlanguage barrierを説明 **ANSWER 4**

訳 その留学生は言葉の壁を乗り越える努力をしなかった。それが彼とコミュニケーションをとるうえでの大きな障害の一つだったのだ。

解説 barrier「壁」と似た意味の語が入ると考える。接頭辞ob-は「反対して」，語根のstacleは「立つ」の意味があり，**4** obstacleで目的達成に立ちはだかる「障害」となる。**1** ritual「儀式」，**2** amnesty「恩赦」，**3** confirmation「確認」

[7] 言い換え ▶ be fired「解雇される」に似た意味の語 **ANSWER 3**

訳 **A**：ジャックが業務上の背任行為で解雇に直面しているって聞いた？
B：彼がクビになるとは思わないな。この会社の創設者の御曹司だから。

解説 **A**の発言を受けて，**B**は「そう思わない」と述べていると考えられる。接頭辞dis-は「離す」，語根のmissは「送る」で，**3** dismissalは「解雇」。**1** distraction「気を散らすもの」，**2** disorder「不調」，**4** distress「悩み」

[8] **ANSWER 4**

訳 ある研究は，親と子どものコミュニケーションと信頼感の間に有意な相関関係があることを示している。親と話す機会が多い子どもたちは親をより信頼する傾向にある。

解説 2文目の内容から，コミュニケーションと信頼感には，**4** correlation「相関関係」があることがわかる。**1** curse「のろい」，**2** summit「頂上」，**3** renovation「修復」

[9] キーワード ▶ chaosと並列 **ANSWER 2**

訳 政府の政策に抗議し，変革を求める反政府勢力の行動は，街中に混乱と無秩序を引き起こした。

解説 chaos「混乱」と並列になっていることから，類似した意味の語が入るとわかる。**1** errand「使い」，**2** anarchy「無秩序」，**3** disclosure「公表」，**4** frailty「もろさ」

[**10**] ( ) between Kent and his wife was interrupted when he was deployed to a battle area.

1 Validity **2** Illumination
3 Correspondence **4** Radiation

[**11**] We suggest your ( ) include a Great Barrier Reef tour if you visit Gold Coast. We will offer you a variety of tours, tickets and services if you are interested.

1 foresight **2** quarantine
3 itinerary **4** immigration

[**12**] Thanks to the advancement of satellite technology, we can now see our location and distance from an object with ( ).

1 heritage **2** permanence
3 precision **4** friction

[**13**] **A**: What a ( )! I haven't seen you for years, and we met again at the airport far away from home.

B: It is such a wonderful surprise. How have you been?

1 coincidence **2** sector
3 disguise **4** carrier

[**14**] The city councilor admitted taking about one million yen in ( ) from the contractor that constructed the new city hall in exchange for help in winning the contract.

1 funds **2** budget
3 bribes **4** expenses

[**10**] **ANSWER 3**

(訳) ケントと妻の間のやりとりは，彼が戦場に配置されてから中断された。

解説 夫が戦場に配置された夫婦間で中断されるものを考える。**1** validity「妥当性」，**2** illumination「照明」，**3** correspondence「やりとり」，**4** radiation「放射」

[**11**] **ANSWER 3**

(訳) ゴールドコーストを訪れるなら，旅行計画にグレートバリアリーフツアーを入れることを提案いたします。もしご興味があれば，さまざまなツアーやチケットやサービスをご提供いたします。

解説 1文目のif以下から，これから訪れる場所についての提案だとわかる。**1** foresight「洞察力」，**2** quarantine「検疫」，**3** itinerary「旅行計画」，**4** immigration「入国」

[**12**] **ロジック** ▶ thanks to ～はポジティブな理由を表す **ANSWER 3**

(訳) 衛星技術の進歩のおかげで，現在私たちは自分たちの位置や，ある対象物との距離を正確に知ることができる。

解説 衛星技術の進歩によって位置や距離の情報がどうなるか考える。**1** heritage「遺産」，**2** permanence「永続」，**3** precision「正確さ」，**4** friction「摩擦」

[**13**] **言い換え** ▶ wonderful surpriseをひと言で表すと何か **ANSWER 1**

(訳) **A**：なんて偶然なんでしょう！　何年も会ってなかったのに，故郷から遠く離れた空港で再会するなんて。

B：本当にうれしい驚きだよ。元気にしていた？

解説 **1** coincidence「偶然」はwhatから始まる感嘆文でよく使われる。**2** sector「分野，部門」，**3** disguise「変装」，**4** carrier「運輸会社，航空会社」

[**14**] **キーワード** ▶ in exchange for ～「～の見返りに」受け取る金銭を何というか **ANSWER 3**

(訳) その市会議員は，契約を勝ち取る便宜を図る見返りに，新しい市役所を建設した業者から約100万円を賄賂として受け取ったことを認めた。

解説 in exchange for ～以下から考える。**1** fund「資金」，**2** budget「予算」，**3** bribe「賄賂」，**4** expense「費用」

[**15**] The company's refusal to hold a press conference indicates a ( ) to publicly admit its involvement in the scandal.

1 reluctance **2** projection
3 abundance **4** pretense

[**16**] The ( ) of the population who identify themselves as independent voters overlaps with those who support this young, ambitious candidate.

1 maze **2** junction
3 hurdle **4** segment

[**17**] Climbers find it very difficult to climb Mt. Everest as the functions of human body slow down at a high ( ).

1 altitude **2** expertise
3 petition **4** freight

[**18**] A theory based on data which lacks validity and reliability will not bear close scientific ( ).

1 scrutiny **2** dilution
3 accent **4** abduction

[**19**] **A**: Have you got a chance to read the latest book by Dr. Henry?
B: No, I only had a chance to read through a short ( ). I will read the whole thing once I have finished this project.

1 eruption **2** retreat
3 sequel **4** excerpt

[15] キーワード ▶ refusal, indicate, to ... admitに注目 **ANSWER 1**

(訳) その企業が記者会見の開催を拒否したことは，同社が不祥事への関わりを公に認めることを躊躇していると示している。

解説 refusal「拒否」がindicate「示す」ことが何かを考える。**1** reluctance「躊躇」，**2** projection「予測」，**3** abundance「余分，過多」，**4** pretense「見せかけ」

[16] **ANSWER 4**

(訳) 自分を無党派層と思っている人口階層は，この若い野心的な候補者を支持する層と重なる。

解説 of the populationにつながるものを考える。**1** maze「迷路」，**2** junction「交差点」，**3** hurdle「障害」，**4** segment「階層」

[17] ロジック ▶ 身体機能を低下させるエベレストの環境とは何か **ANSWER 1**

(訳) 人の身体機能は高地で低下するので，登山家たちはエベレスト登頂が大変難しいと思う。

解説 登山で身体機能が低下するのは「高地」だから。**1** altitude「高地」，**2** expertise「専門知識」，**3** petition「請願」，**4** freight「積荷」

[18] **ANSWER 1**

(訳) 妥当性や信頼性を欠くデータに基づいた理論は，厳しい科学的検証に耐えられないだろう。

解説 関係代名詞節の内容から考える。bear scrutinyで「検証に耐える」。**2** dilution「液体で薄めること，希釈」，**3** accent「アクセント」，**4** abduction「誘拐」

[19] ロジック ▶ will read the whole thingに注目 **ANSWER 4**

(訳) **A**：ヘンリー医師の最新刊を読む機会はあった？
B：まだなんだ。簡単な抜粋を読む機会しかなかったんだ。プロジェクトを終えたら全部読むつもりだよ。

解説 次に「全部読むつもりだよ」と言っていることから，一部しか読んでいないとわかる。**1** eruption「爆発」，**2** retreat「退却」，**3** sequel「続編」，**4** excerpt「抜粋」

[20] Their daily routines include a (   ) around the park and a nice cup of
☐ coffee on the way home. They usually spend a few hours on these routines.

1 revelation   **2** stroll
3 draft   **4** sanctuary

[21] The chance of getting promoted gives employees a powerful (   ) to
☐ work harder.

1 debit   **2** proportion
3 incentive   **4** diameter

[22] **A**: We've got stuck in a traffic jam. Has there been an accident this
☐ morning?

B: I don't know. We'd better make a (   ), or we'll miss the flight!

1 passage   **2** detour
3 bump   **4** blaze

[23] After the coup d'état, the dictator and his aides were forced to live abroad
☐ as (   ) in order to avoid prosecution.

1 exiles   **2** upstarts
3 lookouts   **4** interns

[24] The sales manager will be demoted to section chief. He wasn't able to
☐ meet his sales (   ) for the last two consecutive quarters.

1 assets   **2** evaluations
3 tolls   **4** quotas

[20] ANSWER 2

(訳) 公園を散策して帰る途中でおいしいコーヒーを1杯飲むことは，彼らの日課に含まれる。彼らは通常このような日課に数時間かける。

解説 「日課」となるものを選ぶ。**1** revelation「新発見」，**2** stroll「散策」，**3** draft「設計図」，**4** sanctuary「保護区」

[21] ANSWER 3

(訳) 昇進するチャンスは従業員がさらに一生懸命働くための強い励みとなる。

解説 getting promoted「昇進すること」がwork harderに対してどのような効果をあげるか考える。**1** debit「引落し額」，**2** proportion「割合」，**3** incentive「励み，誘因」，**4** diameter「直径」

[22] ANSWER 2

(訳) **A**：交通渋滞で身動きできないね。今朝事故があったかな？
B：わからない。迂回（うかい）したほうがいいよ。さもないと飛行機に乗り遅れるよ。

解説 or「さもないと」以下の内容から，どうすべきだと言っているかを考える。**1** passage「通路」，**2** detour「迂回」，**3** bump「衝突」，**4** blaze「火事」

[23] キーワード ▶ the coup d'état, the dictatorに注目 ANSWER 1

(訳) クーデターのあと，その独裁者と彼の側近たちは起訴を避けるために，亡命者として海外に住むことを余儀なくされた。

解説 政治的な理由で海外での生活を強いられた状況を考える。**1** exile「亡命者」，**2** upstart「成り上がり」，**3** lookout「見張り」，**4** intern「インターン」

[24] キーワード ▶ be demoted to ～「～に降格になる」に注目 ANSWER 4

(訳) 営業部長は課長に降格になるようだ。彼はここ2四半期連続で販売ノルマを達成できなかった。

解説 できないと降格になるものを考える。meet a quotaで「ノルマを達成する」の意味。quarterは「四半期（3か月）」。**1** assets「資産」，**2** evaluation「評価」，**3** toll「通行料」，**4** quota「割り当て，ノルマ」

[25] The media's (　　) of the election was extensive, with news outlets reporting on every detail of the campaigns and providing analysis of the candidates' platforms.

1 fusion　　**2** assortment
3 coverage　　**4** vicinity

[26] (　　) occurs when the loss of body fluids exceeds the amount that is taken in.

1 Detention　　**2** Precaution
3 Discretion　　**4** Dehydration

[27] Colleges have to divide their effort between management and education. When this balance breaks down, (　　) usually drops.

1 astonishment　　**2** alignment
3 enrollment　　**4** fragment

[28] **A**: I think Peter got the job because his uncle works for one of our affiliate companies.
B: I don't think so. I think he was hired based on (　　). He knows about the insurance more than anybody in our company.

1 congestion　　**2** disdain
3 merit　　**4** intuition

[29] There is the argument that a (　　) who is accused of having committed a horrific crime should be tried as an adult.

1 bachelor　　**2** minor
3 patron　　**4** refugee

[30] The (　　) of animals, such as dogs and cats, has been an important aspect of human history, providing humans with labor and mental support.

1 adhesion　　**2** nuisance
3 domestication　　**4** verification

[25] キーワード ▶ mediaに注目 ANSWER 3

訳 選挙に関するメディアの報道は広範で，報道機関は選挙運動のあらゆる詳細を報道し，候補者の政策の分析を提供した。

解説 キーワードやwith以下の内容から，報道に関する内容だとわかる。**1** fusion「統合」，**2** assortment「詰め合わせ」，**3** coverage「報道」，**4** vicinity「近所」

[26] 言い換え ▶ when以下の状態を言い換える ANSWER 4

訳 脱水症状は体内の水分排出量が摂取量を上回ると起こる。

解説 when以下のときに生じることを選ぶ。接頭辞de-は「分離」，語根のhydrは「水」で，**4** dehydration「脱水症状」。**1** detention「勾留，留置」，**2** precaution「予防」，**3** discretion「決定権」

[27] ANSWER 3

訳 大学は経営と教育の両方に力を入れなければならない。このバランスが崩れたときに，たいていは入学者数が減る。

解説 大学の運営がうまくいっていないと減るものを考える。**1** astonishment「(大変な)驚き」，**2** alignment「整列；提携」，**3** enrollment「入学者数，入学」，**4** fragment「破片；断章」

[28] ロジック ▶ 縁故以外での採用理由とは何か ANSWER 3

訳 **A**：ピーターは彼のおじが私たちの関係会社に勤めているから雇われたんだと思うよ。

B：そうは思わないな。実績に基づいてだと思うよ。彼は会社の誰よりも保険について知っているよ。

解説 **B**の３文目の発言に注目する。ピーターが雇われた理由を答える。**1** congestion「渋滞，混雑」，**2** disdain「軽蔑」，**3** merit「実績；長所」，**4** intuition「直感」

[29] ロジック ▶ as an adultに注目 ANSWER 2

訳 恐ろしい犯罪を犯したと告訴されている未成年者は，成人として裁判にかけられるべきだとする議論がある。

解説 as an adult「成人として」という表現から，**2** minor「未成年」が適切。**1** bachelor「独身男性」，**3** patron「後援者」，**4** refugee「難民」

[30] ANSWER 3

訳 犬や猫などの動物の家畜化は，人間の歴史上重要な側面であり，労働力やメンタルサポートを提供してきた。

解説 providing以下の内容から，動物をどうしたのか考える。**1** adhesion「粘着」，**2** nuisance「迷惑」，**3** domestication「家畜化」，**4** verification「検証」

短文の語句空所補充　形容詞

To complete each item, choose the best word or phrase from among the four choices.

[1] ☐ **A**: Do you think the strategy our new CEO suggested will work? I'm very (　　).
B: Are you? Well, I expect he will make a breakthrough in our business.

1 insistent　**2** expressive
3 emotional　**4** skeptical

[2] ☐ The factory fire caused a tremendous financial damage to the company. At the end of the fiscal year, it was practically (　　).

1 bankrupt　**2** profitable
3 corrupt　**4** abrupt

[3] ☐ **A**: What do you think of Jessie's proposal?
B: I am all for it. We can reduce the cost, and there is nothing (　　) about it.

1 impractical　**2** immediate
3 impassable　**4** immeasurable

[4] ☐ Gathering all employees in one place to have a meeting is (　　). We should only invite those who are directly involved in the project and have the meeting online.

1 fragrant　**2** gaudy
3 cumulative　**4** inefficient

解答と解説

目標時間30秒／問

次の英文の（　）に当てはまるもっとも適切なものを1つ選びなさい。

[1]　ANSWER 4

訳 A：新任の最高経営責任者が提案した戦略はうまくいくと思う？　ぼくは非常に懐疑的だね。

B：そう？　そうね，彼は私たちの事業を飛躍的に進めてくれると私は期待してるわ。

解説 Bは「期待している」と言っているが，1文目から，Aとは異なる見解を述べているとわかる。**1** insistent「強要して」，**2** expressive「表情豊かな」，**3** emotional「感情的な」，**4** skeptical「懐疑的な」

[2]　ANSWER 1

訳 工場火災は会社に途方もない金銭的損害をもたらした。会計年度末には，その会社は事実上倒産していた。

解説 1文目から，会社が金銭的に苦しい状況にあったことがわかる。その状況は事実上**1** bankrupt「倒産して」いた，とするのが適切。**2** profitable「利益のある」，**3** corrupt「汚職の；堕落した」，**4** abrupt「突然の」

[3]　ANSWER 1

訳 A：ジェシーの提案をどう思う？

B：大賛成だよ。費用を抑えられるし，実現が難しいことは何もないよ。

解説「大賛成」であることから，賛成の理由を述べている。**1** impractical「実行が難しい」，**2** immediate「即座の」，**3** impassable「通行不能の」，**4** immeasurable「計測できない」

[4]　ANSWER 4

訳 会議をするために全従業員を1か所に集めるのは効率が悪い。プロジェクトに直接関わる人だけを招いて，オンラインで会議をするべきだ。

解説 2文目で主張を述べ，1文目でその理由を述べている。**1** fragrant「香りがよい」，**2** gaudy「派手な」，**3** cumulative「累積の」，**4** inefficient「効率が悪い」

[**5**] ☐ After Robert entered an ( ) password three times, his account was locked.

1 invalid **2** incessant
3 unstable **4** offensive

[**6**] ☐ While some welcomed and celebrated the agreement, others considered it long ( ) and refused to attend the celebration.

1 overdue **2** plural
3 underrated **4** interchangeable

[**7**] ☐ In some countries, education is ( ), and similarly, some employers require their employees to attend training programs to enhance their skills and knowledge.

1 gloomy **2** feasible
3 compulsory **4** hectic

[**8**] ☐ Anthony spends more money than he earns. He often buys things on impulse. For him everything seems ( ).

1 defective **2** irrelevant
3 insufficient **4** irresistible

[**9**] ☐ Attendance at the next week's meeting is ( ) for all new supervisors. Those supervisors who were hired less than six months ago have to attend it.

1 coherent **2** mandatory
3 intelligible **4** vigorous

[5] キーワード ▶ password, account was lockedに注目 ANSWER 1

訳 ロバートが無効なパスワードを3回入力したあと，彼のアカウントはロックされた。

解説 アカウントがロックされる条件を考える。**1** invalid「無効な」，**2** incessant「絶え間のない」，**3** unstable「不安定な」，**4** offensive「攻撃的な」

[6] ロジック ▶ 譲歩を表す接続詞whileに注目 ANSWER 1

訳 その協定を歓迎してお祝いをした人もいた一方で，その協定はもっと早くやっておくべきだったと考え，祝賀式典への参加を拒んだ人もいた。

解説 overdueで「期限が過ぎた」，long overdueで「もっと早くやっておくべきだった」という意味。**2** plural「複数(形)の」，**3** underrated「過小評価された」，**4** interchangeable「互いに交換できる」

[7] 言い換え ▶ similarlyに注目 ANSWER 3

訳 一部の国では，教育は義務的であり，同様に，一部の雇用者は，従業員の技能と知識を向上させるために，訓練プログラムへの参加を従業員に要求している。

解説 雇用主が従業員に求めることと同様の内容を表す語を選ぶ。**1** gloomy「暗い」，**2** feasible「適した」，**3** compulsory「義務的な」，**4** hectic「大忙しの」

[8] ANSWER 4

訳 アンソニーは稼ぐよりも多くのお金を使う。彼はよく衝動買いをしてしまう。彼にとっては何もかもが魅力的なようだ。

解説 前の2文の内容から，アンソニーには物がどのように見えているのか考える。**1** defective「欠陥がある」，**2** irrelevant「無関係の；重要でない」，**3** insufficient「不十分な」，**4** irresistible「非常に魅力的な；圧倒的な」

[9] 言い換え ▶ 2文目が1文目を言い換えている ANSWER 2

訳 来週の会議への出席は新任のスーパーバイザーには必須となっている。6か月以内に雇われたスーパーバイザーは出席しなくてはならない。

解説 「出席しなくてはならない」と2文目で説明している。つまり必須であるということ。**1** coherent「首尾一貫した」，**2** mandatory「必須の，義務的な」，**3** intelligible「理解しやすい」，**4** vigorous「活発な」

[**10**] The funding the organization received from the municipal government was (　　) only for this year's program. They are seeking for another financial resource for next year's.

1 adequate　　**2** lenient
3 dubious　　**4** mundane

[**11**] To finish this course to get a real estate license, it usually takes students a year. Some (　　) students have finished it within three months in the past.

1 optional　　**2** blatant
3 exceptional　　**4** functional

[**12**] The country has (　　) tourism resources with beautiful beaches, wildlife, and a variety of cultures.

1 prestigious　　**2** extravagant
3 abundant　　**4** established

[**13**] The company has been rapidly globalizing; it opened branch offices in New York, Frankfurt, New Delhi, Beijing and Jakarta over the past five years. It is not surprising that the hiring committee seek those who are (　　) at languages.

1 inept　　**2** inert
3 proficient　　**4** prominent

[**14**] The desk that Mr. White bought was not heavy, but too (　　) for him to carry into his room by himself.

1 vicious　　**2** lean
3 explicit　　**4** bulky

[**10**] ロジック ▶ 2文目の内容から考える　**ANSWER 1**

（訳）**その組織が地方自治体から受け取った資金は，今年のプログラムに十分なだけだった。彼らは来年のために他の資金源を探している。**

解説 来年の資金源を探しているということは，今年の分は足りたということ。**1** adequate「十分な」，**2** lenient「寛大な」，**3** dubious「疑わしい」，**4** mundane「日常の，ありふれた」

[**11**]　**ANSWER 3**

（訳）**不動産の資格を取得するためのこのコースを終えるのに，生徒はたいてい1年かける。過去には3か月で終えた非凡な生徒もいた。**

解説 ふつうは1年かかるコースを3か月で終える生徒は**3** exceptional「特に優れた；例外的な」だと言える。**1** optional「選択の，任意の」，**2** blatant「露骨な」，**4** functional「機能的な」

[**12**]　**ANSWER 3**

（訳）**その国には，美しいビーチ，野生生物，さまざまな文化など豊富な観光資源がある。**

解説 with以下に具体例が列挙されていることから考える。**1** prestigious「名声のある」，**2** extravagant「ぜいたくな」，**3** abundant「豊富な」，**4** established「確立した」

[**13**] キーワード ▶ globalizing，languagesに注目　**ANSWER 3**

（訳）**その会社は急速に国際化している。ここ5年の間にニューヨーク，フランクフルト，ニューデリー，北京（ペキン），ジャカルタに支社を設けた。採用担当委員会が語学堪能な人材を求めるのも無理はない。**

解説 国際化している会社が言語について人材に求めることを考える。**1** inept「無能な」，**2** inert「不活発な」，**3** proficient「堪能な」，**4** prominent「突き出した」

[**14**] ロジック ▶ too ～ to構文に注目　**ANSWER 4**

（訳）**ホワイト氏が買った机は重くはなかったが，彼がひとりで部屋に入れるにはあまりにかさばりすぎるものだった。**

解説 ひとりで運び入れるには「大きすぎる」，という流れが適切。**1** vicious「残忍な」，**2** lean「引き締まった」，**3** explicit「明確な」，**4** bulky「かさばった」

[**15**] The economically disadvantaged are (　　) to disease due to the lack of information or money to have access to health care services.

1 resilient　　**2** obedient
3 unstable　　**4** vulnerable

[**16**] Due to the (　　) rain over the weekend, the total amount of precipitation for the month exceeded that of last month.

1 permissive　　**2** sporadic
3 persistent　　**4** isolated

[**17**] **A** : Oh, not again! Why can't you be more careful not to spill?
B : Sorry. I didn't mean to. I am just too (　　).

1 clumsy　　**2** sober
3 gloomy　　**4** lofty

[**18**] The best way to lose weight is not to do hard exercises. Instead, it is to have a balanced diet with (　　) food.

1 anxious　　**2** nutritious
3 prominent　　**4** devious

[**19**] **A** : How was your first week of work?
B : Actually, it has been very dull. They have assigned me only to some (　　) jobs such as making photocopies.

1 absolute　　**2** eventful
3 tedious　　**4** primary

[15] ANSWER 4

訳 経済的に恵まれていない人たちは，医療サービスを受けるための情報やお金が不足しているために病気にかかりやすい。

解説 due to以下の内容から，病気に対してどのようであるかを考える。**1** resilient「弾力のある」，**2** obedient「従順な」，**3** unstable「不安定な」，**4** vulnerable「無防備な，かかりやすい」

[16] ロジック ▶ 前半は後半の出来事の理由を述べている ANSWER 3

訳 週末の持続的な雨のせいで今月の降水量は先月を上回った。

解説 後半の内容から，週末にはたくさんの雨が降ったと予想できるので，**3** persistent「持続的な」が適切。**1** permissive「許された」，**2** sporadic「散発的な」，**4** isolated「まれな」

[17] ANSWER 1

訳 **A**：ああ，またなの！　どうしてこぼさないようにもっと気をつけることができないの？
B：ごめん。こぼすつもりはなかったんだ。ただすごく不器用なんだ。

解説 **B**はこぼしたことに対して言い訳をしている。**1** clumsy「不器用な」，**2** sober「しらふの；まじめな」，**3** gloomy「暗い，陰気な」，**4** lofty「非常に高い」

[18] キーワード ▶ balanced diet，foodと結びつく語は？ ANSWER 2

訳 痩せるのに最適な方法は激しい運動をすることではない。その代わりに，栄養価の高い食べ物でバランスの取れた食事をとることだ。

解説 **1** anxious「心配している」，**2** nutritious「栄養価の高い」，**3** prominent「卓越した」，**4** devious「ずるい」

[19] 言い換え ▶ dullを言い換えた言葉が入る ANSWER 3

訳 **A**：仕事の初週はどうだった？
B：本当を言うと，すごくつまらなかったよ。コピーをとったりとか退屈な仕事しか与えてもらえなかったよ。

解説 **1** absolute「絶対の」，**2** eventful「出来事が多い」，**3** tedious「退屈な」，**4** primary「主要な，初期の」

[**20**] Unless you absolutely need it now, you should wait for a couple of months before buying a computer since ones you buy today will be ( ) in a month or two.

1 obsolete **2** concise
3 contemporary **4** tactical

[**21**] The report says many young people are ( ) about their futures in spite of the recession. About 90% of the respondents aged 20 to 29 say they believe their lives will improve in the near future.

1 optimistic **2** permissive
3 negative **4** prospective

[**22**] ( ) art often reflects current cultural and societal values, providing insight into the prevailing attitudes and beliefs of the present time.

1 Bashful **2** Tactical
3 Contemporary **4** Sinister

[**23**] After running the marathon, the athlete was completely ( ) and had to rest for hours to recover from the physical exertion.

1 unified **2** sophisticated
3 provoked **4** exhausted

[**24**] The speaker's ( ) voice could barely be heard over the noise of the crowd, causing many to strain to catch even a few words.

1 vulgar **2** stale
3 irate **4** faint

[20] ロジック ▶ since ～は理由を表す ANSWER 1

訳 今日買うコンピューターは1か月や2か月もすれば時代遅れになってしまうので，今どうしても必要でなければ，買うのは2，3か月待ったほうがいい。

解説 しばらくコンピューターを買うべきではない理由を考える。**1** obsolete「古臭い，時代遅れの」，**2** concise「簡潔な」，**3** contemporary「同時代の」，**4** tactical「戦術的な」

[21] ロジック ▶ 逆接のin spite ofに注目 ANSWER 1

訳 その報告書によると，多くの若者は不景気にもかかわらず自分たちの未来について楽観的である。20歳から29歳までの回答者の約90パーセントが，自分たちの生活は近い将来向上すると思うと答えている。

解説 in spite ofのあとがrecession「不景気」というマイナスの語なので，空所にはプラスの語が入ると考える。また，2文目の内容も手がかりになる。**1** optimistic「楽観的な」，**2** permissive「寛大な」，**3** negative「否定的な」，**4** prospective「予想される」

[22] 言い換え ▶ currentに注目 ANSWER 3

訳 現代美術は，現在の文化的，社会的価値を反映していることが多く，現在の一般的な態度や信念を洞察することができる。

解説 current やthe present timeから現代を反映する芸術だとわかる。**1** Bashful「内気な」，**2** Tactical「戦術の」，**3** Contemporary「現代の」，**4** Sinister「邪悪な」

[23] ロジック ▶ and had to restに注目 ANSWER 4

訳 マラソンを走った後，その選手は完全に疲れ切っていて，体力を回復するために何時間も休まなければならなかった。

解説 マラソンを走った後どうなるか考える。**1** unified「統一された」，**2** sophisticated「洗練された」，**3** provoked「引き起こされた」，**4** exhausted「疲れ切った」

[24] ロジック ▶ could barely be heardに注目 ANSWER 4

訳 その講演者のかすかな声は，群衆の騒音の中でほとんど聞こえず，多くの人がいくつかの言葉を聞き取るために緊張した。

解説 「ほとんど聞こえない」「聞き取るのに緊張する」と言った内容に適する語を選ぶ。**1** vulgar「不作法な」，**2** stale「新鮮でない」，**3** irate「激怒した」，**4** faint「かすかな」

短文の語句空所補充　熟語

To complete each item, choose the best word or phrase from among the four choices.

[**1**] As political scandals were revealed one after another, the politicians were concerned that they would (　　) a sharp decline in the approval rating.

1 shut out　　**2** lay off
3 bring on　　**4** break down

[**2**] Although not working as a lawyer, Ms. Wilson supports immigrants at her apartment complex (　　) her knowledge of laws.

1 marking down　　**2** pulling through
3 rolling up　　**4** drawing on

[**3**] **A**: I'm really craving some adventure. I could (　　) a hike or a road trip.
B: Why don't we plan a camping trip for next weekend? It will definitely satisfy your thirst for adventure.

1 get down　　**2** go for
3 kick in　　**4** pick over

[**4**] As our company is facing a very tough business situation, we have to merge with another company or (　　) ours.

1 launch into　　**2** come along
3 set off　　**4** wind up

解答と解説

目標時間30秒／問

次の英文の（　）に当てはまるもっとも適切なものを1つ選びなさい。

［1］ ロジック ▶ スキャンダルと支持率低下の関係を考える　**ANSWER 3**

訳 政治スキャンダルが次々と明らかにされたので，政治家たちはそれらが支持率の急低下をもたらすのではないかと心配した。

解説 スキャンダルが明らかになった結果，支持率がどうなるか考える。**1** shut out「締め出す」，**2** lay off「解雇する」，**3** bring on「引き起こす」，**4** break down「壊す；取り除く」

［2］ ロジック ▶ 移民を救うために知識をどうするのか　**ANSWER 4**

訳 ウィルソンさんは弁護士としては働いていないが，彼女の法律の知識を利用して，同じアパートに住んでいる移民たちの支援を行っている。

解説 移民を支援するために，法律の知識を「使っている」と考える。**1** mark down「書き留める」，**2** pull through「乗り切らせる」，**3** roll up「巻き上げる」，**4** draw on「生かす；引き出す」

［3］ 言い換え ▶ 前文の内容に注目　**ANSWER 2**

訳 **A**：本当に冒険がしたいです。ハイキングや車での旅行に行きたいです。
B：今度の週末にキャンプ旅行を計画しませんか。冒険心を満たしてくれること間違いなしです。

解説 could［would］go for ～で「～がしたい」の意味。**1** get down「降りる」，**2** go for「～を取りに行く」，**3** kick in「始まる」，**4** pick over「念入りに調べる」

［4］ ロジック ▶ 理由を表す接続詞asに注目　**ANSWER 4**

訳 我が社は厳しい経営状況にあるため，他社と合併するか，さもなければ我が社をたたまなければならない。

解説 経営が厳しいときの選択肢を考える。**1** launch into「始める」，**2** come along「（偶然）やってくる」，**3** set off「出発する」，**4** wind up「（会社などを）たたむ」

[5] **A**: I'm thinking of getting a more high-paying job.
☐ **B**: I think you should ask your boss for a raise before looking for a new job. Most high-paying jobs ( ) some kind of certification or work experience.

1 call for **2** run in
3 let up **4** sign over

[6] Jane ( ) the chance when an LCC sold one-way tickets for Hawaii for
☐ 30,000 yen for an opening sale.

1 walked over **2** fell into
3 jumped at **4** passed off

[7] Numerous attractive alternatives were presented at a meeting. However,
☐ they decided to ( ) their original plan at the end.

1 stick with **2** block out
3 split up **4** pin down

[8] Susan tried to ( ) her lost time with her son when she met him again
☐ after five years of separation.

1 catch up with **2** come down with
3 make up for **4** keep up with

[9] Melissa seems to be stressed out. Her new job, moving, new friends, and
☐ family matters are all ( ).

1 backing her down **2** running her down
3 jamming her up **4** eating her up

[5] キーワード ▶ high-payingjobには資格や経験がどう影響するか **ANSWER 1**

訳 **A**：もっと給料がいい仕事に就こうと考えているんだ。
B：新しい仕事を探す前に上司に昇給を頼むべきだよ。給料がいい仕事のほとんどは何かしらの資格か業務経験が必要だからね。

解説 high-paying jobとcertification, work experienceの関係を考える。**1** call for「必要とする」, **2** run in「ちょっと立ち寄る」, **3** let up「やめる」, **4** sign over「署名して譲り渡す」

[6] **ANSWER 3**

訳 格安航空会社がオープニングセールとしてハワイへの片道航空券を3万円で売り出したとき，ジェーンはその機会に飛びついた。

解説 オープニングセールでチケットは安くなっていると考えられる。**1** walk over「～の上を歩く，踏みにじる」, **2** fall into「倒れこむ」, **3** jump at「飛びつく」, **4** pass off「偽る；過ぎる」

[7] ロジック ▶ 逆接のhoweverに注目 **ANSWER 1**

訳 いくつもの魅力的な代替案が会議で提案された。しかし最終的には，彼らは元々の案にこだわることに決めた。

解説 代替案が提案されたが，元々の案に…という流れから **1** stick with「こだわる」が適切。**2** block out「ふさぐ」, **3** split up「分ける」, **4** pin down「押さえつける」

[8] **ANSWER 3**

訳 スーザンは5年間離ればなれだった息子に再会したとき，彼との失われた時間を埋め合わせしようとした。

解説 when以下の内容を踏まえて，時間をどうしようとしたのか考える。**1** catch up with「追いつく」, **2** come down with「(病気に)かかる」, **3** make up for「埋め合わせる」, **4** keep up with「遅れないでついていく」

[9] 言い換え ▶ stressed outとはどういう状態か **ANSWER 4**

訳 メリッサはストレスで参っているようだ。新しい仕事，引越し，新しい友達，家族の問題などのすべてが彼女を悩ませている。

解説 be stressed out「ストレスで参っている」とは，出来事や苦労が人をむしばんでいる状態。つまり，**4** eat up「(人を)悩ます」ということ。**1** back down「後退する」, **2** run down「徐々に停止する；(車で人を)はねる」, **3** jam up「動かなくする」

短文の語句空所補充　動詞

To complete each item, choose the best word or phrase from among the four choices.

[**1**] In some countries, access to basic needs such as water and food is limited. In these poorest countries children are often (　　) to abandon school.

1 devised　　**2** preserved
3 condemned　　**4** compelled

[**2**] Since Kevin (　　) disturbing the harmony at work, he tries hard not to disagree with anybody.

1 evokes　　**2** suspects
3 idolizes　　**4** dreads

[**3**] **A**: When I tried to stroke Patrick's dog, he told me not to touch her because she's afraid of people. He told me she had been (　　) by its ex-owner.

B: I've heard about other abused pets, too. It's a shame that there are some irresponsible pet owners.

1 abolished　　**2** mimicked
3 violated　　**4** neglected

[**4**] Strange tales of easy money (　　) here and there, no matter if the economy is good or bad. If you browse some websites in a minute, you can find such a lot of stories.

1 scatter　　**2** waver
3 abound　　**4** assemble

解答と解説

目標時間30秒／問

次の英文の（　）に当てはまるもっとも適切なものを1つ選びなさい。

[1] ロジック ▶ 1文目から子どもたちの置かれた状況を理解する　**ANSWER 4**

訳 水や食料といった必需品が手に入りにくい国もある。そのような最貧国では，子どもたちはやむを得ず学校をやめなければならないことが多い。

解説 1文目の内容から，abandon school「学校をやめる」のは子どもたちが望むことではないと想像できる。**1** devise「考案する」，**2** preserve「保存する」，**3** condemn「非難する」，**4** compel「強制する」

[2]　**ANSWER 4**

訳 ケビンは職場での和を乱すことを恐れているので，誰にも異議を唱えないように最大限努力している。

解説 ケビンが異議を唱えないようにしている原因を考える。**1** evoke「呼び起こす」，**2** suspect「疑う」，**3** idolize「崇拝する」，**4** dread「恐れる」

[3]　**ANSWER 4**

訳 **A**：パトリックの犬をなでようとしたとき，人間を怖がっているから触らないでと言われたんだ。前の飼い主に飼育放棄されたと言っていたよ。
B：虐待されたペットのことを他にも聞いたことがあるわ。無責任なペットの飼い主がいることは残念だわ。

解説 **B**の1文目の発言から，abused pets「虐待されたペット」に関連する語を選ぶ。**1** abolish「廃止する」，**2** mimic「まねる」，**3** violate「違反する，妨害する」，**4** neglect「無視する，放棄する」

[4] 言い換え ▶ a lot ofを言い換える　**ANSWER 3**

訳 景気がよくても悪くても，奇妙なもうけ話はあちこちにいくらでもある。ちょっとホームページを見るだけで，そんな話はたくさん見つけられる。

解説 「たくさん見つけられる」とあるので，**3** abound「たくさんある」と考える。strange tales of easy money = such storiesの言い換えにも注目する。**1** scatter「散る」，**2** waver「揺れ動く」，**4** assemble「集まる」

[**5**] John's daughter was (　　) by his work. She borrowed his books, asked him numerous questions, and later became a doctor herself.

☐

1 tainted　　**2** dispatched
3 intrigued　　**4** sheltered

[**6**] Since the original work of Karl Marx was too lengthy to cover in a course, the teacher used an (　　) version of his work.

☐

1 inherited　　**2** abridged
3 emitted　　**4** aspired

[**7**] **A**: Did you hear that the stolen painting is coming back to the museum?
☐ **B**: Yes. The thieves had a plan to bring the painting abroad to sell it, but it was (　　) by the police.

1 deflected　　**2** foiled
3 eliminated　　**4** exposed

[**8**] Followers of some religion (　　) from eating certain animals as they believe a god resides in the animal.

☐

1 abstain　　**2** ensue
3 sprout　　**4** deploy

[**9**] The residence of the mob leader was (　　) yesterday by the police, and they found evidence of his involvement in multiple criminal activities.

☐

1 depicted　　**2** raided
3 doomed　　**4** nourished

[5] ANSWER 3

(訳) ジョンの娘は彼の仕事に興味をそそられた。彼女は彼の本を借り，たくさんの質問をして，後に彼女自身も医師になった。

解説 本を読んだりたくさんの質問をしたりしたのはなぜか理由を考える。**1** taint「傷つける」，**2** dispatch「派遣する」，**3** intrigue「興味をそそる」，**4** shelter「(安全な場所を提供して)保護する」

[6] ロジック ▶ too ～ to 構文に注目 ANSWER 2

(訳) カール・マルクスの原著はコース内で網羅するには長すぎるので，その先生は彼の作品の要約版を使用した。

解説 too lengthy to ...から，授業ではどのようなバージョンを使ったか考える。**1** inherit「相続する」，**2** abridge「要約する」，**3** emit「放出する」，**4** aspire「切望する」

[7] ロジック ▶ 逆接を表す接続詞butに注目 ANSWER 2

(訳) **A**：盗まれた絵が美術館に戻ってくるって聞いた？
B：聞いたよ。泥棒たちは絵を売るために外国に持って行く計画だったんだけど，それは警察に阻止されたんだ。

解説 butから，計画がうまくいかなかったと考える。**1** deflect「そらす」，**2** foil「阻止する」，**3** eliminate「除く」，**4** expose「さらす；暴露する」

[8] ANSWER 1

(訳) 神が宿ると信じて，特定の動物を食べることを慎む宗教の信者もいる。

解説 神が宿ると信じる動物に対する行動として適切なのは「食べない」こと。**1** abstain「慎む」，**2** ensue「あとから起こる」，**3** sprout「芽を出す」，**4** deploy「展開する」

[9] キーワード ▶ police，found evidenceに注目 ANSWER 2

(訳) 暴力団のリーダーの住居は昨日警察によって強制捜査され，彼が様々な犯罪活動に関わっていた証拠が見つかった。

解説 警察が犯罪の証拠を見つけたことからわかる。**1** depict「描写する」，**2** raid「強制捜査する，急襲する」**3** doom「運命づける」，**4** nourish「栄養を与える」

[**10**] During the new employee orientation, managers instructed that the
☐ employees were expected to (　　) to the company regulations all the time.

1 adhere　　**2** ripen
3 float　　**4** vanish

[**11**] **A** : I don't think we need new products to increase our sales.
☐ **B** : I agree. Instead of changing the products altogether, I think we need to (　　) the marketing style.

1 refine　　**2** accompany
3 confer　　**4** pluck

[**12**] The hospital is currently understaffed to (　　) the appropriate treatment
☐ to all of its patients.

1 disgust　　**2** puncture
3 administer　　**4** cherish

[**13**] When he fell, he seemed fine, but later his elbow started to (　　) and
☐ became numb. That's when he rushed to the hospital.

1 slant　　**2** swell
3 lounge　　**4** brace

[**14**] Professor Jenkins avoided (　　) himself with the university that was
☐ accused of being part of a bribery scandal.

1 evaluating　　**2** bothering
3 affiliating　　**4** enhancing

[10] キーワード ▶ the company regulationsに注目 ANSWER 1

訳 新入社員のためのオリエンテーション中に，マネージャーたちは従業員はいかなる時も会社の規則に従うこととなっていると指導した。

解説 キーワードと相性の良い動詞を選ぶ。**1** adhere「忠実に従う；くっつく」，**2** ripen「熟する」，**3** float「浮かぶ」，**4** vanish「消える」

[11] キーワード ▶ instead ofに注目 ANSWER 1

訳 **A**：売り上げを上げるために新製品は必要ないと思うよ。
B：私もそう思うわ。製品を全面的に変えるのではなく，市場戦略を洗練させる必要があると思うわ。

解説 「製品を全面的に変える」ことの代わりになることとは何か考える。**1** refine「洗練させる」，**2** accompany「同行する」，**3** confer「与える」，**4** pluck「引き抜く」

[12] キーワード ▶ hospital, treatmentに注目 ANSWER 3

訳 その病院は適切な治療を全ての患者に施すには，現在人手不足である。

解説 キーワードから，患者に「治療を行う」という意味の語が適切だとわかる。**1** disgust「うんざりさせる」，**2** puncture「刺す」，**3** administer「(治療を) 行う；管理する」，**4** cherish「大事にする」

[13] キーワード ▶ fell, numb, hospitalに注目 ANSWER 2

訳 彼は転んだときには大丈夫そうだったが，後になって肘が腫れ始めて痺れてきた。そのときになって彼は病院へ急いだ。

解説 転んで病院に急いだことから怪我をしたと考えられる。**1** slant「傾く」，**2** swell「腫れる」，**3** lounge「ゆったり過ごす」，**4** brace「身構える」

[14] ANSWER 3

訳 ジェンキンス教授は収賄スキャンダルに関わっていると非難されている大学に所属することを避けた。

解説 a bribery scandal「収賄スキャンダル」のある大学にどうすることを避けたのか考える。**1** evaluate「評価する」，**2** bother「困らせる」，**3** affiliate「加入させる」，**4** enhance「高める」

[**15**] The airline company cordially asked passengers (　　) with flu to forbear from getting on board.

1 assembled　**2** squeezed
3 secured　**4** afflicted

[**16**] A college education does not guarantee success. Some college graduates fail, and some college dropouts (　　).

1 suppress　**2** despair
3 commute　**4** thrive

[**17**] One of the main duties of Finance Ministry is to go over the needs of each ministry and department and (　　) money properly.

1 allocate　**2** contend
3 abolish　**4** invent

[**18**] You should (　　) from smoking while walking. There is danger that passersby, especially small children, will get burned by your cigarette.

1 halt　**2** aspire
3 refrain　**4** evaporate

[**19**] After a devastating car accident, Rebecca had to go through countless operations. Most of the operations were conducted to (　　) her leg bones.

1 stagger　**2** resume
3 reconstruct　**4** drain

[15] キーワード ▶ fluに注目 **ANSWER 4**

訳 その航空会社はインフルエンザにかかっている乗客たちに，搭乗しないよう，丁重にお願いした。

解説 搭乗を断っていることから，乗客の状態を考える。**1** assemble「集める」，**2** squeeze「強く押す」，**3** secure「守る；安全にする」，**4** afflict「苦しめる」

[16] ロジック ▶ Some ..., and some ～ .に注目 **ANSWER 4**

訳 大学教育を受けたから成功が約束されているわけではない。大学を卒業して挫折する人もいれば，大学を中退して成功する人もいる。

解説 Some ..., and some ～ .で「…する人もいれば～する人もいる」の意味。前半と後半では並列する語句や反する語句が入る。**1** suppress「抑圧する」，**2** despair「絶望する」，**3** commute「通勤する，通学する」，**4** thrive「目標を達成する，成功する」

[17] キーワード ▶ duties of Finance Ministryとは？ **ANSWER 1**

訳 財務省の主な職務の一つは，各省庁・部署のニーズを調査し，適切にお金を割り当てることだ。

解説 財務省の職務に適する動詞を選ぶ。**1** allocate「配分する」，**2** contend「戦う」，**3** abolish「廃止する」，**4** invent「発明する」

[18] **ANSWER 3**

訳 歩きながらたばこを吸うのは控えるべきだ。通行人，特に小さな子どもがたばこでやけどする危険がある。

解説 refrain from *do*ingで「～するのを控える」。haltは後ろにfromが不要。**1** halt「停止する」，**2** aspire「熱望する」，**3** refrain「差し控える」，**4** evaporate「蒸発する」

[19] **ANSWER 3**

訳 悲惨な自動車事故のあと，レベッカは幾度となく手術を受けなければならなかった。そのほとんどが脚の骨を再建するためだった。

解説 事故のあとの手術の目的としては，骨を**3** reconstruct「再建する」が適切。**1** stagger「よろめかせる」，**2** resume「再開する」，**4** drain「水を抜く」

[**20**] The announcement that the vice president made today about his resignation ( ) everybody in the company. Nobody was expecting that.

1 pardoned **2** entrusted
3 jumbled **4** stunned

[**21**] The leader of the ruling party criticized the opposition parties and the media, saying that they have been intentionally trying to ( ) the government.

1 distort **2** divert
3 discredit **4** distinguish

[**22**] This book provides basic methods to ( ) your relationship, whether it is between family members, friends, or co-workers.

1 enhance **2** enlighten
3 familiarize **4** formalize

[**23**] The initial five years were tough, but Mr. Johnson's business ( ) in the sixth year since he made his idea into a product.

1 prospered **2** detached
3 proclaimed **4** decayed

[**24**] While Jennifer was gone on a business trip for three weeks, all of her plants had ( ) and died because her husband had forgotten to water them.

1 thrived **2** withered
3 plunged **4** shrugged

[20] ロジック ▶ 予想外の声明に対する反応を推測する　ANSWER 4

訳 副社長が今日行った，自身の辞職に関する声明は会社の誰もを驚かせた。誰もそれを予想していなかった。

解説 2文目の内容から，副社長の声明に対する反応を考える。**1** pardon「許す」，**2** entrust「任せる」，**3** jumble「乱雑にする」，**4** stun「動転させる」

[21]　ANSWER 3

訳 与党の党首は，野党とマスコミは意図的に政府の信用を失墜させようとしていると言って批判した。

解説 the opposition parties and the media「野党とマスコミ」に対する批判の内容として適切なものを選ぶ。**1** distort「ゆがめる」，**2** divert「転換する」，**3** discredit「信用を失墜させる」，**4** distinguish「見分ける」

[22]　ANSWER 1

訳 本書は，家族間であれ，友達同士であれ，仕事仲間であれ，人間関係を深めるための基本的な方法を教えてくれます。

解説 その本を読むことが人間関係に与える影響を考える。**1** enhance「向上させる」，**2** enlighten「啓発する」，**3** familiarize「慣れさせる」，**4** formalize「正式なものとする」

[23] ロジック ▶ 逆接の接続詞butに注目　ANSWER 1

訳 最初の5年は厳しかったが，ジョンソン氏のビジネスは彼が自身のアイデアを製品化してから6年目に繁盛した。

解説 最初の5年は厳しかったが，6年目は逆の状態であったと考える。**1** prosper「繁盛する」，**2** detach「引き離す」，**3** proclaim「宣言する」，**4** decay「腐敗する」

[24] キーワード ▶ 空所のあとのand diedに注目　ANSWER 2

訳 ジェニファーが出張で3週間留守にしている間，彼女の夫が水やりを忘れたので，彼女の植物はすべて枯れてしまった。

解説 直後のand diedと並列になることから，植物の状態を表す語を選ぶ。**1** thrive「栄える」，**2** wither「枯れる」，**3** plunge「急落する」，**4** shrug「肩をすくめる」

[**25**] There is a possibility that applicants present a (　　) certificate, but at the moment we do not have the means to find that out.

1 notified　　**2** falsified
3 dignified　　**4** classified

[**26**] His job is to determine the value of gems, especially diamonds. He (　　) diamonds to categorize them depending on size, clarity, and quality of cutting.

1 warrants　　**2** criticizes
3 endorses　　**4** scrutinizes

[**27**] **A**: If our team loses next time, we will be (　　) automatically!
B: I fear that many good players will go away, making the quality of the team worse.

1 relegated　　**2** promoted
3 ripened　　**4** plunged

[**28**] Our task is not just to send relief like foods, medicines, and clothing. We have to make sure that the supplies are (　　) appropriately.

1 released　　**2** rationed
3 dispatched　　**4** deported

[**29**] At the last moment I remembered a structural formula that had (　　) me during the examination, so I wrote it down in a great hurry.

1 complicated　　**2** surpassed
3 eluded　　**4** disabled

[25] ANSWER 2

訳 応募者が偽造した証明書を提出する可能性があるが，今のところ私たちにはそれを見抜く方法がない。

解説 何を見抜く必要があるのかを考える。**1** notify「通知する」，**2** falsify「偽造する」，**3** dignify「威厳をつける」，**4** classify「分類する」

[26] 言い換え ▶ determine the value of gemsのために何をするのか ANSWER 4

訳 彼の仕事は宝石，特にダイヤモンドの価値を決定することである。彼はダイヤモンドを大きさ，透明度，カットの質によって分類するため綿密に調べる。

解説 2文目は1文目の説明になっている。**1** warrant「保証する」，**2** criticize「批評する」，**3** endorse「是認する」，**4** scrutinize「綿密に調べる」

[27] ANSWER 1

訳 **A**：僕たちのチームは今度負けたら自動的に降格されるよ！
B：たくさんのいい選手が出て行ってしまわないか心配だよ。そうしたらチームの質はもっと悪くなるよ。

解説 **B**の発言から，マイナスイメージの語がくると考える。**1** relegate「格下げする」，**2** promote「昇格させる」，**3** ripen「円熟させる」，**4** plunge「突っ込む」

[28] キーワード ▶ relief「救援物資」に注目 ANSWER 2

訳 私たちの任務は食糧や医薬品，衣類などの救援物資をただ送るだけではない。物質が適切に配給されているか見届けなくてはならない。

解説 キーワードから「届く」や「配分する」という意味の語が入ると考える。**1** release「解放する」，**2** ration「配給する」，**3** dispatch「派遣する」，**4** deport「国外追放する」

[29] ロジック ▶ 思い出したということはその前はどうだったのか ANSWER 3

訳 試験中に思い出せなかった構造式を最後の瞬間に思い出して，私は大急ぎで書いた。

解説 思い出して大急ぎで書いたということは，それまでは思い出せないでいたということ。**1** complicate「理解しにくくする」，**2** surpass「超える」，**3** elude「思い出せない」，**4** disable「できなくさせる」

[**30**] Martin often ( ) himself. He says that he despises male chauvinism, but he does not want to accept his female boss.

☐

1	negates	**2**	contradicts
3	predicts	**4**	prompts

[**31**] Alex suffered from insomnia, but he could sleep better after he began to take the sleeping tablets his doctor ( ) him.

☐

1	prescribed	**2**	surpassed
3	stimulated	**4**	soothed

[**32**] **A** : I heard that we do not have an examination for Mr. Jones' class.

☐ **B** : This semester is irregular. He ( ) our work on several presentations and papers, so we will be very busy.

1	reveals	**2**	reflects
3	evaluates	**4**	confers

[**33**] My professor recommended some books to read for my thesis and wrote me the titles of them, but later I had difficulty in ( ) his handwriting.

☐

1	decoding	**2**	resuming
3	formulating	**4**	deciphering

[**34**] Today I will introduce you a documentary film ( ) with the interview of some witnesses of the event.

☐

1	bouncing	**2**	coinciding
3	commencing	**4**	contaminating

[30] 言い換え ▶ 2文目が1文目の具体例 **ANSWER 2**

(訳) マーティンの言うことはしばしば矛盾している。彼は男性優越主義を軽蔑していると言うが，自分の女性の上司を受け入れたがらない。

解説 2文目のbutの前後で内容が矛盾していることから，**2** contradict「矛盾する」を選択する。**1** negate「否定する」，**3** predict「予言する」，**4** prompt「刺激する」

[31] キーワード ▶ tabletはdoctorからどうされるものか **ANSWER 1**

(訳) アレックスは不眠に苦しんでいたが，医者が彼に処方した睡眠薬を飲み始めてからよく眠れるようになった。

解説 医者は薬を**1** prescribe「処方する」と考える。**2** surpass「上回る」，**3** stimulate「刺激する」，**4** soothe「なだめる」

[32] キーワード ▶ examination, presentations, papersに注目 **ANSWER 3**

(訳) **A**：ジョーンズ先生の授業の試験がないって聞いたけど。
B：今学期は変則的なんだよ。先生は僕たちのいくつかの発表とレポートで評価するんだ。だからすごく忙しくなるよ。

解説 キーワードから，学校の試験などに関する語が入るとわかるので**3** evaluate「評価する」を選ぶ。**1** reveal「暴露する」，**2** reflect「反映する」，**4** confer「授ける」

[33] ロジック ▶ 逆接の接続詞butに注目 **ANSWER 4**

(訳) 私の論文のために，教授が何冊かの本を薦めてそのタイトルを書いてくれたが，あとで私はその手書き文字を読むのに苦労した。

解説 「書いてくれたが，～しにくい」という流れなので，**4** decipher「判読する」を選ぶ。**1** decode「（暗号などを）解読する」，**2** resume「再開する」，**3** formulate「公式化する」

[34] **ANSWER 3**

(訳) 今日はあなた方に，その出来事の目撃者数人のインタビューで始まるドキュメンタリー映画を紹介します。

解説 commence with ～で「～で始まる（＝start with ～）」。**1** bounce「はずむ」，**2** coincide「同時に起こる」，**4** contaminate「汚染する」

短文の語句空所補充　名詞

To complete each item, choose the best word or phrase from among the four choices.

[1] Mr. Cooke, the CEO of Cooke Network Systems, was indicted on charges of tax (　　) and was sentenced to two years in prison.

1 distortion　　**2** clarity
3 evasion　　**4** recess

[2] Fringe benefits such as health insurance and paid leave contribute to the well-being of the employees. They are beneficial for both the management and the employees in the long-term (　　).

1 perspective　　**2** scrutiny
3 duration　　**4** integrity

[3] **A**: I heard you moved into a new apartment. How do you like it?
B: It's quite comfortable but a little expensive. The rent doesn't include (　　), so I've got to pay gas, water, and electricity myself.

1 tenants　　**2** habitats
3 appliances　　**4** utilities

[4] The government has no choice but to issue deficit-covering bonds since it is clear that expenditure will exceed (　　).

1 revenue　　**2** referral
3 distinction　　**4** opponent

解答と解説

目標時間30秒／問

次の英文の（　）に当てはまるもっとも適切なものを1つ選びなさい。

［1］ キーワード ▶ was indicted, charges, was sentencedに注目 **ANSWER 3**

訳 クックネットワークシステムのCEOであるクック氏は，脱税の罪で起訴され懲役2年の判決を受けた。

解説 キーワードから裁判に関する内容だとわかる。tax evasionで「脱税」の意味。**1** distortion「ゆがみ」，**2** clarity「明晰（めいせき）」，**3** evasion「（義務などの）回避」，**4** recess「休憩」

［2］ **ANSWER 1**

訳 健康保険や有給休暇などの付加給付は社員の福利に寄与している。それらは長期的視点から経営者側と社員側両方にとって有益である。

解説 1文目の内容も考慮して，long-termと結びつきやすい語を選ぶ。**1** perspective「視点」，**2** scrutiny「精査」，**3** duration「持続」，**4** integrity「高潔」

［3］ 言い換え ▶ so以下に具体的な内容 **ANSWER 4**

訳 A：新しいマンションに引っ越したって聞いたよ。どう？
B：住み心地はとてもいいけどちょっと高いかな。公共料金は賃料に含まれないから自分でガス代と水道代と電気代は払わなくちゃならないんだ。

解説 Bの発言のexpensiveから，料金に関わる話題であることがわかる。so以下のpay gas, water, and electricityを1語で表すのは **4** utilities「公共料金」。**1** tenant「賃借人」，**2** habitat「生息地」，**3** appliance「電化製品」

［4］ キーワード ▶ deficit-covering bonds, expenditureに注目 **ANSWER 1**

訳 政府は赤字国債を発行するよりほかない。歳出が歳入を超えることは明白だからだ。

解説 expenditure「歳出」がexceed「超える」ものとして適切なのは，反意語の **1** revenue「歳入」。deficit-covering bonds「赤字国債」もキーワードとなる。**2** referral「委託；照会」，**3** distinction「区別」，**4** opponent「対抗者」

[**5**] ☐ I wouldn't be in this position without you. Please accept these gift certificates as a (　　) of my appreciation for your help.

1 deficit　　**2** token
3 sign　　**4** compliment

[**6**] ☐ The European Union officially decided to impose economic (　　) against Iran. The decision includes an embargo on purchase of Iranian crude oil.

1 captions　　**2** fatalities
3 sanctions　　**4** initiative

[**7**] ☐ **A**: Would it be possible to see some of your representative works?
B: Certainly. I brought a (　　) of my photographs today.

1 portfolio　　**2** voucher
3 chore　　**4** novelty

[**8**] ☐ I can't stand my colleague any longer. I'm fed up with his biting (　　) and cynical remarks.

1 timidity　　**2** envoy
3 elaboration　　**4** sarcasm

[**9**] ☐ If Japan moves ahead with free trade agreements with other countries, the country will have to eliminate (　　) on imported goods.

1 admiration　　**2** facilities
3 unison　　**4** tariffs

[5] ANSWER 2

訳 あなたがいなければ私は今の地位にいないでしょう。ご支援に対する私の感謝のしるしとして，この商品券をお受け取りください。

解説 相手に世話になった場合，感謝のしるしとして品物を渡す。**1** deficit「赤字」，**2** token「しるし」，**3** sign「記号」，**4** compliment「敬意」

[6] ANSWER 3

訳 EUは，イランに対し経済制裁を課すことを正式に決めた。その決定事項にはイラン産原油の輸入禁止も含まれている。

解説 impose economic sanctions「経済制裁を課す」で覚えておきたい。embargo「(通商)禁止」も2文目の内容を把握する重要単語。**1** caption「見出し」，**2** fatality「災難」，**3** sanctions「制裁(措置)」，**4** initiative「主導権」

[7] キーワード ▶ representative works「代表作」に注目 ANSWER 1

訳 **A**：あなたの代表作のいくつかを見せていただくことは可能でしょうか。
B：もちろんです。本日は私の写真の作品集を持参いたしました。

解説 芸術家などは，自分の作品を売り込む際に**1** portfolio「作品集」を携えてくることが多い。**2** voucher「クーポン券」，**3** chore「雑用」，**4** novelty「新奇な物」

[8] ロジック ▶ andの前後は意味の類似した名詞句の可能性大 ANSWER 4

訳 私は私の同僚にこれ以上耐えられない。彼の辛辣(しんらつ)ないやみや皮肉たっぷりの発言にはうんざりだ。

解説 cynical remarks「皮肉な発言」とbiting sarcasm「辛辣ないやみ」はほぼ同じ意味。**1** timidity「内気」，**2** envoy「公使」，**3** elaboration「精巧さ」，**4** sarcasm「いやみ」

[9] キーワード ▶ tradeに注目 ANSWER 4

訳 日本が他国との自由貿易協定を進めるのであれば，輸入品にかかる関税を取り除かなくてはならないだろう。

解説 free trade agreementsは「自由貿易協定」。選択肢の中で貿易に関する語は**4** tariff「関税」。**1** admiration「賞賛，敬服」，**2** facility「施設」，**3** unison「調和」

[**10**] Although Luke believed most of his ancestors were Spanish, he found out that he's actually a direct (　　) of an Italian political figure.

☐

1 celebrity　　**2** correspondence
3 descendant　　**4** beggar

[**11**] (　　) of hay fever such as itchy eyes and a runny nose can be relieved by antihistamine drugs.

☐

1 Symptoms　　**2** Vaults
3 Upturns　　**4** Destinies

[**12**] **A**: I was quite surprised at how high the (　　) was.

☐ **B**: So was I. Tax rates are really high so not much is left for our take-home pay.

1 deletion　　**2** description
3 disruption　　**4** deduction

[**13**] Excessive (　　) to the sun is considered to be one of the main causes of skin cancer; therefore, you should protect yourself with sunglasses, a hat, and sunscreen when you go outside during daytime.

☐

1 remedy　　**2** exposure
3 anatomy　　**4** urgency

[**14**] Richard Benson, an accounting (　　) of Fast Corp., was allegedly dismissed due to the involvement in the window-dressing settlement.

☐

1 alliance　　**2** successor
3 amendment　　**4** auditor

[10] キーワード ▶ ancestorsに注目 ANSWER 3

(訳) ルークは彼の祖先のほとんどがスペイン人だと思っていたが，実はイタリア人の，大物政治家の直系の子孫であることがわかった。

解説 キーワードのancestor「祖先」から家系の話だとわかる。**1** celebrity「著名人」，**2** correspondence「一致」，**3** descendant「子孫」，**4** beggar「物乞い」

[11] ANSWER 1

(訳) 目のかゆみや鼻水など花粉症の症状は，抗ヒスタミン薬で緩和できる。

解説 such as以下の具体例から花粉症の**1** symptom「症状」であるとわかる。**2** vault「地下貯蔵庫」，**3** upturn「好転」，**4** destiny「運命」

[12] 言い換え ▶ 2人は同じ考えで同じことを言っている ANSWER 4

(訳) **A**：控除額の高さにはとても驚いたよ。
B：私も。税率が本当に高いから給料の手取りは大して残らない。

解説 **B**が同意していることに注目。take-home payは「手取りの所得」。**B**の2文目の税率の話題から**4** deduction「(税金などの) 控除」だと推測できる。**1** deletion「削除」，**2** description「描写」，**3** disruption「分裂」

[13] ANSWER 2

(訳) 日光に過度にさらされることは皮膚がんの主な原因の一つと考えられるので，日中に外出する際はサングラス，帽子，日焼け止めで身を守るべきだ。

解説 excessiveは「過度に」。後半の「身を守る」という内容から，皮膚がんの原因はその反対の意味の**2** exposure「さらすこと」だと考える。**1** remedy「治療法」，**3** anatomy「解剖学」，**4** urgency「緊急性」

[14] キーワード ▶ accounting, window-dressing settlementに注目 ANSWER 4

(訳) 伝えられるところでは，リチャード・ベンソン氏はファスト・コーポレーションの会計監査役だが，粉飾決算への関与のために解雇された。

解説 キーワードから，会計に関する話題だとわかる。**1** alliance「同盟」，**2** successor「後継者」，**3** amendment「修正」，**4** auditor「監査役」

[**15**] ☐ Ten Japanese (　　) consisting of representatives from various fields attended the World Energy Conference held in New York.

1 decency　　**2** anthems
3 relics　　**4** delegates

[**16**] ☐ In order to secure professionals with ample experience, it is indispensable to offer competitive (　　) to them. Even though they receive high income, it will be justified if they do a worthwhile job.

1 engagement　　**2** remuneration
3 demotion　　**4** consent

[**17**] ☐ **A**: Do you happen to have the (　　) of the last meeting with you now?
B: I'm afraid I don't. Ask Kate. I think she was taking the minutes.

1 subscription　　**2** disclosures
3 expectations　　**4** transcripts

[**18**] ☐ At the press conference after the (　　) charged with murder was acquitted at the Supreme Court, his attorney said "I'm very glad that his allegation was finally proved to be false."

1 plaintiff　　**2** prosecution
3 defendant　　**4** juror

[**19**] ☐ Once you become a member of Royal Tokyo Hotel, you will have the privilege of reserving our (　　) suite at a special rate.

1 hospitality　　**2** infinity
3 ingenuity　　**4** dominance

[15] ANSWER 4

訳 さまざまな分野の代表で構成された日本人使節10人は，ニューヨークで開催された世界エネルギー会議に出席した。

解説 the World Energy Conferenceに出席するのは，**4** delegate「使節，代表」だと考える。**1** decency「礼儀正しさ」，**2** anthem「賛歌；賛美歌」，**3** relic「遺品；記念品」

[16] 言い換え ▶ offerとreceiveからincomeの類義語が入ると推測する ANSWER 2

訳 経験豊かな人材を確保するには，水準以上の報酬を提示することが不可欠である。彼らが高い給与をもらっても，それに見合う仕事をしてくれれば元が取れる。

解説 competitiveは「水準以上の」。**1** engagement「契約」，**2** remuneration「報酬，謝礼」，**3** demotion「降格」，**4** consent「同意」

[17] 言い換え ▶ minutes「議事録」の言い換えを考える ANSWER 4

訳 **A**：この前の会議の書き起こしは，ちょうどお手元にありますか。
B：残念ながらありません。ケイトに聞いてみては。彼女が議事録をとっていたと思います。

解説 of the last meetingも手がかり。**1** subscription「定期購読」，**2** disclosure「発覚した事柄」，**3** expectation「期待」，**4** transcript「書き起こし」

[18] キーワード ▶ charged with murder, the Supreme Courtに注目 ANSWER 3

訳 殺人罪で起訴された被告が最高裁判所で無罪を宣告されたあとの記者会見で，彼の弁護士は「疑惑が誤りだったことがようやく証明されてたいへんうれしい」と述べた。

解説 キーワードから裁判で訴えられた側であることを読み取る。**1** plaintiff「告訴人」，**2** prosecution「起訴」，**3** defendant「被告」，**4** juror「陪審」

[19] ANSWER 1

訳 ロイヤル東京ホテルの会員になると，接待用特別室を特別料金でご予約になれる特典があります。

解説 ホテルの会員特典としてあり得るものを選ぶ。hospitality suiteで「接待用特別室，応接室」の意味。**1** hospitality「もてなし」，**2** infinity「無限」，**3** ingenuity「創造力」，**4** dominance「支配」

[20] ☐ William's biological mother gave him up for ( ) because, at that time, she did not believe that she could afford to raise him.

1 condemnation　　**2** conversion
3 adoption　　**4** congestion

[21] ☐ **A**: Rob, I heard you are applying for the sales manager's position. I would love to recommend you as your supervisor.

B: I truly appreciate your kind support, Mr. Kim. Well then, would it be OK to ask you to write a ( ) letter for me?

1 designation　　**2** reference
3 consensus　　**4** spark

[22] ☐ I decided to undergo an organ ( ) operation since the surgeon told me that my days would be numbered without having a new kidney.

1 breakthrough　　**2** eternity
3 breakup　　**4** transplant

[23] ☐ It is desirable that we make a ( ) of the document and keep the original in the file.

1 detour　　**2** split
3 duplicate　　**4** reminder

[24] ☐ The ( ) that the fisherman formerly owned was swept away by the tsunami. Thanks to the donation, however, he is now able to go to sea on the newly built ship.

1 wreck　　**2** vessel
3 architect　　**4** foe

[**20**] ロジック ▶ 理由を表す接続詞becauseに注目 **ANSWER 3**

訳 ウィリアムの生みの母親は彼を養子に出した。なぜなら彼女には当時，彼を育てる余裕があるとは思えなかったからだ。

解説 at that time以下の内容から，母親がウィリアムを**3** adoption「養子縁組」に出したと推測できる。**1** condemnation「非難」，**2** conversion「転換」，**4** congestion「混雑」

[**21**] **ANSWER 2**

訳 **A**：ロブ，営業部長の職に応募しているそうじゃないか。上司として喜んで君を推薦するよ。
B：応援してくださり本当に感謝します，キムさん。では，私の推薦状の作成をお願いしてもよろしいでしょうか。

解説 a reference letterで「推薦状」。**A**の2文目のrecommend youより推測できる。**1** designation「指定；任命」，**3** consensus「合意」，**4** spark「火花」

[**22**] キーワード ▶ operation, surgeonに注目 **ANSWER 4**

訳 私は臓器移植手術を受ける決意をした。なぜなら外科医が，新しい腎臓がなければ私は余命いくばくもないと告げたからだ。

解説 医療に関係する語を選ぶ。外科医の発言内容にも注目。接頭辞trans-「移動させる」，語根plantは「植える」で，**4** transplantは「移植」。**1** breakthrough「打開」，**2** eternity「永遠」，**3** breakup「分裂」

[**23**] **ANSWER 3**

訳 その書類は複写を取り，原本はファイルに保管しておくことが望ましい。

解説 接頭辞du-は「2つ」，語根pliは「重ねる，折る」で**3** duplicateは「複写」。**1** detour「迂回（うかい）」，**2** split「分裂」，**4** reminder「思い出させるもの」

[**24**] 言い換え ▶ formerlyとnewly builtからshipの類義語だと推測 **ANSWER 2**

訳 その漁師が以前所有していた船は津波によって流された。しかしながら寄付金のおかげで，今では新しく造られた船で海に出ることができる。

解説 fisherman formerly ownedも手がかりにして，**2** vessel「船」を選択。**1** wreck「難破船」だと文脈に合わない。**3** architect「建築家」，**4** foe「敵対者」

短文の語句空所補充　形容詞

To complete each item, choose the best word or phrase from among the four choices.

[1] Attending a (　　) university is a dream for many students who hope to receive a topnotch education and gain access to elite career opportunities.

1 coarse　　2 slender
3 hypothetical　　4 prestigious

[2] I am (　　) to speak in public because I get nervous, but I know it's important for my personal growth and development.

1 sturdy　　2 tidy
3 frank　　4 reluctant

[3] After months of a long and (　　) commute to work, she decided to move closer to the city to cut down on travel time and expenses.

1 fictitious　　2 rash
3 upscale　　4 weary

[4] When his doctor gave him only a year to live, the man was (　　) as if he had known his remaining days were here.

1 compulsory　　2 skeptical
3 insistent　　4 unperturbed

解答と解説

目標時間30秒／問

次の英文の（　）に当てはまるもっとも適切なものを1つ選びなさい。

[1] ロジック ▶ who以下のような学生が目指す大学は？ **ANSWER 4**

訳 一流の大学に通うことは，一流の教育を受け，エリートとしてのキャリアを手に入れたいと望む多くの学生にとって夢である。

解説 topnotch「最高の」，elite「エリートの」という語からどのような大学を目指すか考える。**1** coarse「きめの粗い」，**2** slender「ほっそりした」，**3** hypothetical「仮説の」，**4** prestigious「一流の」

[2] ロジック ▶ because節の内容に注目 **ANSWER 4**

訳 私は緊張するので人前で話すのは気が進みませんが，それが私の個人的な成長と発達にとって重要であることはわかっている。

解説 be reluctant to doで「〜することに気が進まない」という意味。**1** sturdy「頑丈な」，**2** tidy「整然とした」，**3** frank「率直な」，**4** reluctant「気乗りしない」

[3] **ANSWER 4**

訳 数ヵ月間，長くて疲れた通勤生活を送った後，彼女は移動時間と費用を減らすために，都市の近くに引っ越すことにした。

解説 引っ越す前は通勤に時間と費用がかかっていたことから考える。**1** fictitious「架空の」，**2** rash「軽率な」，**3** upscale「上流階級向けの」，**4** weary「疲れた」

[4] **ANSWER 4**

訳 医者から余命１年と宣告されたときに，その男性はまるで自分の余命を知っていたかのように平静だった。

解説 as if以下の内容から「動揺しなかった」という意味の語が入ると考える。**1** compulsory「強制的な」，**2** skeptical「懐疑的な」，**3** insistent「しつこい」，**4** unperturbed「かき乱されない，平静な」

[**5**] ☐ Some experts predict that to propose (　　) renewable energy resources will influence this election outcome.

1 drastic　　**2** potential
3 audible　　**4** consecutive

[**6**] ☐ The number of the women who have died of breast cancer has been increasing. The cancer can be (　　), so women had better check their breast periodically.

1 relevant　　**2** palpable
3 inherent　　**4** adorable

[**7**] ☐ Stan was (　　) for no reason about someone plagiarizing his research and he started to avoid his colleagues.

1 charitable　　**2** incompatible
3 bleak　　**4** paranoid

[**8**] ☐ The (　　) planet which artificial objects have approached is Neptune. It had not been observed easily because it is located quite far away from the earth.

1 outermost　　**2** conclusive
3 vulnerable　　**4** brisk

[**9**] ☐ A person, who is (　　), tends to wish evil upon others. It is said that is a miserable feature of humanity.

1 subjective　　**2** envious
3 passive　　**4** irrelevant

[5] ANSWER 2

訳 専門家の中には，見込みのある再生可能エネルギー資源の提示が今回の選挙の勝敗の鍵を握るだろうと考えている人もいる。

解説 renewable energy resourcesを修飾する語であること，選挙の勝敗を握っていることなどを踏まえて考える。**1** drastic「思い切った」，**2** potential「見込みがある」，**3** audible「聞こえる」，**4** consecutive「連続的な」

[6] キーワード ▶ breast cancer, checkに注目 ANSWER 2

訳 乳がんで死ぬ女性は増えている。乳がんは触診できるので，女性は定期的に調べたほうがよい。

解説 キーワードから，乳がんやそのチェックに関する語が入ると考える。**1** relevant「関連した」，**2** palpable「触診できる」，**3** inherent「生まれつきの」，**4** adorable「かわいい」

[7] ANSWER 4

訳 スタンは理由もなく，誰かが自分の研究を盗用することに被害妄想的になって，同僚を避け始めた。

解説 and以下からマイナスイメージの語が入ると予測できる。**1** charitable「寛大な」，**2** incompatible「両立しない」，**3** bleak「喜べない；寒々とした」，**4** paranoid「被害妄想的な」

[8] 言い換え ▶ quite far awayに注目 ANSWER 1

訳 人工物が接近観測したもっとも遠い惑星は海王星である。地球から遠く離れているため，なかなか観測できなかった。

解説 2文目のbecause以下で海王星について「地球から遠い」と説明している。**1** outermost「もっとも遠い」，**2** conclusive「最終的な」，**3** vulnerable「傷つきやすい」，**4** brisk「活発な」

[9] キーワード ▶ feature of humanityに注目 ANSWER 2

訳 ねたみ深い人は，他人に災いが降りかかることを望む傾向がある。それは人間性の不幸な特徴であるといわれる。

解説 キーワードから，人間性に関する語を選ぶ。また，wish evilやmiserableからマイナスイメージの語だと考える。**1** subjective「主観的な」，**2** envious「ねたみ深い」，**3** passive「受動的な，消極的な」，**4** irrelevant「無関係の」

[**10**] The dog looked at the owner's back with (　　) glances wishing him to come back until he vanished out of sight.

1 vicious　　**2** petty
3 pensive　　**4** possessive

[**11**] The woman got (　　) with shock when she heard that her son had been killed in the war.

1 trivial　　**2** barren
3 chronological　　**4** numb

[**12**] The children are staying in their own room (　　) with computer games all day long instead of going outside to play with their friends.

1 devoted　　**2** lenient
3 subtle　　**4** obsessed

[**13**] She is (　　) of her appearance. She does not care even if her hair looks like a bird's nest.

1 adverse　　**2** outgoing
3 pious　　**4** negligent

[**14**] When it comes to shoes, Maria never regrets how much money she spends. However, in my opinion, it is way too (　　) to spend that much money.

1 expendable　　**2** chronic
3 extravagant　　**4** vivid

[10] ANSWER 3

訳 その犬は，飼い主が見えなくなるまで，戻ってきてくれることを願いながらその背中を悲しげな眼で見つめていた。

解説 wishing以下の犬の様子から，**3** pensive「悲しげな」を選ぶ。**1** vicious「悪意のある」，**2** petty「些細（ささい）な」，**4** possessive「独占欲の強い」

[11] キーワード ▶ shock, killed in the warに注目 ANSWER 4

訳 その女性は自分の息子が戦死したことを聞くとショックで呆然（ぼうぜん）とした。

解説 ショックでどのような状態になったか考える。**1** trivial「取るに足らない」，**2** barren「不毛の」，**3** chronological「年代順の」，**4** numb「呆然として」

[12] ANSWER 4

訳 その子どもたちは外で友達と遊ぶ代わりにそれぞれ自分の部屋で一日中，コンピューターゲームに夢中になっている。

解説 all day longに注目して「ゲームばかりしている」の意味になると考える。*be* obsessed with ～で「～に取りつかれている」。**1** devoted「献身的な」，**2** lenient「寛大な」，**3** subtle「微妙な」

[13] 言い換え ▶ 2文目が具体例 ANSWER 4

訳 彼女は自分の外見に無頓着だ。髪が鳥の巣のようでも気にしない。

解説 2文目の内容から，**4** negligent「無頓着な」を選ぶ。**1** adverse「不利の」，**2** outgoing「社交的な」，**3** pious「信心深い」

[14] ロジック ▶ 逆接を表す副詞howeverに注目 ANSWER 3

訳 靴のこととなると，マリアはいくらお金を使っても惜しまない。でも私から見たら，そんな大金を使うのはあまりにもぜいたくだ。

解説 howeverがあることから，マリアと私の意見は逆だとわかる。way tooは「あまりにも」という意味。**1** expendable「消費される」，**2** chronic「（病気が）慢性の」，**3** extravagant「浪費する，ぜいたくな」，**4** vivid「生き生きとした」

[**15**] As we had heavy snow outside, a cat was sleeping at his (　　) place. It won't move even though the owner forced it to make way.

1 constrained　　**2** cozy
3 slack　　**4** spacious

[**16**] Some (　　) countries are making rapid economic progress. The development of these new countries may influence world economic conditions tremendously.

1 assorted　　**2** emergent
3 bizarre　　**4** eminent

[**17**] An (　　) note is the bill; the payee wrote on the back of the bill receivable and transferred it to the third person to pay for the debt.

1 appreciative　　**2** endorsed
3 obedient　　**4** indulgent

[**18**] **A**: Did you hear that Andrew left Pam and got engaged to another woman?

B: Yes, I was disgusted at it. It was (　　) of him to dump her, when she had been with him for ten years.

1 majestic　　**2** brutal
3 awkward　　**4** morbid

[**19**] **A**: I'd like to exchange yen for dollars. Will you tell me the rate of exchange?

B: One dollar is (　　) to 106 yen right now.

1 ominous　　**2** extensive
3 competent　　**4** equivalent

[15] ANSWER 2

訳 外は大雪だったので，猫は居心地のよい場所で眠っていた。たとえ飼い主が無理に通ろうとしても動こうとしなかった。

解説 2文目の内容から消去法で**2** cozy「居心地がよい」だとわかる。**1** constrained「強いられた」，**3** slack「ゆるい」，**4** spacious「広大な」

[16] 言い換え ▶ these new countriesを言い換える ANSWER 2

訳 新興国の中には急速な経済発展を遂げている国もある。これらの新しい国の発展は世界経済に大きな影響を及ぼしうる。

解説 2文目にtheseがあることから，1文目と同じ国々を指しているとわかる。**1** assorted「組み合わせた，取りそろえた」，**2** emergent「新生の，新興の」，**3** bizarre「風変わりな」，**4** eminent「著名な」

[17] 言い換え ▶ セミコロン以下に注目 ANSWER 2

訳 裏書手形とは，受取人が受取手形に裏書きをして債務の支払いのために第三者に譲渡した手形のことである。

解説 セミコロン以下が，その前の名詞の説明になっているので，wrote on the backと似た意味を選ぶ。**1** appreciative「感謝している」，**2** endorse「(小切手などに)裏書きする」，**3** obedient「従順な」，**4** indulgent「寛大な」

[18] ANSWER 2

訳 **A**：アンドリューがパムと別れて他の女性と婚約したって聞いた？
B：聞いた。腹が立ったよ。10年も一緒にいたのに，彼女を振るなんて彼はひどかった。

解説 アンドリューの振る舞いに対して，**B**がwas disgusted「腹が立った」と言っていることから考える。**1** majestic「堂々とした」，**2** brutal「残忍な，ひどい」，**3** awkward「ぎこちない」，**4** morbid「不健全な」

[19] キーワード ▶ the rate of exchangeに注目 ANSWER 4

訳 **A**：円をドルに両替したいのですが，現在の為替レートを教えていただけますか。
B：現在，1ドル106円です（1ドルは106円と同価値です）。

解説 キーワードから「1ドル＝106円」という内容だと考える。**1** ominous「不吉な」，**2** extensive「広い」，**3** competent「能力のある」，**4** equivalent「同等の」

[**20**] When people take medicine, sometimes they feel sick, nauseous, (　　) or suffer from headache as a side effect.

☐

1 dizzy　　**2** stern
3 hasty　　**4** keen

[**21**] Some of the artists, who are concerned with environmental issues, are developing some (　　) dishes to reduce disposable paper dishes.

☐

1 pathetic　　**2** coincidental
3 immovable　　**4** edible

[**22**] A lot of lawmakers opposed a radical proposal by the government, but no (　　) alternatives were advanced in parliament.

☐

1 vital　　**2** infeasible
3 hesitant　　**4** viable

[**23**] **A**: Steve is awfully (　　) with his money! He asked me to split the cost on the first date!

☐

B: That must be a matter of opinion. Some may not consider him tightfisted.

1 stingy　　**2** cynical
3 durable　　**4** coarse

[**24**] The girl looked so (　　) that the boy thought she would be broken in pieces if he touched her.

☐

1 infamous　　**2** premeditated
3 dubious　　**4** frail

[20] キーワード ▶ side effectに注目 ANSWER 1

訳 薬を服用すると，ときに副作用として，吐き気，むかつき，めまいまたは頭痛が起こることもある。

解説 副作用の症状を示す語を選ぶ。**1** dizzy「めまいがする」，**2** stern「厳格な」，**3** hasty「急いだ」，**4** keen「鋭い」

[21] ANSWER 4

訳 環境問題に関心のある芸術家たちは，使い捨ての紙皿を減らすために食べられる食器を開発している。

解説「環境問題に関心のある」などから，ごみを減らすために何かを開発していると考える。それに役立つものを考えると，**4** edible「食べられる」が適切。**1** pathetic「感傷的な」，**2** coincidental「(偶然)一致する」，**3** immovable「動かせない」

[22] ANSWER 4

訳 多くの議員が政府による急進的な提案に反対したが，議会では実行可能な代案は提示されなかった。

解説 どのような代案を提示すべきか考える。**1** vital「不可欠な；活気のある」，**2** infeasible「実行不可能な」，**3** hesitant「気乗りしない」，**4** viable「実行可能な」

[23] 言い換え ▶ Bの発言のtightfistedに注目 ANSWER 1

訳 A：スティーブってお金にすごくけちなのよ！ 最初のデートで割り勘にしたのよ！

B：それは人それぞれの意見でしょう。彼をけちだと思わない人もいるかもしれないよ。

解説 Bの発言の2文目のtightfisted「けちな」から，その類義語の**1** stingy「けちな」を選ぶ。**2** cynical「皮肉な」，**3** durable「耐久性の」，**4** coarse「粗野な」

[24] ロジック ▶ so ～ that ...構文に注目 ANSWER 4

訳 その少女はあまりにもか弱く見えたので，その少年は彼女に触れたらあたかもばらばらに壊れてしまうのではないかと思った。

解説 少年が「触れたら壊れそうだ」と思った原因を考える。**1** infamous「悪名高い」，**2** premeditated「あらかじめ計画された」，**3** dubious「疑わしい」，**4** frail「か弱い，はかない」

[**25**] He feels (　　) responsibility on his project. Now, his company is in a crisis of survival so that it is the last hope to save the company.

□

1	disastrous	**2**	immense
3	passionate	**4**	vague

[**26**] Hygienic control is vital especially in places such as refugee camps or slums as viral diseases can spread quickly in (　　) conditions.

□

1	filthy	**2**	cozy
3	rotten	**4**	fragile

[**27**] Theo is a very (　　) salesperson with a track record of achieving his annual sales target for three years. He will be promoted with a unanimous consent.

□

1	clumsy	**2**	competent
3	inefficient	**4**	profitable

[**28**] **A**: My husband is too (　　) to my daughter. I keep telling him not to spoil her, but he says I'm too strict.

□

B: Well, I guess it's important to find the right balance.

1	lenient	**2**	mutual
3	mischievous	**4**	reckless

[**29**] "Return evil for good" means a person who was (　　) harms the benefactor instead of giving gratitude.

□

1	feasible	**2**	notable
3	contagious	**4**	indebted

[25] **ANSWER 2**

(訳) 彼は自分のプロジェクトに多大な責任を感じている。現在，彼の会社は存続の危機にあるため，そのプロジェクトが会社を救う最後の頼みの綱なのだ。

解説 2文目の内容から，彼のプロジェクトにプレッシャーがかかっていることがわかる。**1** disastrous「大災害の」，**2** immense「多大な，広大な」，**3** passionate「情熱的な」，**4** vague「漠然とした」

[26] ロジック ▶ Hygienic control is vitalの理由を考える **ANSWER 1**

(訳) ウイルス性疾患は不潔な環境で急速に広がることがあるため，衛生管理は特に難民キャンプやスラム街のような場所では不可欠である。

解説 「衛生管理が不可欠」→「衛生管理ができていない場所で広がる」と考える。**1** filthy「不潔な」，**2** cozy「居心地の良い」，**3** rotten「腐った」，**4** fragile「壊れやすい」

[27] 言い換え ▶ 3年連続で目標を達成した社員を何というか **ANSWER 2**

(訳) セオは，年間売上目標達成を3年続けた記録を持つ有能な営業員である。彼は全員一致の合意で昇進するだろう。

解説 「年間売上目標達成を3年続けた」を一言で表す語を考える。**1** clumsy「不器用な」，**2** competent「有能な」，**3** inefficient「無能な」，**4** profitable「有益な」

[28] 言い換え ▶ spoil herに注目 **ANSWER 1**

(訳) **A**：私の夫は娘に寛大すぎるの。甘やかさないでっていつも言うんだけど，私は厳しすぎるって彼は言うの。
B：そうね，大切なのはちょうどよいバランスを見つけることじゃないかしら。

解説 **A**は夫の娘に対する態度を「甘やかしている」と考えている。それを1語で言い換える語を選ぶ。**1** lenient「寛大な」，**2** mutual「相互の」，**3** mischievous「いたずら好きな」，**4** reckless「無謀な」

[29] **ANSWER 4**

(訳) 「恩を仇(あだ)で返す」とは，恩を受けた人が，感謝する代わりに恩人に害を加えるという意味である。

解説 benefactor「恩人」と対になる関係を考えると，**4** indebted「恩を受けて」が適切。**1** feasible「実行できる」，**2** notable「注目に値する」，**3** contagious「伝染しやすい」

頻出度 B

短文の語句空所補充　熟語

To complete each item, choose the best word or phrase from among the four choices.

[1] When he (　　) a lot of money after his father's death, his life started to spiral down. He quit his job and went on a shopping spree, and soon became penniless.

1 brought about　　**2** closed in
3 came into　　**4** summed up

[2] The robbers (　　) 5 million dollars worth of jewelry but later caught at one of the pawnshops where the police targeted.

1 squared up to　　**2** made off with
3 kept ahead of　　**4** got back into

[3] **A**: This is my third week on a diet. Now I weigh as much as I did when I was twenty, but it just does not look the same.

B: You don't need to lose any more weight. You just need to (　　) your muscles.

1 push down　　**2** tone up
3 hit on　　**4** make do

[4] The lecture on the history of philosophy was so boring that most of the students were (　　) during the class.

1 ahead of time　　**2** sticking with
3 playing along　　**4** dozing off

解答と解説

目標時間30秒／問

次の英文の（　）に当てはまるもっとも適切なものを 1 つ選びなさい。

[1] キーワード ▶ a lof of money after his father's deathに注目 **ANSWER 3**

訳 父の死後，大金を相続したときに，彼の人生は転落し始めた。彼は仕事を辞め，派手に買い物をしてすぐに金がなくなった。

解説 2文目でお金を使ったことから考える。**1** bring about「引き起こす」，**2** close in「近づく」，**3** come into「相続する」，**4** sum up「要約する」

[2] ロジック ▶ 逆接の接続詞butに注目 **ANSWER 2**

訳 その強盗は500万ドル相当の宝石類を持ち去ったが，その後警察が目をつけていた質店の1つで捕まった。

解説 but以降でその後捕まったことが述べられているので，最初はうまくいったとわかる。**1** square up to「勇敢に立ち向かう」，**2** make off with「持ち去る」，**3** keep ahead of「先を行く」，**4** get back into「戻る」

[3] キーワード ▶ diet，musclesに注目 **ANSWER 2**

訳 **A**：今週でダイエット 3 週目なの。20 歳の頃と同じ体重なんだけど，見た目がどうしても違うのよね。
B：それ以上痩せなくていいよ。筋肉を引き締めればいいだけだよ。

解説 キーワードからダイエットや筋肉に関する表現だと考える。**1** push down「押し下げる」，**2** tone up「（体，筋肉などを）引き締める」，**3** hit on「ふと思いつく」，**4** make do「間に合わせる」

[4] ロジック ▶ so ～ that ...構文に注目 **ANSWER 4**

訳 哲学史の講義はとてもつまらなかったので，ほとんどの学生が講義中にうとうとしていた。

解説「講義がつまらない」とどうなるか考える。**1** ahead of time「定刻前に」，**2** stick with「忠実である」，**3** play along「合わせる」，**4** doze off「うとうと眠る」

[5] ☐ **A**: Did you hear that hundreds of volunteers (　　) to help the flood victims?

B: Yes, I admire people who can spend their time and effort to help others. But I'm not sure if I can do that.

1 turned out　　**2** put forward
3 laid down　　**4** kicked back

[6] ☐ **A**: I know she shouldn't have made such a joke at the meeting, but it was so funny, wasn't it?

B: Oh, yes. Everyone was trying hard to (　　) their laugher except our boss.

1 think back　　**2** mess with
3 split up　　**4** hold back

[7] ☐ The new CEO (　　) a clear goal for the company in a convincing speech on his first day in office.

1 broke in　　**2** broke the ice
3 tucked away　　**4** set forth

[8] ☐ There are no difficulties that we can't overcome. We can all (　　) disappointment, doubts and distress although the life doesn't go our way.

1 settle down　　**2** shut out
3 rise above　　**4** fall behind

[9] ☐ The severe heat didn't (　　) until late September that year, and more than 1,000 people died of heatstroke in Japan.

1 stop over　　**2** break down
3 let up　　**4** hold up

[5] ANSWER 1

訳 A：何百人ものボランティアが洪水の被害者を助けるために集まったって聞いた？
B：聞いたよ。他の人を助けるために時間と労力を費やすことができる人を尊敬するよ。でも自分にそんなことができるかわからないな。

解説 Bの発言の1文目から，ボランティアが「集まった」と考える。**1** turn out「集まる」，**2** put forward「推薦する」，**3** lay down「横たえる」，**4** kick back「休憩する」

[6] ロジック ▶ shouldn't haveに注目 ANSWER 4

訳 A：彼女は会議であんな冗談を言うべきではなかったとわかっているけど，ほんとにおかしかったよね？
B：そうだね。上司以外はがんばって笑いをこらえていたよ。

解説 shouldn't have ～「～すべきではなかった」から，会議中に冗談に対して人々がどのように反応したか述べていると考える。**1** think back「思い返す」，**2** mess with「干渉する」，**3** split up「分裂する」，**4** hold back「抑える」

[7] ANSWER 4

訳 新しい代表取締役は，就任初日に説得力のある演説をして，会社の明確な目標を発表した。

解説 就任初日に代表取締役が演説で述べる内容としてふさわしいのは，目標をどうすることか考える。**1** break in「使い慣らす」，**2** break the ice「糸口を見つける」，**3** tuck away「しまい込む」，**4** set forth「表明する」

[8] 言い換え ▶ overcomeの類義表現 ANSWER 3

訳 乗り越えられない困難はない。私たちはみんな，人生が思いどおりにいかなくても，失望や疑い，悲しみを克服できる。

解説 2文目は1文目を言い換えているので，**3** rise above「克服する」が適切。**1** settle down「落ち着く」，**2** shut out「締め出す」，**4** fall behind「遅れる」

[9] ANSWER 3

訳 猛暑はその年の9月下旬までおさまらず，日本では1,000人以上の人が熱中症で亡くなった。

解説 後半の文から，「猛暑が9月下旬まで続いた」という内容になると考える。**1** stop over「途中下車する」，**2** break down「破壊する」，**3** let up「和らぐ」，**4** hold up「持続する」

[**10**] According to the news report, the criminal defendant who ran away during his trial this morning is still (   ).

1 at odds **2** at length
3 at most **4** at large

[**11**] The party's subcommittee has been in session for the last forty-eight consecutive hours because none of its members has (   ) a draft bill that can be agreed upon by the rest of the members.

1 come up with **2** stuck up for
3 gotten away with **4** jumped out of

[**12**] **A**: I have to work every day to pay my tuition.
B: I hear you. Like you, I have nobody to (   ). I'm paying my own tuition, too.

1 catch up on **2** go through with
3 keep up with **4** fall back on

[**13**] **A**: Are you ready to go to the meeting anytime soon?
B: Oh, haven't you heard that Emily will be (   ) me? I'm meeting with my client at 2 p.m. and cannot be there today.

1 covering for **2** pushing off
3 calling for **4** bouncing off

[**14**] After several stormy days that caused severe damage to some of the village's properties, the sky was finally starting to (   ).

1 die down **2** clear up
3 put down **4** add up

[10] ロジック ▶ 被告人は今どういう状況かを考える **ANSWER 4**

訳 報道によると，今朝裁判中に逃げた刑事被告人は今もまだ逃走中だ。

解説 空所の直前に「今でもまだ」という意味のstillがあるので，逃げ続けていると推測できる。**1** at odds「対立して」，**2** at length「長々と」，**3** at most「最大限でも，せいぜい」，**4** at large「逃亡中で」

[11] ロジック ▶ because以下は会議が継続中である理由 **ANSWER 1**

訳 全員が賛成できる草案を委員会メンバーの誰も思いついていないので，その政党の小委員会は48時間連続で会議を行っている。

解説 会議が継続中なのは，草案をどうしていないからか考える。**1** come up with「思いつく」，**2** stick up for「支持する」，**3** get away with「逃げ切る」，**4** jump out of「飛び出す」

[12] ロジック ▶ paying my own tuitionに注目 **ANSWER 4**

訳 **A**：学費を払うために毎日働かなくてはいけないんだ。
B：わかるよ。君と同様に，僕にも当てにできる人がいないからね。僕も自分で学費を払っているんだ。

解説 「自分で学費を払っている」ことから，置かれている状況を考える。**1** catch up on「追いつく」，**2** go through with「(困難なことを)やり抜く」，**3** keep up with「遅れずについていく」，**4** fall back on「当てにする」

[13] **ANSWER 1**

訳 **A**：もうすぐミーティングに行ける？
B：あら，エミリーが私の代理をしてくれるって聞いていない？　クライアントに2時に会うことになっていて，今日は行けないの。

解説 **B**は会議に行けないことから，エミリーがどうするのかを考える。**1** cover for「代理をする」，**2** push off「押して取り外す」，**3** call for「求めて叫ぶ」，**4** bounce off「跳ね返らせる」

[14] ロジック ▶ 文の後半のfinallyに注目 **ANSWER 2**

訳 村のいくつかの建物に大きな損害をもたらした数日間の嵐のあと，ようやく空が晴れ上がってきた。

解説 「嵐のあと，ようやく～」の流れから，空の様子が想像できる。**1** die down「徐々に止まる」，**2** clear up「晴れ上がる」，**3** put down「下に置く；書き留める」，**4** add up「帳尻が合う」

短文の語句空所補充 動詞

To complete each item, choose the best word or phrase from among the four choices.

[**1**] ☐ The president (　　) the Memorial Day of the Vietnam War to show his compassion, but it was just an appeal to the nation before the election.

1 deteriorated　**2** complied
3 collided　**4** commemorated

[**2**] ☐ His friends advised him again and again to stop gambling, but he wouldn't listen and lost a fortune. Now he thinks he should have (　　) their advice.

1 heeded　**2** expelled
3 halted　**4** notified

[**3**] ☐ As David heard the noise from the empty garage, he (　　) back his fear and stepped down the stairs.

1 ridiculed　**2** gulped
3 alleged　**4** disclosed

[**4**] ☐ Although he was the last person to (　　) a confidence, he was blinded by greed and revealed the secret of new products.

1 mellow　**2** betray
3 agitate　**4** reek

解答と解説

目標時間30秒／問

次の英文の（　）に当てはまるもっとも適切なものを1つ選びなさい。

［**1**］ キーワード ▶ the Memorial Dayに注目 **ANSWER 4**

（訳）大統領は自らの思いやりを表すため，ベトナム戦争の戦没者追悼の日を記念したが，それは選挙前のただの国民へのアピールであった。

解説 the Memorial Dayにする大統領の行動がくると考える。**1** deteriorate「悪化する」，**2** comply「従う」，**3** collide「衝突する」，**4** commemorate「記念する，祝う」

［**2**］ **ANSWER 1**

（訳）彼の友達は彼に何度もギャンブルをやめるように忠告したが，彼は聞こうとせず財産を失った。今，彼は忠告を聞いておくべきだったと思っている。

解説 空所直前のshould haveから，1文目の内容を後悔していることがわかる。**1** heed「心に留める，聞き入れる」，**2** expel「追い出す」，**3** halt「止める」，**4** notify「通知する」

［**3**］ **ANSWER 2**

（訳）デイビッドは，誰もいないガレージから物音が聞こえたので，恐怖をこらえて階段を下りた。

解説 as以下の内容から，不審なことが起きている状況を読み取る。gulp back *one's* fear で「恐怖をこらえる」の意味。**1** ridicule「嘲笑（あざわら）う」，**2** gulp「こらえる」，**3** allege「断言する」，**4** disclose「明らかにする」

［**4**］ ロジック ▶ 譲歩を表す接続詞althoughに注目 **ANSWER 2**

（訳）彼は信頼を裏切るような人ではないのに，欲に目がくらんで，新製品の秘密をばらしてしまった。

解説 前半と後半が逆のイメージになるが，the last person to ～が「～するような人ではない」という否定の意味をもつので，空所には「秘密をばらす」に似た意味の語が入る。**1** mellow「円熟させる」，**2** betray「裏切る」，**3** agitate「不安にさせる」，**4** reek「悪臭を放つ」

[**5**] The airbag (　　) most of the shock of the impact, which saved the driver's life. He learned prevention is the best protection.

1 adjoined　　**2** absorbed
3 clung　　**4** abbreviated

[**6**] To (　　) her dream to become a Broadway dancer, Nancy finally broke up with her boyfriend who was supposed to get married to her.

1 seize　　**2** exterminate
3 desert　　**4** excel

[**7**] The company suffered a great financial setback last year. So the stockholders urged the management to (　　) the sales strategy.

1 overhaul　　**2** overtake
3 overwhelm　　**4** humiliate

[**8**] If you have been living in a provincial town with the same people, you would (　　) to move away and to see the new world.

1 intrude　　**2** yearn
3 escort　　**4** summon

[**9**] In autumn, we can see squirrels (　　) their mouths with food to prepare for their winter time.

1 cram　　**2** caress
3 smash　　**4** clinch

[5] キーワード ▶ airbag, shock of the impactに注目 ANSWER 2

訳 エアバッグが衝突の衝撃をほぼ吸収してくれたので，運転手は助かった。彼は，備えあれば憂いなし，ということを学んだ。

解説 キーワードから，エアバッグの機能を表す語を選ぶ。**1** adjoin「隣接する」，**2** absorb「吸収する」，**3** cling「しがみつく」，**4** abbreviate「省略する」

[6] ANSWER 1

訳 ブロードウェイダンサーになる夢をつかむために，ナンシーは結婚するはずだった恋人と最終的に別れた。

解説 文の後半から，ナンシーは夢のために行動を起こしたと考えられる。**1** seize「つかむ」，**2** exterminate「根絶する」，**3** desert「見捨てる」，**4** excel「勝る」

[7] ロジック ▶ 結果を表す接続詞soに注目 ANSWER 1

訳 その会社は昨年，財政上の大損害を被った。そこで株主たちは経営陣に販売戦略を刷新するよう求めた。

解説 2文目には1文目で起こったことの結果が述べられている。**1** overhaul「全体的に見直す，抜本的に改革する」を用いると考える。**2** overtake「追い越す」，**3** overwhelm「呆然(ぼうぜん)とさせる」，**4** humiliate「恥をかかせる」

[8] ANSWER 2

訳 もし君が同じ人たちと一緒に田舎町にずっと住んでいたとしたら，きっとその町から出て，新しい世界を見たいと切に望むのだろうね。

解説 if節の内容や，toが続いていることから，未来志向の語を選ぶ。**1** intrude「立ち入る」，**2** yearn「切望する」，**3** escort「護衛する」，**4** summon「召喚する」

[9] キーワード ▶ squirrels, prepare for their winter timeに注目 ANSWER 1

訳 秋には，リスたちが冬支度のため，口いっぱいに食料を詰め込むのが見られる。

解説 キーワードから，リスの冬支度を連想する語を選ぶ。**1** cram「ぎっしり詰める」，**2** caress「優しくなでる」，**3** smash「粉々にする」，**4** clinch「固定する，片をつける」

短文の語句空所補充　名詞

To complete each item, choose the best word or phrase from among the four choices.

[**1**] If you suffer from constant (　　), and don't feel like doing anything, you may be mentally ill.

1 friction　**2** turbulence
3 fatigue　**4** shortcoming

[**2**] More and more people consider (　　) after they are retired. Countries such as Malaysia and Thailand are popular destinations.

1 conservation　**2** emigration
3 compartments　**4** brokers

[**3**] **A**: I've been a big fan of your books since I was really little. Do you mind if I ask you for your (　　) on this book?
B: Not at all. The pleasure is mine.

1 autograph　**2** signature
3 audition　**4** affirmation

[**4**] You had better revise your presentation because it is needlessly long. You have to eliminate (　　) in order to make it articulate and concise.

1 dialect　**2** hospitality
3 redundancy　**4** humidity

解答と解説

目標時間30秒／問

次の英文の（　）に当てはまるもっとも適切なものを1つ選びなさい。

[1] 言い換え ▶ mentally illとはどのような状態か　**ANSWER 3**

訳 もしあなたが絶えず疲労に苦しみ，何もする気にならないなら，あなたは精神的に病んでいるかもしれません。

解説 「何もする気にならない」に似通った状態を表す語を選ぶ。**1** friction「摩擦」，**2** turbulence「動揺」，**3** fatigue「疲労」，**4** shortcoming「欠点」

[2]　**ANSWER 2**

訳 定年退職後に移住を考える人々が増加している。マレーシアやタイなどの国々は人気のある移住先だ。

解説 2文目から海外生活の話題だと想像できる。**1** conservation「保護，保存」，**2** emigration「（他国への）移住」，**3** compartment「区画」，**4** broker「仲介者」

[3]　**ANSWER 1**

訳 A：とても小さいときからあなたの本の大ファンです。この本にサインをしていただいてもかまいませんか。
B：もちろんかまいませんよ。喜んで。

解説 接頭辞auto-「自分の」，語根graph「描く」で**1** autograph「（有名人の）サイン」。受領書などへのサインは**2** signature「署名」となる。**3** audition「オーディション；聴覚」，**4** affirmation「肯定，容認」

[4] ロジック ▶ articulate and conciseにするために取り除くものは　**ANSWER 3**

訳 君のプレゼンは不必要に長いから修正したほうがいい。はっきりと簡潔に考えを述べるためには冗長さを除く必要がある。

解説 concise「簡潔な」と反対の意味を表す**3** redundancy「冗長さ」を選択する。1文目のneedlessly longも手がかり。**1** dialect「方言」，**2** hospitality「親切なもてなし」，**4** humidity「湿度」

頻出度 C

短文の語句空所補充　熟語

To complete each item, choose the best word or phrase from among the four choices.

[**1**] Since all the important decisions had been made beforehand, nobody expected the meeting to (　　) so long.

1 call on　　**2** drag on
3 hold off　　**4** hint at

[**2**] **A**: Where is Kevin? I hope he didn't get into an accident or anything.
B: Let's not (　　) the possibility that he is just lost. I'm sure he is fine.

1 rule out　　**2** give out
3 map out　　**4** carry out

[**3**] **A**: The conflict between the two parties seems to (　　) the differences in their positions on employment issues.
B: Yes, since employment issues are very important during a recession, I'm not surprised that they caused the disagreement.

1 count on　　**2** stem from
3 single out　　**4** iron out

[**4**] **A**: I must be going now. I've really enjoyed your party tonight.
B: You're leaving early. Ed just called and said he would arrive soon. Why don't you (　　) until he comes?

1 turn in　　**2** stick around
3 eat up　　**4** set down

解答と解説

目標時間30秒／問

次の英文の（　）に当てはまるもっとも適切なものを1つ選びなさい。

［1］ キーワード ▶ meeting, longに注目 **ANSWER 2**

訳 重要な決定はすべて事前になされていたので，会議がそんなに長い間続くとは誰も思わなかった。

解説 決定がすでになされている会議は一般的に短いが，nobody expectedとあるので，その逆だとわかる。**1** call on「（人を）訪問する；頼む」，**2** drag on「だらだらと長引く」，**3** hold off「遅らせる」，**4** hint at「それとなく言う」

［2］ ロジック ▶ Bはケビンが無事だと思っている **ANSWER 1**

訳 **A**：ケビンはどこ？　事故とかに遭ってなかったらいいんだけど。
B：道に迷っているだけという可能性を除外しないでおこうよ。彼はきっと大丈夫だよ。

解説 **B**の2文目から希望を持っていることがわかるので，よい可能性を**1** rule out「除外する，認めない」しないでおこうと言っていると考える。**2** give out「配る」，**3** map out「詳細な計画を立てる」，**4** carry out「実行する」

［3］ 言い換え ▶ Bの発言のcausedに注目 **ANSWER 2**

訳 **A**：その2政党の対立はどうも雇用問題に関する立場の違いから生じているように思われるね。
B：そうね。不況の時代には雇用問題はとても重要だから，それが論争を引き起こしたとしても驚かないわ。

解説 **B**は同意しているので，**A**とほぼ同じ内容の発言をしていると考える。**1** count on「期待する，当てにする」，**2** stem from「由来する，起因する」，**3** single out「選び出す」，**4** iron out「解決する」

［4］ **ANSWER 2**

訳 **A**：もう帰らないといけません。今夜は本当にパーティーを楽しみました。
B：早く帰るのね。エドからちょうど電話があって，もうすぐ来ると言っていたわ。彼が来るまで待ったらどう？

解説 **B**の発言の1，2文目から，帰ろうとする**A**を引き留めているという状況だとわかる。**1** turn in「提出する」，**2** stick around「近くにいる，固執する」，**3** eat up「消費する」，**4** set down「腰を下ろす」

短文の語句空所補充

To complete each item, choose the best word or phrase from among the four choices.

[1] Although the man was in delicate health in his childhood, he grew up to be a (　　) built young man. He became an Olympic athlete.

1 sturdily　**2** tactfully
3 cordially　**4** stubbornly

[2] The children waited (　　) for their Christmas presents. Even though they clenched their eyes, they could hardly fall asleep.

1 virtually　**2** abruptly
3 harshly　**4** impatiently

[3] Jenny always finds faults with others at work. When she finds small mistakes that others made, she (　　) attacks them, sometimes until they tear up.

1 negatively　**2** aimlessly
3 relentlessly　**4** unwittingly

[4] His damaged car and odd behavior (　　) raised suspicions that he was the hit-and-run driver who struck and killed the young boy. It was not long before the police came to him.

1 intentionally　**2** presumably
3 stoically　**4** inevitably

解答と解説

目標時間30秒／問

次の英文の（　）に当てはまるもっとも適切なものを1つ選びなさい。

［1］ ロジック ▶ 譲歩を表す接続詞althoughに注目　ANSWER 1

訳 その男性は幼少期に病弱だったが，がっしりとした若者に成長した。彼はオリンピック選手になった。

解説 1文目の前半と後半が逆の内容になるので，**1** sturdily「しっかりと，頑丈に」を選ぶ。**2** tactfully「機転を利かせて」，**3** cordially「心から」，**4** stubbornly「頑固に」

［2］　ANSWER 4

訳 子どもたちはクリスマスプレゼントを首を長くして待っていた。どんなに固く目を閉じても，眠ることができなかった。

解説 2文目の内容から，非常に心待ちにしていることがわかる。**1** virtually「事実上」，**2** abruptly「突然」，**3** harshly「厳しく」，**4** impatiently「待ち遠しく思って」

［3］ ロジック ▶ どのように攻撃すれば相手が泣くかを考える　ANSWER 3

訳 ジェニーはいつも職場で人の粗探しをしている。他人がした小さな間違いを見つけると，彼女は容赦なく攻撃し，時には相手が泣くこともある。

解説 2文目の後半から，ジェニーが非常に強く相手を非難していることがわかる。**1** negatively「消極的に」，**2** aimlessly「当てもなく」，**3** relentlessly「容赦なく」，**4** unwittingly「無意識に，知らないうちに」

［4］ ロジック ▶ His damaged car and odd behaviorが導く結論は　ANSWER 4

訳 彼の傷ついた車と奇妙な行動から，彼は少年をひいて死亡させたひき逃げ犯である疑いを必然的にかけられた。間もなく警察が彼のところへやって来た。

解説 傷ついた車と奇妙な行動という証拠があって，疑われることは避けられなかったという内容の文。**1** intentionally「意図的に」，**2** presumably「おそらく」，**3** stoically「平然として」，**4** inevitably「必然的に」

Column① シャドーイングとは

シャドーイングブーム到来!?

「シャドーイング」という言葉を聞いたことがあるでしょうか。最近では，英語学習にも取り入れられるようになり，一種のブームになっています。その背景には

① 「聞く」「話す」という音声英語教育に対するニーズの高まり
② 「言語習得」と「音声インプット」の関係の科学的な解明
③ 英語教育における「シャドーイング」の研究・実践報告の増加

が挙げられます。⇒ Column②(p.130)，③(p.158)

シャドーイングって何？

聞こえてきた音声(英文)に遅れることなく，Shadow(影)のようにぴったりと後について復唱していく学習法です。

もともとは，同時通訳者が本格的な同時通訳の訓練に入る前に行うトレーニング法として知られていました。

同時通訳者は外国語を聞くことと並行して，その日本語訳を発話することが求められます。つまり，**音声英語を意味処理すると同時に別の作業もできる力**が必要です。シャドーイングは，その力を鍛える手法なのです。

シャドーイングで「英検」準１級リスニング対策ができる！

「英検」準１級のリスニングは，２級までに比べ，英文の「速さ」「長さ」への対応力，「大意」だけでなく「詳しい内容」をつかみ，覚えていること，そして「聞きながら選択肢を読む」など，**同時に別の作業もできること**が重要です。

シャドーイングは「**音声英語の意味処理をしながら別の作業をする**」訓練なので，それによって鍛えられる力は，「英検」準１級対策に大いに役立ちます。

第2章

長文の語句空所補充

Pre-1st Grade

攻略メソッド

大問2
長文の語句空所補充

POINT

文章を論理的に読む力を測る問題。英語の論理的な文章は，基本的にもっとも重要な事柄が最初にくる。主題文をしっかり読んで主旨を把握しよう。空所前後の文脈や論理的な関係がすばやく理解できるかがポイントになる。

Method ① タイトルは必ず読む

すべてが直接的表現とは限らないが，内容をもっとも端的に示している。

タイトルは内容理解の手がかりになる。

Method ② 各段落の最初の2文から主旨を把握する

主題文は各段落の最初にあることが多く，最初の2文から段落の内容の主旨を把握できる。スピードが肝心なので，**スラッシュ・リーディング**が有効。⇒ ポイント

英文の論理展開イメージ

主題文
＝トピック（＋ メインアイデア）

支持文
＝ 主題文の説明や具体例など
※最後に結論文（主題文の言い換え）が続くこともある

主題文から，文章全体の内容を，大まかにすばやく把握する。

読みながら，矢印などの記号を使って内容を簡潔にメモする。

Method ③ 空所のある文のパターンを見極める

先入観を避けるため，選択肢を見ずに，空所のある文を読む。問題は文と文のつながりから判断する「**ロジック**」か「**言い換え**」のあるパターンがほとんど*。ディスコースマーカー(DM)が手がかりになる。(DMは Method⑤ 参照)

空所のある文中にDM有 →「ロジック」の可能性大

空所のある文中にDM無 →「言い換え」の可能性を考慮

Method ④「言い換え」→ 後ろの文に注目する

「言い換え」の場合，空所のある文より後に言い換えられた内容がくることがほとんど*。

後ろの文の内容から答えを判断。

問題数 6。1 つの文章につき設問は 3 つ。パッセージの空所に，もっとも文脈に合う語句を 4 つの選択肢から選ぶ。

Method 5 「ロジック」→ 前の文に注目する

「ロジック」の場合，空所のある文より前にある文とのつながりを見て解く問題がほとんど。

文にDM（ディスコースマーカー）が含まれる場合

	DM の例	空所に入る内容
逆接 対比	however, even so, nevertheless, on the contrary, on the other hand, yet, in spite of this など	前の内容の逆 対比の内容
追加	in addition, additionally, furthermore, besides, similarly, also など	直前の内容への追加情報
帰結	consequently, therefore, as a result, accordingly など	直前の内容の論理的結果

DMが答えになる場合，空所が文頭にある → 前の文や段落との関係に注目。

Method 6 空所の内容を予測 → 選択肢を見る

選択肢は，迷ったら絶対に違うものを除外する。たいてい半分に絞れる。

選択肢を見る前に，空所に入る内容を自分の言葉で大まかに想像。

ココにも注目！

ポイント スラッシュ・リーディングとは——

英文の意味の区切りのあるところにスラッシュ（/）を入れ，前から順に読んでいく方法。日本語の語順に直さないので，速く読める。

例 Unfortunately,/ experts have not found any effective ways/ to prevent bullying from happening at school.
前から「不幸にも/専門家は効果的な方法を見つけていない/いじめが学校で起こるのを防ぐための」と頭の中で訳す。

▶▶▶「解答と解説」のマークの意味

言い換え 「言い換え」の問題　逆接 前と逆接の関係
対比 前と対比の関係　帰結 前と帰結の関係

長文の語句空所補充 社会・科学・ビジネス

Read each passage and choose the best word or phrase from among the four choices for each blank.

The Expanding Universe

The model of an expanding universe is a product of 20th-century physics and astronomy. In 1916, Albert Einstein published his general theory of relativity that dealt with two phenomena he had avoided in his special theory of relativity in 1905, acceleration and gravity. Einstein soon realized that his general theory implied that the universe might be expanding. This possibility disturbed him so much that he revised his general theory to make the universe (**1**). Some scientists, however, questioned Einstein's static model and insisted that the universe was, in fact, expanding.

Evidence to support the theory of an expanding universe was presented in 1929 by the American astronomer Edwin Powell Hubble. Using the 100-inch (254-cm) telescope at Mount Wilson Observatory in southern California, Hubble observed 18 galaxies that appeared to be moving away from the Earth. To calculate their speed, Hubble tracked the movement of their stars to determine the wavelengths of their light. (**2**), he invoked the Doppler principle, which states that waves of light, sound, and electromagnetism change their frequency as a result of the movement of the source of the waves relative to the observer. Hubble found that the wavelengths of light from the stars were increasing — that is, shifting to the red end of the visible spectrum. This "redshift" meant the stars and galaxies were (**3**) the Earth. Hubble concluded that the speed of the 18 galaxies was increasing in proportion to their distance from the Earth, a relationship now known as Hubble's law. Through his observations, Hubble demonstrated that the universe was not static but expanding. Einstein himself later admitted that his rejection of the model of an expanding universe was "the biggest blunder" of his life.

(1) ☐
1 appear transitory
2 move forward
3 appear stationary
4 move backward

(2) ☐
1 In order to support Einstein
2 To analyze his data
3 Believing the Earth was shrinking
4 To refute his idea

(3) ☐
1 moving away from
2 shifting to be like
3 getting closer to
4 about to collide with

解答と解説

目標時間８分

次の英文を読み，空所に当てはまるもっとも適切な語句を選びなさい。

全文訳　**膨張する宇宙**

膨張する宇宙のモデルは，20世紀の物理学と天文学の成果だ。1916年にアルバート・アインシュタインは，1905年に特殊相対性理論の中では言及しなかった2つの現象，つまり加速と重力を扱った一般相対性理論を発表した。アインシュタインは，その理論は宇宙が膨張する可能性を暗示している，とすぐに気づいた。この可能性にあまりに動揺したので，彼は，宇宙が静止して見えるように理論を修正してしまった。しかしながら，科学者の中にはアインシュタインの静止モデルに疑問を抱き，実際は宇宙は膨張していると主張する者もいた。

膨張する宇宙の理論を裏づける証拠は，アメリカの天文学者エドウィン・パウエル・ハッブルによって1929年に提示された。南カリフォルニアのマウント・ウィルソン天文台にある100インチ(254 cm)の望遠鏡を使って，ハッブルは地球から離れていっているように見える18の銀河を観測した。それらの銀河の速度を計算するために，ハッブルは銀河の星々の動きを追って光の波長を測定した。データを分析するために，彼はドップラー効果を用いた。ドップラー効果とは観測者に対して波源が動くことによって光，音，そして電磁の波の周波数が変化することを示す。ハッブルは，星からの光の波長が長くなる，つまり，可視スペクトルの赤いほうに変化しているということを発見した。この「赤方偏移」は星と銀河が地球から遠ざかっていることを意味する。ハッブルは，18の銀河の速度は地球からの距離に比例して増加していると結論づけ，その関係性はハッブルの法則として現在知られている。観察を通して，ハッブルは，宇宙は静止しておらず膨張している，と示した。のちにアインシュタインは自ら，膨張する宇宙のモデルを認めなかったことは彼の人生で「最大の失敗」だと認めた。

(1)　言い換え ▶ 次の文の“Einstein's static model”に注目　**ANSWER 3**

解説 空所の後の文に逆接を示すhoweverがあり，アインシュタインの説に異議を唱えたとあるので，空所を含む文はアインシュタイン自身の主張だと考える。

(2)　**ANSWER 2**

解説 ハッブルの観測の手順を述べているので，**2**「データを分析するため」とする。

(3)　**ANSWER 1**

解説 第2段落1文目から，この段落は「宇宙の膨張」を支持する内容だと推測できるので，**1**「から遠ざかっている」となるとわかる。

Multinational Corporations and Globalization

Among the major forces driving economic globalization today are multinational corporations. These include such giant automakers as GM, Toyota, and Hyundai, and such high-tech companies as Apple, Microsoft, and Sony. Using a globalized business model, huge multinational corporations maintain home offices in (**4**), while they venture increasingly into "host countries" in the developing world to seek new and profitable markets for capital, natural resources, labor, and products.

Powerful multinational corporations exert so much influence that they dominate entire markets worldwide and are sometimes (**5**) engaging in economic and cultural imperialism. Giant multinationals often exploit the natural resources and the labor forces in host countries and may drive long-established local firms out of business through unfair competition. When multinationals introduce modern methods of manufacturing and sales, they may undermine the traditional ways of life of the local people who work in the companies' plants or buy the finished products.

Nevertheless, multinational corporations affect their host countries (**6**). They employ local workers, at wages that are much lower than those in the developed world but which are often much higher than the average wages in host countries. Multinationals may provide their workers with access to the latest technologies and on-the-job training, thereby increasing the workers' knowledge base and improving their chances for future advancement. For host countries, benefits extend beyond better-trained workers and often lead to increased exports, acquisition of foreign currency, and bigger gross domestic products. In such ways, multinational corporations do considerable good by stimulating economic growth in their host countries.

(4) **1** less developed countries　**2** authoritarian countries
☐ **3** specialized economic zones　**4** developed countries

(5) **1** appreciated for　**2** anxious about
☐ **3** addicted to　**4** accused of

(6) **1** in much more negative ways
☐ **2** in several positive ways
3 so that they will eventually fail
4 quickly enough to bring some short-term benefits

解答と解説

目標時間8分

全文訳　多国籍企業とグローバル化

今日，経済のグローバル化を推し進めている主な勢力の中に多国籍企業がある。これらにはGM，トヨタ，ヒュンダイなどの巨大自動車メーカーや，アップル，マイクロソフト，ソニーなどのハイテク企業が含まれる。巨大多国籍企業はグローバル化したビジネスモデルを利用し，先進国に本社を構える一方で，資本や天然資源，労働力，そして製品のために新しくて利益の多い市場を求め，発展途上地域の「受入国」へとますます進出している。

強力な多国籍企業は，世界中の市場全体を支配するほどの影響を及ぼすので，ときには経済的・文化的な帝国主義に関与しているとして非難されることもある。巨大多国籍企業は，しばしば受入国の天然資源や労働力を搾取することがあり，不公平な競争によって老舗の地元企業を倒産に追いやることがあり得る。多国籍企業が現代的な製造・販売方法を導入すると，その会社の工場で働いたり完成品を購入したりする地元の人々の伝統的な生活様式を損なってしまうおそれがあるのだ。

とはいえ，多国籍企業は受入国に対し，いくつかいい意味での影響も与えている。先進諸国よりはるかに安い賃金で地元の労働者を雇うが，それは受入国の平均賃金よりもかなり高いことが多い。多国籍企業はその労働者が最新技術に触れる機会や実地研修を提供し，その結果，労働者の知識基盤を拡大したり，将来出世する可能性を高めたりする。受入国にとって，恩恵はよりよい訓練を受けた労働者だけにとどまらず，輸出の増加や外貨の獲得，国内総生産の増加にもつながることが多い。このように，多国籍企業は受入国の経済成長を促すことによって，大いに役立っているのである。

(4)　対比 ▶ 接続詞whileに注目　**ANSWER 4**

解説 文の後半で，developing worldに進出していることが言及されている。それと対比の関係にするには，本社が**4**「先進国」にあるとする。

(5)　**ANSWER 4**

解説 文の前半は，多国籍企業の影響力の大きさについて。それとandで論理的につながる内容にするには，**4**「非難される」が適切。段落冒頭の主題文なので，その段落のexploit，unfair competitionなどネガティブな表現から，同様にネガティブな語句が入ると考えてもよい。

(6)　逆接 ▶ 前段落との関係を表すNeverthelessに注目　**ANSWER 2**

解説 文頭にNeverthelessがあることから，第3段落は前段落と逆接の関係にあることがわかる。前段落は多国籍企業のネガティブな側面を述べているので，ポジティブな語句が入ると考える。

What Is an Entrepreneur?

Many people recognize the names of such business giants as the late Steve Jobs, the co-founder of Apple Inc.; Mark Zuckerberg, the creator of Facebook, Inc.; and Son Masayoshi, the founder of Softbank Corp. in Japan. All three are widely known for being highly successful entrepreneurs. They all started small businesses that grew into billion-dollar corporations. They did this by marketing innovative products and services that transformed the ways in which people live and communicate with each other. Try to imagine the world without personal computers, or without iTunes, iPods, iPhones, and iPads, not to mention Pixar CGI animation. Imagine the world without social networking through Facebook or without broadband Internet services that make all the other products interconnect. A world without these things (**7**). The examples of Jobs, Zuckerberg, and Son clearly show that creative and visionary entrepreneurs achieve great influence, not only in their industry but in wider society throughout the world.

(**8**), not all entrepreneurs change the world, and there is no single type of entrepreneur. Some have privileged backgrounds of wealth and education, but many do not. Entrepreneurs can come from any race, culture, country or socio-economic level. What distinguishes entrepreneurs are personal qualities that go beyond a willingness to take risks. According to the economics journalist Jeanne Holden, successful entrepreneurs usually have a combination of eight character traits: creativity, dedication, determination, flexibility, leadership, passion, self-confidence, and "smarts," or good judgment. All entrepreneurs have some of these qualities, and the wisest ones hire people with strengths (**9**) to complement their weakness. Successful entrepreneurs certainly enjoy the rewards of their enormous wealth, but many also gain great satisfaction from seeing their products and services thrive in the marketplace, making life better for millions of people.

(7) ☐
1 would allow the emergence of new entrepreneurs
2 is simply unimaginable **3** can be achieved only with dedication
4 is more desirable for psychological development of children

(8) ☐
1 However **2** On one hand **3** In addition **4** In fact

(9) ☐
1 nobody has **2** they themselves also have
3 they themselves lack **4** that are rare

解答と解説

目標時間8分

全文訳 **起業家とは何か？**

多くの人が，アップル社の共同創立者である故スティーブ・ジョブズや，フェイスブック社の創設者マーク・ザッカーバーグ，そして日本のソフトバンクの創立者である孫正義のようなビジネスの巨人の名前を聞いたことがある。3人とも，大成功を収めた起業家として広く知られている。彼らはみんな始めたのは小さな会社だったが，それが10億ドル規模の企業へと育ったのだ。彼らは，人々の暮らし方や互いに連絡を取り合う方法を変える斬新な製品やサービスを世に出すことによってそれを成し遂げた。ピクサーのCGアニメはいうまでもなく，パソコンやiTunes，iPod，iPhone，iPadのない世界を想像してみよう。フェイスブックを通じたソーシャルネットワーキングや，他の製品すべてを相互接続するブロードバンドのインターネットサービスのない世界を想像してみよう。こうしたもののない世界は，どうしても想像不可能である。ジョブズやザッカーバーグ，孫の例は，創造的で先見の明のある起業家たちが，自分の業界だけでなく，世界中のもっと幅広い社会で大きな影響力を持つことをはっきりと示している。

とはいえ，すべての起業家が世界を変えるわけでも，起業家のタイプには1つしかないわけでもない。財産や教育の面で恵まれた経歴を持つ人もいるが，多くはそうでない。起業家は，どんな人種や文化，国，社会経済階級からでも生まれ得る。起業家を区別するのは，リスクを進んで冒すだけにとどまらない個人的な資質である。経済ジャーナリストのジーン・ホールデンによると，成功を収めた起業家たちはたいてい8つの性格特性を持っている。創造性，献身，決断力，柔軟性，統率力，情熱，自信，そして「頭のよさ」，つまり的確な判断力である。すべての起業家はこうした資質のいくつかを持っており，もっとも賢明な人は弱点を補うために，自分自身に欠けている強みを持っている人たちを雇う。成功を収めた起業家たちは，たしかに巨万の富の恩恵を享受しているが，その多くは自分たちの製品やサービスが市場をにぎわし，何百万という人々の生活を豊かにしている様子を見ることでも，大いに満足しているのである。

(7) ANSWER **2**

解説 4文目の内容や5～6文目の命令文から，逆接の内容を選ぶ。

(8) 逆接 ▶ 前段落は世界を変えた起業家について ANSWER **1**

解説 文頭なので前段落との関係を考える。続く文から，逆接関係だとわかる。

(9) 言い換え ▶ 弱点を補うためにすることを考える ANSWER **3**

解説 **3**「自分自身に欠けている」資質を持った人を雇って，補完すると考えられる。

The reason animals play

We know that many kinds of animals, especially the young, engage in behavior that seems like play. Actually, the reasons why animals play are not clear. For one thing, observation of animals playing is considerably difficult. Most animals play a lot, but it's almost impossible to make them play at the time desired by researchers. Therefore, to observe animals playing, all we can do is (**10**). Thanks to scientists' long time study, we can find some likely purposes of animals' play.

Animals, like humans, sometimes need to assume control, and sometimes follow. Animals seem to learn this lesson through playing. For example, scientists have noticed that when two monkeys are play-fighting, (**11**). One will be on top, and he seems to win. Then suddenly he will give the other a chance to take charge of the action. This kind of play is thought to help monkeys learn to take different roles when they are older.

Another likely reason is to let animals learn how to get along with others of their own age. Scientists have found that while baby rats kept with their siblings engage in a lot of rough play, those raised alone with their mothers play just a little. However, when rats that have only been with their mothers are put with other young rats, they play (**12**) those brought up in a large family. It seems that they try to adapt to the new circumstance in less time.

More things may remain to be discovered about animal play, but studies by scientists seem to show that animals learn some very basic social skills by taking part in play.

(**10**) ☐
1 find the right zoos
2 tame wild animals
3 just sit patiently waiting for such moments
4 make a quick observation of animals the wild

(**11**) ☐
1 they take turns winning
2 one often dominates the other
3 they fight until one of them surrenders
4 other monkeys join them

(**12**) ☐
1 not as much as　　**2** as much as
3 a lot more than　　**4** as little as

解答と解説

⏱目標時間8分

（全文訳） **動物が遊ぶ理由**

多くの動物は，特に若いと，遊びのような行動をとることがわかっている。実際は，動物が遊ぶ理由は明らかではない。一つには，遊んでいる動物を観察するには多くの困難があるからだ。ほとんどの動物はよく遊ぶが，研究者たちが望むときに彼らを遊ばせることはほとんど不可能だ。そのため，動物が遊んでいるのを観察するには，その瞬間がくるのを辛抱強く座って待つしかないのだ。科学者たちの長期にわたる研究のおかげで，我々は可能性の高い動物の遊びの目的をいくつか見出（みいだ）すことができる。

動物は，人間と同様，時には主導権を握ること，時には従うことが必要である。動物は遊びからそうした知恵を学ぶようだ。たとえば，2匹のサルが戦いごっこをする場合，2匹は代わる代わる勝つことに科学者たちは気づいた。一方が上に乗ると，そのサルが勝ったように見える。その後，突然，そのサルはもう一方のサルに主導権を握るチャンスを与えようとする。この種の遊びは，サルが成長したときにさまざまな役割ができるようになるのにつながると考えられる。

可能性が高い別の理由は，動物に同年代の他の仲間とうまくやっていく方法を学ばせるというものだ。きょうだいと一緒に飼育された赤ちゃんネズミは荒っぽい遊びをたくさんするが，母親だけに育てられた赤ちゃんネズミは，少ししか遊ばないということを科学者たちは発見した。しかしながら，母親としか一緒にいなかったネズミを，他の若いネズミと一緒にすると，大家族で育てられたネズミよりもずっとたくさん遊ぶ。新しい環境に短い時間でなじもうとするようだ。

動物の遊びについては多くのことが未解明かもしれないが，科学者たちの研究によると，動物は遊びに参加することで極めて基本的な社会性をいくつか学ぶようである。

(10) 帰結 ▶ 接続詞Thereforeに注目 **ANSWER 3**

解説 文頭にThereforeがあるので，前の文の論理的結果となることがわかる。「望むときに動物を遊ばせることはほとんど不可能」なので，結果的に，**3**「そのような瞬間を辛抱強く座って待つしかない」という流れになる。

(11) 言い換え ▶ 続く2文の内容に注目 **ANSWER 1**

解説 続く2文では「勝ったほうのサルがもう一方のサルに主導権を与えようとする」という内容が述べられている。つまり，**1**「交代で勝つ」ということ。

(12) 逆接 ▶ 副詞Howeverに注目 **ANSWER 3**

解説 前の文は，母親としか一緒にいなかったネズミは「少ししか遊ばない」というネガティブな内容なので，ポジティブな内容が入ると考える。さらに，後ろの文に「新しい環境に短い時間でなじむ」とあるので，**3**「～よりずっとたくさん」遊ぶ，とするのが適切。

頻出度 B

長文の語句空所補充

歴史・教育

Read each passage and choose the best word or phrase from among the four choices for each blank.

Writing Centers at American Universities

Suppose you are a Japanese student studying in America who is having great difficulty writing a paper, which will be due in one month. Though you have managed to arrange words which came up in your mind, you think what you have composed is (**1**). What would you do? Well, it would be recommended that you visit the writing center in the university campus. Writing centers in American universities are facilities to help students with writing work.

One of the merits of writing centers is that students with writing problems can casually consult young staff there. Professors and lecturers are relatively old and a bit authoritative, so students may well find it difficult, (**2**), to talk to them or ask them for advice. In contrast, staff members at writing centers who are the same generation as students can sympathize with them and try to find solutions together.

Another merit is that centers have a great amount of data accumulated in their long history. Their data varies from the explanations of grammar points, which are very clear and easy to understand, to plenty of grammar exercises, which are effective to help students master the rules, and to refined model passages, which show styles of excellent academic writings.

(**3**) is that centers are open and accessible from outside the campus. Many of the centers are linked online, so you can use the Internet to visit not only the center in your university but also other centers all over the States. You can find the most useful information for you from the huge collective databank.

(**1**) ☐
1 worth reading
2 almost like a publishable article
3 far from being worth handing in
4 is something like what you were asked to do

(**2**) ☐
1 in the meantime
2 all the more
3 what's worse
4 if not impossible

(**3**) ☐
1 Yet one positive thing about such facilities
2 Still another merit
3 One drawback of the service
4 One of the countless disadvantages

解答と解説

目標時間8分

次の英文を読み，空所に当てはまるもっとも適切な語句を選びなさい。

全文訳 **アメリカの大学のライティングセンター**

あなたがアメリカの大学に留学している日本人学生で，論文を書くのにとても苦心しているとしよう。その論文の締め切りは1か月後だ。頭に浮かんだ言葉をなんとか並べてはみたものの，自分の書いたものはとても提出できるようなものではないと思う。あなたならどうするだろう。それでは，大学のキャンパスにあるライティングセンターに行くことをおすすめしよう。アメリカの大学のライティングセンターは，学生が論文を書くのを手助けする施設である。

ライティングセンターの利点の一つは，書くことで苦労している学生が，そこにいる若い職員に気軽に相談できることだ。教授や講師は比較的年配でいささか威厳があるため，学生たちが彼らに話しかけたり助言を求めたりすることは，不可能とはいわないまでも，難しいと思って当然だ。対照的に，学生と同年代のライティングセンターの職員たちは，学生に共感し解決法を一緒に探ることができる。

もう一つの利点は，センターには長い歴史の中で蓄積された大量のデータがあることである。そのデータは多様で，とても明確でわかりやすい文法の要点の説明から，学生が文法の規則を習得するのを手助けするのに効果的なたくさんの文法練習問題，そして優れた学術論文の文体になっている洗練された文例まである。

さらにもう一つの利点は，センターが学外にも開かれ，利用可能なことだ。センターの多くはオンラインでつながっているため，インターネットを使い自分の大学のセンターだけでなく，アメリカ中のセンターも訪れることができる。莫大（ばくだい）な集積データバンクから，自分にもっとも役立つ情報を見つけることができる。

(1) 逆接 ▶ 文頭のThoughに注目　**ANSWER 3**

解説 文の前半「何とか書き上げた」と，接続詞thoughで論理的につながるのは，ネガティブな内容の**3**「とても提出できるようなものではない」。

(2) 帰結 ▶ 接続詞soに注目　**ANSWER 4**

解説 後半は前半の内容からの論理的帰結。“find it difficult”を補う挿入句が入ると考え，**4**「不可能とはいわないまでも」とするのが正しい。

(3)　**ANSWER 2**

解説 2～4段落はライティングセンターの利点を述べている。that以下の内容から，最終段落も利点について述べていることがわかる。

Forest Kindergarten

Some 60 years ago, a Danish mother took her children and her neighbors' to the forest every day, and allowed them to play freely there. She wanted children to have a lot of experiences in nature. Some parents in Denmark (**4**). Therefore, they independently started an innovative type of nursery. This was the beginning of forest kindergarten. Most of the forest kindergartens do not have their own buildings and children who go there spend most of their day in forests.

In the 1990s, forest kindergartens appeared in Germany. They increased in number rapidly, resulting in the development of more than 300 institutions in total across the country as of 2002. Now Germany is the leading state of the forest kindergarten. What forces are supposed to spur them on to such an extent? A father from France, who went out of his way to enroll his son in a forest kindergarten in Germany, gave a brief account of its appeals he was impressed by. "I was allured, in the first place, by the fact that children spent most of the time outdoors without restraint every day. My son adored exploring the forest or observing critters. Some activities were proposed or encouraged, but none was imposed." The children in forest kindergarten (**5**), and they can give a try at whatever they want to do in forests.

Children can use all five senses and develop abilities such as (**6**) through playing in forests. Some research made it clear that experiences of playing in forests or what children learn through it can affect positively the subsequent growth of the children. So now more and more parents are becoming interested in this type of preschool.

(4) **1** criticized the idea and urged her to stop spoiling her child
☐ **2** had apprehension about kids playing in the wild
3 strongly believed in the effectiveness of the traditional schooling
4 related to her idea of schooling in nature

(5) **1** can choose from a list of a limited number of activities
☐ **2** give free rein to their sense of adventure
3 are left bored with no particular activities prepared for them
4 play freely except for the time set aside for writing practice

(6) **1** imagination, concentration, and forbearance
☐ **2** creativity, organization, and writing
3 manner, presentation, and leadership
4 decision making, reading, and communication

解答と解説

目標時間8分

全文訳 **森の幼稚園**

およそ60年前, デンマークのある母親が, 自分の子どもと近所の子どもを毎日, 森へ連れていき, そこで自由に遊ばせた。彼女は子どもたちに自然の中でたくさんの経験をしてほしいと思っていた。デンマークの親たちの中には, 自然の中での教育という彼女の考えに理解を示す人もいた。その結果, 彼らは自主的に革新的な保育園を開いた。これが森の幼稚園の始まりであった。森の幼稚園の大半は園舎を持たず, そこに通う子どもたちは一日の大半を森の中で過ごす。

1990年代に, ドイツに森の幼稚園が現れた。急速に数が増え, 2002年の時点でドイツ国内に全部で300以上の施設ができるまでになった。今やドイツは森の幼稚園を代表する国である。どのような力が, これほどまでに森の幼稚園に拍車をかけたのだろうか。フランス出身のある父親は息子を, わざわざドイツの森の幼稚園に入園させたのだが, 彼が感銘を受けたその魅力を簡単に述べた。「第一に, 私は子どもたちが毎日, 束縛されることなく多くの時間を野外で過ごすという事実に魅力を感じました。私の息子は, 森を探検したり生き物を観察したりすることが大好きなのです。提案されたり, やるように勧められたりする活動はあっても, 何も強制はされないのです」森の幼稚園に通う子どもたちは, 自分の冒険心を思うように発揮でき, 森の中でしてみたいと思うことには何でも挑戦できる。

森で遊ぶことを通して, 子どもたちは五感すべてを使い, 想像力, 集中力, 忍耐力といったさまざまな能力を伸ばすことができる。研究によって, 森の中で遊んだ経験やそれを通して学んだことは, 子どもたちのその後の成長によい影響を与えうることが明らかになっている。それゆえ, 今ますます多くの親が, この種の幼稚園に関心を持ち始めている。

(4) ANSWER **4**

解説 直後のTherefore「その結果」に注目する。空所直後の2文から, an innovative type of nursery = forest kindergartenなので, 森の中で遊ばせるという保育方法に賛成した, という内容がふさわしい。

(5) 言い換え ▶ and以下の内容に注目 ANSWER **2**

解説 直後の「してみたいと思うことには何でも挑戦できる」と並列になる内容は, **2**「自分の冒険心を思うように発揮できる」である。また, フランス人の父親の発言は具体例であり, 手がかりとなる。

(6) ANSWER **1**

解説 such as「～のような」から, 森の中で過ごすことで養われる子どもたちの能力を表す語句が入ると考える。

Lincoln's Greatest Speech

Abraham Lincoln, the 16th president of the United States of America, led the nation (**7**), the American Civil War. Lincoln delivered his most famous speech, known as the "Gettysburg Address," on November 19, 1863, after the decisive turning point in the Civil War, the Union victory at the Battle of Gettysburg. In his speech at the ceremony to dedicate a national cemetery on part of the battleground, Lincoln paid tribute to the thousands of soldiers who perished there. He also defined the great purposes for which so many had sacrificed their lives: the freedom of 4 million African American slaves and the survival of democratic government.

The "Gettysburg Address" is one of the shortest speeches in history — less than 300 words in just 10 sentences — and Lincoln delivered it in only two minutes. (**8**), however, is measured not in the quantity of its words but in their quality. In this brief but timeless speech, Lincoln honored the dead by reminding the living of their obligations to the dead and to history.

Lincoln consecrated the present moment in which he spoke, but he also looked back to the past and forward to the future. This is particularly true of his concluding words that "government of the people, by the people, for the people, shall not perish from the earth." Lincoln probably borrowed the phrase from one of his contemporaries, the abolitionist preacher Theodore Parker. Either man, however, could have taken the phrase from medieval theologian John Wycliffe, a supporter of freedom of thought who translated the Latin Bible into English, saying it was "for the government of the people, by the people, and for the people".

Less than a hundred years after Lincoln spoke, another great American war leader and orator, General Douglas MacArthur, worked Lincoln's democratic ideals into the new Japanese Constitution during the Occupation after the Second World War. The words and ideals of the "Gettysburg Address," (**9**) of freedom, democracy, and human dignity, continue to inspire people throughout the world.

(7) **1** after its international trouble　**2** to a great victory
☐ **3** through its greatest conflict　**4** especially his troops

(8) **1** Its perception　**2** Its briskness
☐ **3** Its obscurity　**4** Its greatness

(9) **1** affirming the principles　**2** eliminating the definitions
☐ **3** adding the sense　**4** denying the principles

解答と解説

目標時間8分

(全文訳) **リンカーンのもっとも偉大な演説**

アメリカ合衆国の第16代大統領エイブラハム・リンカーンは，アメリカ最大の内戦であるアメリカ南北戦争の間に国を率いた。リンカーンは「ゲティスバーグの演説」として知られるもっとも有名な演説を，南北戦争の決定的な転機となった，ゲティスバーグの戦いで北軍が勝利した後の1863年11月19日に行った。戦場の一部だった国立墓地の奉献式での演説で，リンカーンは，そこで命を落とした何千人もの兵士に敬意を表した。彼はまた，大勢が命をささげた大いなる目的をはっきりと説明した。すなわち，400万人のアフリカ系アメリカ人の奴隷たちを解放することと，民主政治を存続させることである。

「ゲティスバーグの演説」は，歴史上もっとも短い演説の一つである。わずか10文で300語足らずしかなく，リンカーンはそれをたった2分で述べたのである。しかしながら，その偉大さは語数ではなく，質によって判断される。この簡潔でありながら不朽の演説の中で，リンカーンは，生きている者たちに死者や歴史に対する義務を気づかせることによって，死者を称(たた)えたのである。

リンカーンは自分の話すその瞬間をささげただけでなく，過去も振り返り，また未来をも見据えた。これは特に「人民の，人民による，人民のための統治をこの地上から滅びさせはしない」との結びの言葉に当てはまる。リンカーンはおそらく，このフレーズを同時代の奴隷廃止論者の牧師であるセオドア・パーカーから拝借したのだろう。だが，2人のどちらかがこのフレーズを中世の神学者ジョン・ウィクリフから引用した可能性がある。彼は思想の自由の支持者で，ラテン語の聖書を英語に翻訳した。それには「人民の，人民による，人民のための統治に資する」とある。

リンカーンの演説から100年もしないうちに，もう一人の偉大なアメリカの戦争指揮官であり雄弁家でもあるダグラス・マッカーサー元帥が，第二次世界大戦後の占領期に，リンカーンによる民主主義の理想を新日本国憲法に組み込んだ。「ゲティスバーグの演説」の言葉と理想は，自由と民主主義，人間の尊厳の原則を確言しつつ世界中で人々を鼓舞し続けている。

(7) 言い換え ▶ the American Civil Warと同格 **ANSWER 3**

解説 直後にコンマがあるので「アメリカ南北戦争」と同格の関係にあるものを選ぶ。

(8) 逆 接 ▶ 副詞howeverに注目 **ANSWER 4**

解説 直前でどちらかといえばネガティブな演説の「短さ」が述べられているので，ポジティブな内容が入ると考える。not ～ but ... にも注目する。

(9) **ANSWER 1**

解説 挿入句なので，continue to ～以下と同等の内容が入ると推測する。

Mendel: The First Geneticist

Gregor Johann Mendel was born in 1822 in the Silesian province of the Austrian Empire. When he was 21 years old, he began training for the Catholic priesthood, but he also (**10**) and was sent to the University of Vienna for advanced study. While living as a friar in a monastery in Silesia he carried out his now-famous experiments on heredity with garden peas. He selected seven pairs of alleles, or opposite genetic forms of peas, and compared such features as their height, shape, and color. After seven years in which he studied 29,000 pea plants, Mendel concluded that hybrids of different strains of peas show only one dominant trait of each pair, and that when the hybrids continue self-pollinating, the traits of the pairs are inherited in a ratio close to 3:1.

In 1865, Mendel announced his discoveries (**11**). The next year he published his findings in a scientific journal, presenting his hypothesis and a statistical analysis of the results. Mendel was the first biologist to use alphabetical notation to represent the pairs of opposite genetic traits, and he was one of the first to describe his data mathematically.

During Mendel's lifetime, unfortunately, his contemporaries failed to (**12**), thinking it dealt with hybridization rather than inheritance of genetic traits. Mendel died in relative obscurity 1884, but 16 years later his publication were rediscovered independently by several European biologists. As scientists duplicated Mendel's experiments, his theories of inheritance were confirmed and became widely recognized. "Mendelism," as its supporters called it, eventually gained general acceptance and became the foundation of modern genetics.

(**10**) **1** got fed up with schoolwork **2** became interested in Islamic study
☐ **3** longed for urban life **4** showed potential as a scientist

(**11**) **1** to the public **2** to his personal academic circle
☐ **3** to the well-known newspaper **4** to anyone who wanted to know it

(**12**) **1** discount his findings **2** refute his findings entirely
☐ **3** appreciate his work **4** profit off his work

解答と解説

①目標時間8分

全文訳 メンデル：最初の遺伝学者

グレゴール・ヨハン・メンデルは，オーストリア帝国シレジア人行政区で1822年に生まれた。彼は21歳のとき，カトリック聖職者になる課程に入ったが，科学者としての素質も示したので，高等教育のためにウィーン大学に送られた。シレジアの修道院の修道士として生活している間，今や有名となったエンドウ豆の遺伝の実験を行った。彼はエンドウ豆の対立遺伝子，つまり遺伝子的に対立した形質を持つ7組のエンドウ豆を選び，それらの高さ，形，色といった特徴を比較した。7年間で2万9000個のエンドウ豆を研究した結果，異なった遺伝的性質を持つエンドウ豆の雑種が，各ペアのうちの優性形質だけを示すこと，そして，雑種が自家受粉を続けると，そのペアの形質は3対1に近い比率で受け継がれる，と結論づけた。

1865年にメンデルは，この発見を個人的な研究サークルで発表した。その翌年に彼は科学雑誌にこの発見を掲載して，仮説と結果の統計分析を提示した。メンデルは，一組の対立する遺伝形質を表すためにアルファベットの表記法を使った最初の生物学者であり，最初にデータを数学的に表した一人だった。

メンデルが生きている間は，残念なことに同時代の人々からは彼の研究を評価されなかった。それは，彼の研究が遺伝形質の遺伝というよりも，交配を扱ったものだと考えたからだ。メンデルは1884年，比較的無名のまま亡くなった。しかし，彼の業績は16年後に，ヨーロッパの数人の生物学者によって別々に再発見された。科学者たちがメンデルの実験を再び行ったため，彼の遺伝理論は裏づけられ，広く認められた。支持者が呼ぶところの「メンデルの法則」は，結局は一般的知名度を得て，現代の遺伝子学の基盤になったのである。

(10) ANSWER **4**

解説 andの後の「大学に入った」と並列の関係になる語句がくると考え，**4**「科学者としての素質も示した」とするのが正しい。

(11) ANSWER **2**

解説 次の文で，翌年に科学雑誌で公表した，とあるので，その前段階が何かを考える。広く公表する前に個人的な場で発表したと考えるのが適切。

(12) 逆接 ▶ 前段落との関係を見抜く ANSWER **3**

解説 前段落ではメンデルの業績が述べられているが，“unfortunately”という語から，それが評価されなかったとわかる。否定表現“failed to”に注意する。

長文の語句空所補充　文化・その他

Read each passage and choose the best word or phrase from among the four choices for each blank.

Brown Rice

The poet Kenji Miyazawa wrote the well-known line, "I eat four cups of brown rice a day." Most Japanese these days, however, rarely eat brown rice. Just what is brown rice? It is unrefined rice covered with a thin brown skin. Compared with white rice, which most Japanese regularly eat, brown rice is much richer in nutrition but is somewhat (**1**), and consequently many Japanese avoid it. They regard the softer refined rice as more elegant "silver rice." On the other hand, those who appreciate the nutritional value of brown rice may call it "golden rice," but that term is less common.

The first person who understood the nutritional and therapeutic value of brown rice was a doctor named Sagen Ishizuka in the Meiji period. At his clinic in Tokyo, he advised patients to eat brown rice together with a variety of vegetables. Such treatment was especially effective for patients suffering from deficiencies of Vitamin B. Ishizuka's clinic was so (**2**) that even letters addressed to no postal address but simply "To Dr. White Radish" always reached to their destination.

In time, brown rice became more popular overseas than in Japan. Among those who introduced brown rice in the West were Joichi Sakurazawa (nicknamed "George Osawa" in the US) and his followers, Dr. Isamu Numata and Taisen Deshimaru, a monk who also introduced Zen Buddhism in France. Today many kinds of Japanese food are commonly found in the US and Europe, where a growing number of health-conscious people choose brown rice (**3**).

(1) ☐
1 harder to chew and digest
2 more savory
3 more reasonably priced
4 unpopular in the West

(2) ☐
1 remote from the city center
2 modern in design
3 unheard of among the public
4 widely known

(3) ☐
1 for its relative cost effectiveness
2 despite its scarce nutrition
3 for its superior nutritional value
4 regardless of its low vitamin level

解答と解説

目標時間8分

次の英文を読み，空所に当てはまるもっとも適切な語句を選びなさい。

全文訳 **玄米**

詩人宮沢賢治は「一日に玄米4合を食べ」という有名な一節を書いた。しかし，今ではほとんどの日本人は，玄米をめったに食べない。玄米とはいったい何なのだろうか。精米されておらず，薄い茶色の皮に被われた米のことである。ほとんどの日本人がいつも食べている白米に比べ，玄米ははるかに栄養がある。しかし，白米よりいくぶん硬くてかみにくく，消化も少し悪いので，多くの日本人は玄米を避けている。日本人は，やわらかくてきれいに精米された米をより上品な「銀シャリ」と考えている。一方，玄米の栄養価を評価する人は，玄米を「金シャリ」と呼んでいるが，この言葉はあまり知られていない。

玄米の栄養価や治療的な価値を知った最初の人は，明治時代の石塚左玄という医者だった。彼は東京にある自分の診療所の患者に，いろいろな野菜と一緒に玄米を食べるようすすめた。そのような治療は，特にビタミンB欠乏をわずらう患者に有効だった。石塚診療所はたいへんよく知られるようになり，住所を書かずに「大根先生へ」と書かれただけの手紙でも，いつも正しく届けられた。

しばらくして玄米は，日本国内より海外で人気が出た。西洋で玄米を紹介した人の中には，桜沢如一（アメリカでのニックネームはジョージ・オオサワ）と，彼の信奉者である医者の沼田勇，フランスに禅も紹介した僧侶の弟子丸泰仙がいた。今日では多くの種類の日本食が，アメリカやヨーロッパでよく見られる。健康を気遣う人たちが増え，優れた栄養価を持つ玄米を選んでいるのだ。

(1) 逆接 ▶ butの前がポジティブ　**ANSWER 1**

解説 選択肢のうち，否定的なのは**1**と**4**。空所の後にandで日本人について言及されていることから，**4**ではないことがわかる。

(2) 帰結 ▶ so ～ that ...構文に注目　**ANSWER 4**

解説 that 以下が論理的結果となっているので，住所なしでも手紙が届くほど**4**「よく知られていた」とするのが正しい。

(3)　**ANSWER 3**

解説 主語がhealth-conscious peopleであることから，玄米の健康的な側面に注目していると考え，**3**「栄養価が優れているため」とする。

Dreams and Reality

Many people wonder what their dreams mean. Anyone who is curious can consult dream dictionaries, available in print and online, that offer interpretations of the symbols in dreams. In ancient times, many people "bought" dreams for good luck from fortune tellers, and rich people sometimes spent large sums in hopes of getting better dreams. Nearly everyone, it seems, wants to understand and improve their dreams.

The Meiji-period Japanese novelist Soseki Natsume was known for his fabulous dreams, some of which may have been reworked into his short stories collected as *Ten Nights of Dreams*. Unfortunately, many of Soseki's dreams were so unpleasant and bizarre that they (**4**) his already fragile sense of self.

Dreams have mixed effects on most people. If you try to remember the contents of your dreams, which usually requires some effort, the mental exercise can strengthen your memory. Some dreams rejuvenate the brain, but nightmares usually drain and exhaust it. When you have good dreams, you may awaken in a mood of elation, but you could be traumatized if a dream intrudes too much into daily life. For some people, dreams may prove an impediment precisely because they (**5**).

Some people keep a dream diary to record their dreams. Such famous English authors as Charles Dickens and Graham Greene trained themselves to write down their dreams as soon as they woke up. Doing so provided valuable material for the fiction they wrote later.

Dreams may help us gauge our psychological balance. The symbols in dreams can reveal hidden truths about the unconscious mind. Paradoxically, while our dreams may be fleeting and insubstantial, they offer clues to our many complex and contradictory selves, (**6**), both in our dreams and in our waking reality.

(4) ☐
1 ameliorated his work and stimulated
2 influenced him and he forgot
3 touched his heart and healed
4 hindered his work and injured

(5) ☐
1 are really sensitive
2 are so irresistible
3 hide people's secrets
4 are so realizable

(6) ☐
1 making us search our memories
2 letting us know the mechanism of dreams
3 prompting us to get out of the shell
4 helping us to understand who we are

解答と解説

目標時間8分

全文訳 **夢と現実**

多くの人が自分の夢にはどんな意味があるのだろうと思う。興味のある人は誰でも夢事典で調べることができる。夢事典は印刷物でもインターネットでも利用でき，夢の中で象徴される事柄の解釈を示してくれる。古代には，多くの人々が占い師から幸運な夢を「買った」。金持ちはよりよい夢を手に入れたいと願い，ときに大金を使うこともあった。ほとんど誰もが夢を理解し，もっといい夢を見たいと思うようだ。

明治時代の日本の作家・夏目漱石は，驚くような夢を見たことで知られていて，そのいくつかは短編に書き直され，『夢十夜』としてまとめられた可能性がある。残念ながら，漱石の夢の多くはあまりに不快で奇妙だったので執筆の妨げとなり，ただでさえもろかった自意識を傷つけた。

夢はほとんどの人にさまざまな影響を及ぼす。夢の内容を思い出そうとするとたいてい努力を要するものだが，頭の体操をすれば記憶力を鍛えることができる。中には脳を活性化させる夢もあるが，悪夢はたいてい脳を消耗させ疲れ果てさせる。いい夢を見ると，気分が高揚して目覚めるかもしれないが，夢が日常生活に入り込みすぎると精神的な傷を負うおそれもある。夢は非常に魅力的であるからこそ，ある人々にとっては障害だといえるかもしれない。

夢を記録するために夢日記をつける人もいる。チャールズ・ディケンズやグレアム・グリーンといった有名なイギリス人作家は，目覚めるとすぐ夢を書き留めるよう訓練を積んだ。それにより，彼らはのちに書いた小説の貴重な題材を手に入れた。

夢は私たちの心理的バランスを判断するのに役立つかもしれない。夢の中の象徴は，無意識についての隠れた真実を明らかにすることもある。逆説的にいえば，夢は，はかなく実体がないかもしれないが，多くの複雑で矛盾する自己に関する手がかりを与えてくれ，夢の中と目覚めている現実の両方で，自分が誰なのかを私たちが理解するのに役立つのだ。

(4) 帰結 ▶ so ～ that ...構文に注目 **ANSWER 4**

解説 “unpleasant and bizarre”「不快で奇妙な」の論理的結果なので，ネガティブな内容が入ると考え，**4**「執筆の妨げとなり，～を傷つけた」とする。

(5) **ANSWER 2**

解説 夢が障害となりうる原因を読み取る。“For some people” から，前文の一般論とは異なる内容であることが予想でき「魅力的な夢が障害となる」と考える。

(6) 言い換え ▶ 直前の内容に注目 **ANSWER 4**

解説 挿入になっているので，直前と順接の関係にあり，ほぼ同内容になっていると考えられる。**4**「自分が誰なのかを理解するのに役立つ」とするのが正しい。

Singaporean Architecture

For centuries, Singapore has charmed tourists with its rich diversity in food, fabrics and landmarks representing the many cultures that coexist in this city-state. In more recent times, postmodernist Singaporean architecture has captured the imagination of people throughout the world. Presumably even Leonardo da Vinci (**7**) Singapore's cosmopolitan architectural achievements.

One of the most remarkable recent buildings in Singapore is Marina Bay Sands, a high-rise complex with three 190-meter-tall towers supporting a curved upper deck 38 meters wide and 340 meters long. From the SkyPark roof garden, astonishing views overlook not only Singapore but Malaysia and Indonesia. The 55 floors of all three towers accommodate 2,560 hotel rooms, a 150-meter swimming pool on the roof garden, as well as many stylish restaurants, bars, shopping malls, and casinos.

The SkyPark atop Marina Bay Sands looks like a gigantic ship floating in the air. From a distance, the entire complex resembles a concrete, steel and glass section of Stonehenge. Marina Bay Sands is an iconic symbol of Singaporean (**8**) that complements the well-known Merlion, a much smaller stone statue that is closer to sea level.

Another innovative high-tech Singaporean building is the Art Science Museum, which is shaped like a gleaming white lotus flower. The structure consists of ten lotus-like petals, each with a distinctive shape and height. It is fantastic design made real.

Such imaginative buildings as the Art Science Museum and Marina Bay Sands confirm Singapore's place as a world-class center of advanced design. (**9**) many countries try to build taller skyscrapers, the charismatic architecture of Singapore commands the world's attention, drawing many visitors and enriching the economy of this vibrant center of business and culture.

(7) ☐
1 would be disappointed at
2 was confused by
3 would be impressed by
4 had been overwhelmed by

(8) ☐
1 wealth and power
2 long-term recession
3 military power
4 political conspiracy

(9) ☐
1 On the other hand
2 Moreover
3 Therefore
4 While

解答と解説

目標時間8分

全文訳 **シンガポールの建築**

シンガポールは何世紀にもわたって，この都市国家に共存する多くの文化を象徴する，多様性に満ちた食物，織物，史跡で旅行者を魅了してきた。最近では，ポストモダニズム的なシンガポール建築が世界中の人々の心を捉えている。おそらくレオナルド・ダ・ビンチでさえ，シンガポールの国際的な建築的偉業には感動するだろう。

シンガポールで最近もっとも注目されている建築の一つは，マリーナ・ベイ・サンズである。高さ 190 mの 3 棟のタワーが幅 38 m，長さ 340 mの曲線を描く階上テラスを支える高層建築である。スカイパークの屋上庭園からは，シンガポールだけではなくマレーシアやインドネシアを見晴らす驚くべき眺めが広がっている。3 棟のタワーは 55 階建てで，2560 の客室と屋上庭園にある長さ 150 mのプール，そしてたくさんのスタイリッシュなレストランやバー，ショッピングモール，カジノを備えている。

マリーナ・ベイ・サンズ上方のスカイパークは空中に浮かぶ巨大な船のように見える。遠くから見ると，建築群全体がコンクリートと鉄，ガラスでできたストーンヘンジのようだ。マリーナ・ベイ・サンズはシンガポールの富と力の象徴であり，はるかに小さく海面に近い，有名なマーライオンを引き立てている。

シンガポールのもう一つの革新的なハイテクの建物は，アート・サイエンス・ミュージアムだ。それは，白く輝くハスの花のような形をしている。その建物は，ハスのような，それぞれ形と高さが異なる 10 枚の花びらでできている。リアルに作られたすばらしいデザインだ。

アート・サイエンス・ミュージアムやマリーナ・ベイ・サンズのような想像力に富む建物は，シンガポールが世界一流の先進設計の中心地だと裏づけている。多くの国が，より高い超高層ビルを建てようとする一方で，シンガポールのカリスマ的な建築が，世界の注目を集め，たくさんの訪問者を引き寄せ，この活気に満ちたビジネスと文化の中心地の経済を潤している。

(7) ANSWER 3

解説 前文の，建築が人々の心を捉えているという内容を引き継いでいると考え，**3**「感動するだろう」とするのが正しい。

(8) ANSWER 1

解説 第2～3段落はマリーナ・ベイ・サンズについてポジティブな内容で構成されていることから，空所にもポジティブな語句が入ると考える。

(9) 対 比 ▶「多くの国々」対「シンガポール」を見抜く ANSWER 4

解説 マリーナ・ベイ・サンズは“charismatic”であると書かれている。他の国が建てようとしている，より高い建物とはその点で異なっていることを読み取る。

Column② シャドーイングで記憶力がアップ!

英文の理解力・記憶力がみるみる上がる

リスニングテストで，聞いているときは「とても難しい」と感じたのに，後でリスニング原稿をゆっくり読んでみると「簡単だ」と思ったことはありませんか。

これには人間の脳の，**ワーキング・メモリ**のしくみが大きく関係しています。

それは，入ってきた情報を一度に処理する力(**認知資源**)には限りがあるので，**音声処理に多くの認知資源を使うと意味理解や内容保持に必要な認知資源を確保できなくなってしまう**というしくみです。

音声処理の自動化で，より多くの認知資源を意味理解や内容保持に使える！

高速のリスニングは，一度に処理する音声量が多いので，音声処理に手間取ると意味理解や内容保持が難しくなります。リスニング力向上の鍵は，**少ない認知資源で音声処理すること**(＝**音声処理の自動化**)なのです。

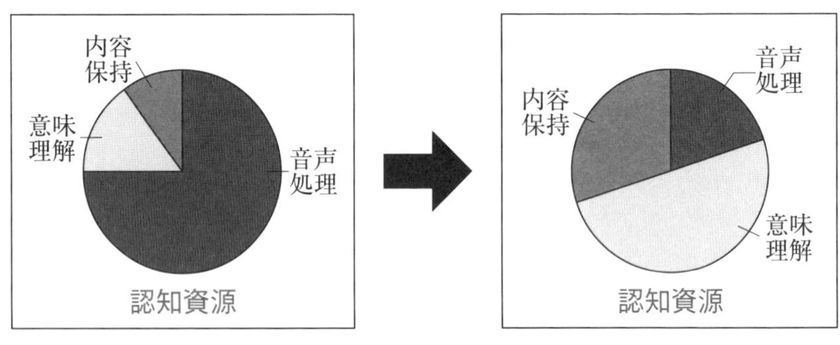

シャドーイングは音声処理の自動化に有効な練習法！

筋肉を鍛えるのに多少の負荷をかけると有効なように，音声処理能力も**「聞くと同時に復唱する」という負荷**をかけることで鍛えていくことができます。その負荷をかける方法の一つが**シャドーイング**なのです！

ただし，負荷をむやみにかけても筋肉をうまく鍛えられないように，シャドーイングもレベルや慣れ，音声処理能力の高低によって練習方法や負荷の大きさを調節する必要があります。⇒ Column⑤ (p.250)

第3章

長文の内容一致選択

Pre-1st Grade

攻略メソッド

大問3
長文の内容一致選択

POINT

やや専門的な内容の文章が出題される。分量が多く，一文ずつ丁寧に読んでいると時間がなくなる。文章の要旨を把握しつつ，答えの根拠となる部分をすばやく見つける。先に設問を読み，問われる内容を理解してから文章に取り組むことが肝心だ。

Method ① まずはタイトル，次に設問を読んで情報収集する

タイトルから，ジャンルや内容が予測できる。次に，**設問をスラッシュ・リーディング**(p.107参照)し，**要旨をメモする**。このとき，**選択肢は読まなくてもよい**。

- メモは自分でわかればOK。単純化して時間短縮を。
- 固有名詞などのキーワードになりそうな語句をチェック。

Method ② 段落の最初の2文を読む

段落の最初の2文を読めば，**各段落の主旨を理解し，段落同士のつながりを把握**できる。その際に**読んでいない部分を推測**してメモする。たとえば―

> 第1段落の最初の2文：ブラウン博士が1920年に偉大なる発見をした
> 第2段落の最初の2文：しかし，その発見には予期せぬ負の効果があった
> 　→第1段落には発見によるプラスの効果が述べられていると推測。

- 主旨と推測を組み合わせて全体像を把握。

Method ③ 設問に固有名詞 → 本文中の固有名詞を探す

設問に固有名詞がある場合は本文中のその語句を探し，その前後に注目する。

- 固有名詞を追えば答えが見つかる。

Method ④ 言い換えやキーワードを見抜く

設問 ⇔ 本文で，同じ内容を表す英文に気づけるかがポイント。見た目の表現に惑わされず，設問の「主旨」を理解する。

- 言い換えを見抜くには，設問の内容を理解することが必須。
- 言い換えにくいキーワードは，設問と本文中に似た形で出現する。

問題数7。1つの文章につき設問は3 ～ 4。文章を読み，その内容に関する質問の答えを，4つの選択肢から選ぶ。

Method 5 "What is true ...?"や"What is NOT ...?"の問題は消去法

文章全体についての問題や，文章に書かれていないことの問題は，最後に解く。

答えが決めにくい問題には消去法が有効。

Method 6 2問目の答えは1問目の答えより後にある

設問は内容順に並んでいる。たとえば，1問目の答えの根拠となる箇所が第2段落2文目なら，2問目の答えの根拠は第2段落3文目以降にあると考える。

設問は前から順に解く。

Method 7 設問文の言い回しに慣れる

設問の言い回しは似たものが多いが，意味が理解できなければ太刀打ちできない。

5つの頻出の設問の意味と内容をおさえる。

・What is the purpose of ～？　「～の目的は何か」

・Which is one of the consequences of ～？
「次のうち，～の結果［結論］となるものはどれか」

・How can ～ be best described?
「～をどのようにもっとも適切に言い表すことができるか」

・What does ～ imply?　「～は何を示唆するか」

・How can ～'s argument be summarized?
「～の意見［議論］はどのように要約できるか」

▶▶▶「解答と解説」のマークの意味

固有名詞 固有名詞を手がかりに解く　キーワード 本文のキーワードが選択肢にある

言い換え 本文の言い換えを選ぶ　消去法 消去法で解く

Read each passage and choose the best answer from among the four choices for each question.

Yugur Ballad – from the Chinese inexhaustible treasure trove

"Protection Urged for Ethnic Folk Songs" — with such a heading, Xinhua News Agency carried, in an anxious manner, an account of the fact that Yugur folk songs were on the brink of extinction in 2002. The article, introducing a song called *Huangdaichen* sung for generations by the Yugur people, a minority race living in northwest China's Gansu Province, reported that this beautiful piece was in danger of vanishing due to the death of a famous Yugur singer. He was the last person in the ethnic community that had been able to sing *Huangdaichen* entirely in the Yugur language.

As elderly group members who were the inheritors of the folk-song traditions passed away one after another, fewer and fewer young community members intended to be the heir to them. As a result, the Yugur cultural heritages such as folk songs that their nomadic life had granted to this ethnic group were decaying steadily. The article gave the picture of a Chinese researcher on folklore who, bothered about the state of affairs, had taken measures to save the Silk Road folk culture including Yugur folk songs, and urged the need for the local governments of Gansu Province and the parties concerned to save the folk cultures from the danger they were facing.

Not a few people have been apprehensive that the decline of the Yugur Ballad sung in the rare Yugur dialect might lead to an extinction of the rich oral traditions this ethnic minority boasts. The absence of a peculiar writing system had facilitated the development of the unique oral literature — folk songs above all — to a considerable degree within this romantic tribe. It has passed down its ethnic memory from generation to generation through its beautiful ballads, mainly comprised of three categories: narrative, work and love songs.

In 2006, four years after the above-mentioned story appeared on the Internet, the Chinese Ministry of Culture listed the Yugur Folk song as the first national intangible cultural heritage. Meanwhile, local authorities, and organizations such as the Yugur Ethnic Culture Research Institute and people at large worked tirelessly to preserve the Yugur culture, and their efforts still continue today. These protection efforts deserve our attention since they can make the future of the Yugur Ballad promising. If you want to learn how their songs resound on the expanding prairies, you can come in touch with some of them on the Internet.

[1] Which of the following is NOT true about *Huangdaichen*?

☐

1 The origin of it dates back to a long time ago.
2 It did not die out in 2002.
3 Nobody can sing it entirely in the local language now.
4 It was handed down by the ethnic majority group.

[2] According to the author of the passage, the Yugur oral culture flourished because

☐

1 more and more young people were eager to learn the culture.
2 the dialect specific to the area was attractive to many people.
3 a distinct writing system had not developed in the area.
4 narrative, ballads and love songs were the only forms that it took.

[3] The author believes that

☐

1 the Chinese government should not take a strong initiative in civil matters.
2 the effect of the local people's effort is minuscule.
3 the future of the culture is unknown, so that we should not be bothered.
4 the culture conservation effort will bear some fruits.

解答と解説

目標時間10分

次の英文を読み，質問に対してもっとも適切な答えを選びなさい。

［1］ 固有名詞 ▶ *Huangdaichen*に注目 **ANSWER 4**

（訳）ホァンダイチェンについて正しくないものはどれか。

1 その起源は昔にさかのぼる。

2 それは2002年に廃れなかった。

3 現在，その土地の言葉でそれを全部歌える人はいない。

4 それは多数派の民族集団によって伝えられた。

解説 ホァンダイチェンに関する記述は第1段落。2文目に“a minority race”と述べられており，**4**の“the ethnic majority group”とは相反する表現である。

［2］ 言い換え ▶ oral culture = oral literatureを手がかりにする **ANSWER 3**

（訳）筆者によると，ユグル族の口承文化が繁栄した理由は，

1 ますます多くの若者がその文化を学ぶことに意欲的だったから。

2 その土地特有の方言が多くの人々にとって魅力的だったから。

3 その土地では固有の筆記体系が発達しなかったから。

4 語り，民謡，恋の歌だけが，その表現形式だったから。

解説 設問文は第3段落2文目が言い換えられている。主語の“The absence of a peculiar writing system”が設問のbecause以下にあたる。

［3］ **ANSWER 4**

（訳）筆者が考えるところでは

1 中国政府は民間の問題に強力な指導力を発揮するべきではない。

2 地元の人々の努力が及ぼす影響は極めて小さい。

3 その文化の未来についてはわからないので，気にするべきではない。

4 その文化の保護活動は実を結ぶだろう。

解説 筆者の考え（＝結論）に関する設問なので，最終段落に着目する。3文目から，ユグル族文化の保護活動の結果を，筆者が肯定的にとらえていることがわかる。

全文訳

ユグル族民謡—中国の無尽の宝庫から

「民族特有の民謡の保護を要請」—このような見出しで，新華社通信は危機感を抱いて，ユグル族民謡が消滅寸前であるという記事を2002年に掲載した。記事は，中国北西部の甘粛(かんしゅく)省に住む少数民族のユグル族の人々が何世代にもわたって歌い継いできたホァンダイチェンという歌を紹介し，ユグル族の有名な歌手が亡くなったためこの美しい歌が消えてしまうおそれがあると伝えていた。彼は，その少数民族社会において，ユグル語でホァンダイチェンを全部歌うことができる最後の人物だったのだ。

民謡の伝統を継承する年寄りたちが1人，また1人と亡くなる一方で，彼らの後を継ごうとする若者はどんどん少なくなっていた。結果として，遊牧生活の中でこの民族がはぐくんできた，民謡のようなユグル族の文化遺産は着実に衰退していた。記事は，事態を心配し，ユグル族民謡を含めたシルクロードの民族文化を守るための措置をとった中国人民俗学研究者の写真を掲載し，甘粛省の地元自治体と当事者が直面している危機から民族文化を救う必要性を訴えた。

ユグル語の珍しい方言で歌われるユグル族民謡が減少すれば，この少数民族が誇りとしている豊かな口頭伝承が消滅しかねないと危惧している人々は少なくない。固有の筆記体系を持たなかったので，特有の伝承文学—とりわけ民謡—が浪漫(ろまん)的なこの民族内で大いに発展した。語り，労働歌，恋の歌という，主に3部から成る美しい民謡を通して，民族の記憶を代々伝えてきたのだ。

先に述べた記事がインターネット上に現れてから4年後の2006年，中国文化部はユグル族民謡を国家初の無形文化遺産に登録した。一方，地元当局，ユグル民族文化研究所のような機関や一般の人々はユグル族の文化を保護するために根気強く努力していた。そして，その取り組みは今なお続いている。こうした保護活動は，ユグル族民謡の未来に期待できることから，注目に値する。広大な大草原に響く彼らの歌がどのようなものか知りたいならインターネットで聞くことが可能だ。

The Traditional Norwegian Fiddle

The *hardingfele* is a Norwegian fiddle with eight or nine strings, making it very different from the violin which has only four strings. The *hardingfele* sounds more like bagpipes than a fiddle, and it has a greater range of tones than most other stringed instruments. It is commonly called the *hardanger* fiddle and is played mainly at traditional events in Norway. Many musicians, particularly violinists and violists, are interested in the *hardingfele* because it is unique among stringed instruments.

The Norwegian fiddle is not easy to make or to play. Only a few Norwegian craftsmen still make the *hardanger* fiddle, and virtually no one outside Norway has such skills. When played, the *hardanger* fiddle reflects the performers' feelings almost too intimately. *Hardanger* players must control their emotions so that the instrument's tones do not become subjective and call attention to the players' moods. In such ways the *hardanger* fiddle is very different from most other instruments.

The renowned Norwegian composer Edvard Grieg included the *hardanger* fiddle in his musical compositions. Grieg was understandably drawn to the sound of this instrument of his national heritage. In his famous *Peer Gynt Suite*, Grieg composed melodies, particularly the majestic morning passage in the opening, in which the *hardanger* fiddle carries the main themes.

Although there are no notable players of the *hardanger* fiddle outside of Norway, this instrument can be heard in such well-known films as *The Lord of the Rings*. Once people learn to recognize the unique sound of the *hardanger* fiddle, they can hear it in films and start to appreciate the connections between music, film and literature.

Several associations devoted to the *hardanger* fiddle aim to inspire more general interest in the instrument. They preserve vintage *hardanger* fiddles and showcase them on Internet sites and in catalogs. They also hold workshops and master classes so that people can learn to play the *hardanger* fiddle themselves. Some even lend out their *hardanger* fiddles and offer loans to help aspiring players buy their own. Such help is often needed, as the labor and skill required to construct a *hardanger* fiddle make this instrument quite expensive.

A number of these associations publish journals and pamphlets to educate the public about this rare instrument. They encourage new styles of performance to broaden its appeal. Their principal aim is to increase the number of players and fans of the *hardanger* fiddle so that its rich musical tradition will continue for generations to come.

[**4**] What makes the *hardanger* fiddle difficult to play?

1 Its wide range of tones which makes the impression of music too subjective.
2 The potential that it catches the players' feelings so closely that the players have to control themselves.
3 Its unique form with several strings which is too much for violinists and violists.
4 Absence of traditional technique to play it, which is passed on by older generations.

[**5**] Outside of Norway we have few chances to see the *hardanger* fiddle played, but

1 some associations hold Norwegian musical events in foreign countries to introduce the instrument.
2 we can enjoy *Peer Gynt Suite* on the Internet site that Edvard Grieg built up by himself.
3 most Norwegians try to keep the musical instrument away from the public.
4 we can hear it in some films and at the same time we find the music and the film are connected.

[**6**] Which of the following is NOT true about the *hardanger* fiddle?

1 Although the *hardanger* fiddle is a stringed instrument, its sounds are not so much of a violin as of bagpipes.
2 Edvard Grieg dedicated the prelude of his *Peer Gynt Suite* to the *hardanger* fiddle to make it a national heritage.
3 Constructing the *hardanger* fiddle demands certain labor and skill, so the instrument is very expensive.
4 The associations for *hardanger* fiddle wish the instrument will be passed down through generations.

解答と解説

目標時間10分

[4] **ANSWER 2**

訳 **何がハルダンゲル・フィドルを演奏することを難しくしているか。**

1 楽曲の印象をあまりに主観的にしてしまうハルダンゲル・フィドルが持つ幅広い音。

2 演奏者が自分をコントロールしなければならないほど綿密に，演奏者の感情を描写してしまうハルダンゲル・フィドルが持つ力。

3 バイオリン奏者やビオラ奏者の手に負えない，数本の弦を持つ独特な形。

4 前の世代から伝えられた演奏のための伝統的な技法が存在しないこと。

解説 第2段落3文目参照。第2段落がハルダンゲル・フィドルの難しさに言及していることに気がつけば正解にたどり着ける。“When played” 以下が答えになる。

[5] 言い換え ▶ 第4段落1文目が言い換えられている **ANSWER 4**

訳 **ノルウェー以外ではハルダンゲル・フィドルの演奏を見る機会はあまりないが，**

1 いくつかの団体が，この楽器を紹介するためにノルウェー音楽のイベントを外国で開いている。

2 エドバルド・グリーグ自身が立ち上げたホームページ上で「ペール・ギュント組曲」を楽しむことができる。

3 ノルウェー人のほとんどが，この楽器を世間から隠しておこうとしている。

4 映画の中で耳にでき，同時に音楽と映画の間のつながりに気づく。

解説 設問文は第4段落1文目前半の言い換え。althoughという譲歩の接続詞が，設問ではbutに置き換えられており，1，2文目の主節が答えになる。

[6] 消去法 ▶ 文章に書かれていない内容を選ぶときは消去法 **ANSWER 2**

訳 **ハルダンゲル・フィドルについて正しくないものはどれか。**

1 ハルダンゲル・フィドルは弦楽器だが，その音はバイオリンというよりはむしろバグパイプだ。

2 エドバルド・グリーグは，ハルダンゲル・フィドルを国民的遺産にするために「ペール・ギュント組曲」の前奏曲をささげた。

3 ハルダンゲル・フィドルを作るにはある種の労力と技術が要求されるため，この楽器はとても高価だ。

4 ハルダンゲル・フィドルに関連する団体は，この楽器が世代を超えて受け継がれることを望んでいる。

解説 **1**は第1段落，**3**は第5段落，**4**は第6段落に述べられている。

全文訳

ノルウェーの伝統的フィドル

ハーディングフェーレはノルウェーのフィドルで，8～9本の弦があり，その点で4本しか弦のないバイオリンとは大いに異なっている。ハーディングフェーレは，フィドルよりバグパイプに似た音がする。また，他の大半の弦楽器より幅広い音がする。一般にはハルダンゲル・フィドルと呼ばれ，主にノルウェーの伝統的な行事で演奏される。多くの音楽家，特にバイオリン奏者やビオラ奏者はハーディングフェーレに興味を持っている。弦楽器の中でもユニークなものだからだ。

ノルウェーのフィドルは，作ることも演奏することも簡単ではない。ほんの数人のノルウェーの職人がハルダンゲル・フィドルを今でも作っているが，事実上ノルウェー以外にこうした技術を持った人はいない。演奏となると，ハルダンゲル・フィドルは演奏者の感情を直接的過ぎるほどに反映する。楽器の音色が主観的になり，演奏者の感情に注意が向かないように，ハルダンゲル奏者は自分の感情をコントロールしなければならないのだ。このような点で，ハルダンゲル・フィドルは他の多くの楽器と大いに異なっている。

著名なノルウェー人作曲家エドバルド・グリーグは彼の楽曲の中にハルダンゲル・フィドルを取り入れていた。グリーグは，当然のことながら彼の祖国の国民的遺産であるこの楽器の音に惹(ひ)かれたのだ。グリーグは有名な「ペール・ギュント組曲」で，特に冒頭の雄大な『朝』の一節では，ハルダンゲル・フィドルが主題を演奏するようにメロディーを作った。

ノルウェー以外に有名なハルダンゲル・フィドル奏者がいないにもかかわらず，この楽器は『ロード・オブ・ザ・リング』のようなよく知られた映画の中で耳にできる。いったんハルダンゲル・フィドルのユニークな音がわかるようになると，人々は映画の中でその音を聞くことで音楽と映画，文学のつながりがわかり始める。

ハルダンゲル・フィドルに関するいくつかの団体は，この楽器に対するもっと一般的な関心を呼び起こそうとしている。それらの団体は時代物のハルダンゲル・フィドルを保存し，ホームページやカタログで紹介している。また，人々が自分でハルダンゲル・フィドルを演奏できるように，講習会や上級者クラスを開いている。中には，所有するハルダンゲル・フィドルを貸し出したり，意欲的な演奏者が自分のハルダンゲル・フィドルを買うことを援助するために，資金を貸したりしている団体まである。ハルダンゲル・フィドルを作るのに要求される労力や技術がこの楽器を非常に高価にしているため，このような支援がしばしば必要なのだ。

こうした団体の多くが定期刊行物や小冊子を発行して，この希少な楽器について広く伝えようとしている。その魅力を広めるために新しい形の演奏を奨励している。これらの団体の主な目的は，この楽器の豊かな音楽的伝統が世代を超え受け継がれていくように，ハルダンゲル・フィドルの演奏者とファンの数を増やすことだ。

Picasso and the Seven Women

Everyone knows the Grimms' fairy tale, *Snow White and the Seven Dwarfs*, but not many people have heard the story of "Picasso and the Seven Women." Pablo Picasso, the great Spanish master of modern art, had intimate relationships with many women, but there were seven who deeply affected his life and art. Snow White, of course, was a good-hearted princess, dearly loved by the seven dwarfs who cared for her and by the prince who awakened her. By contrast, Picasso was often dark and selfish, but he was also a genius, and seven women could not resist loving him.

One of the women who loved Picasso was as kind and charming as Snow White, and her name was Marie-Thérèse Walter. Picasso met her when he was 46 years old and she was 17. He idolized her as a goddess of beauty, and she became the inspiration for many of his serene, maternal portraits in the late 1920s and early 1930s.

Picasso's earlier artistic style had grown discordant under the influence of his first wife, Olga Khokhlova, a Russian ballerina who pressured the bohemian Picasso to mix with wealthy people in high society. Marie-Thérèse was temperamentally the opposite of Olga. Charmed by this younger woman who seemed to understand him, Picasso felt infused with renewed life and energy. The young, vibrant Marie-Thérèse rejuvenated the middle-aged Picasso, leading him to new breakthroughs in artistic vision. Although Picasso remained married to Olga for financial reason, he spent as much time as he could afford with Marie-Thérèse and their daughter Maya.

With all that Marie-Thérèse did to energize and nurture Picasso, their relationship should have been permanent. Unfortunately, Picasso was basically selfish and continued to search for more women who could inspire his life and art. The next of five other women with whom Picasso became seriously involved was the painter and photographer Dora Maar. Very different from the warm, motherly Marie-Thérèse, Dora helped Picasso explore his dark side and enter another artistic phase. Dora served as the model for the "weeping women" portraits in the 1940s. When Marie-Thérèse and Dora met for the first time in his studio, Picasso said they would have to fight for him, and he enjoyed watching them literally wrestle with each other for his love.

In 1961, when he was 80, after using and discarding six earlier women, Picasso married Jacqueline Roque, his second and last wife. He was still passionately looking for a woman who could inspire him; Jacqueline did just that until he died at the age of 91. Without Picasso's seven women, there might have been much less art for the modern public to enjoy. In effect, the seven women co-created Picasso's art, out of their love and suffering for him.

[**7**] In spite of his darkness and selfishness, Picasso

☐

1 devoted his love to two women who influenced him greatly.
2 inspired the Grimms to write *Snow White and the Seven Dwarfs*.
3 was good-hearted and treated as such by other artists.
4 captivated the heart of seven women.

[**8**] Which is true about Picasso's relationship with his first wife?

☐

1 She contributed to his career by widening his social network.
2 His property kept Picasso from divorcing her.
3 As a much younger wife, she rejuvenated Picasso in his later life.
4 Most of his now famous works were produced during their marriage.

[**9**] Marie-Thérèse Walter and Dora Maar

☐

1 both helped Picasso bloom his talent in different ways.
2 never had an opportunity to meet each other face to face.
3 were the third and the fourth women with whom Picasso was seriously involved.
4 took turns to serve as a model for Picasso's paintings.

[**10**] The author of the passage believes that

☐

1 Picasso's incessant pursuit of new women was motivated by his desire to find calm and peace in his life.
2 some of the Picasso's works were actually produced by several women in his life.
3 Picasso had seven behind-the-scenes contributors to create his works.
4 Jacqueline Roque's sufferings and love toward Picasso were much greater than those experienced by any other woman.

解答と解説

目標時間10分

[7] キーワード ▶ his darkness and selfishnessに注目 **ANSWER 4**

(訳) **陰険さと身勝手さにもかかわらず，ピカソは**

1 彼に大きな影響を与えた２人の女性に彼の愛をささげた。
2 グリム兄弟に「白雪姫と７人のこびと」を書く気を起こさせた。
3 心優しく，他の芸術家からもそのように扱われた。
4 ７人の女性たちの心をとりこにした。

解説 第１段落最終文参照。キーワードをたどると，設問文とほぼ同じ表現が見つかる。逆接の接続詞but以下で，“dark and selfish”というネガティブな側面を持つ一方，ポジティブな側面として，天才であること，女性を惹きつける存在だったことが述べられている。

[8] 言い換え ▶ for financial reasonが言い換えられている **ANSWER 2**

(訳) **ピカソと最初の妻との関係について正しいものはどれか。**

1 彼女は，ピカソの人間関係を広げることで彼のキャリアに貢献した。
2 財産のために，ピカソは彼女と離婚できなかった。
3 非常に年下の妻として，彼女は晩年のピカソを若返らせた。
4 今日有名な彼の作品のほとんどは，彼らが結婚している間に制作された。

解説 第３段落最終文参照。“his first wife”をキーワードに第３段落に注目する。マリー＝テレーズとの関係の中で，最初の妻オルガとの関係が，“grown discordant”や“pressured”などの表現でネガティブに描写されていることも手がかりになる。

[9] 固有名詞 ▶ ２人の女性の名前を本文中から探す **ANSWER 1**

(訳) **マリー＝テレーズ・ワルテルとドラ・マールは**

1 両者とも，違うやり方で，ピカソが才能を開花するのを助けた。
2 互いに顔を直接合わせる機会はなかった。
3 ピカソが真剣になった３番目と４番目の女性だった。
4 交代でピカソの絵画のモデルとなった。

解説 第４段落４文目参照。固有名詞を手がかりに，２人が対比されている箇所を特定する。“Very different from ～”，“enter another artistic phase”とあることから，マリー＝テレーズとドラが異なる存在でありながら，ともにピカソの芸術的な側面に刺激を与える存在だったことが読み取れる。

[10] **ANSWER 3**

（訳）筆者が考えるところでは

1 ピカソが新しい女性を絶え間なく求めたのは，彼が人生に安らぎと平穏が欲しかったからだ。

2 ピカソの作品には実際に，彼の人生に現れた何人かの女性によって創作されたものがある。

3 ピカソには作品を作るために7人の貢献者がいた。

4 ジャクリーヌ・ロックのピカソに対する苦悩と愛は，他のどの女性が経験したよりもずっと大きかった。

解説 最終段落最終文参照。筆者の主張は結論部（≒最終段落）に示されることが多い。ここでは最終文で"In effect,"「実際には，事実上」という語句に導かれている。"seven women co-created Picasso's art"を"seven behind-the-scenes contributors"と言い換えている。

全文訳

ピカソと7人の女性

グリム童話の「白雪姫と７人のこびと」は誰でも知っているが，「ピカソと７人の女性」の話を聞いたことのある人はそれほど多くない。スペインの現代美術の巨匠であるパブロ・ピカソはたくさんの女性たちと親密な関係を持ったが，彼の人生と芸術に深く影響を与えたのは７人だった。もちろん，白雪姫は心優しい姫で，彼女の世話をする７人のこびとにも，彼女を目覚めさせる王子にも心から愛された。これに対してピカソは，しばしば陰険で身勝手だったが，天才でもあり，７人の女性たちは彼を愛さずにはいられなかった。

ピカソを愛した女性たちの一人は，白雪姫のように優しく魅力的だった。彼女の名はマリー＝テレーズ・ワルテル。ピカソが彼女と出会ったのは彼が46歳，彼女が17歳のときだ。ピカソは彼女を美の女神として崇拝した。そして彼女は，1920年代後半から1930年代初めにかけて描かれたピカソの穏やかで母性に満ちた肖像画のうちの多くのインスピレーションの元となった。

ピカソの初期の芸術スタイルは，彼の最初の妻であるオルガ・コクローヴァの影響を受けて調和を失っていた。オルガはロシア人のバレリーナで，ボヘミアン気質のピカソに上流社会の裕福な人々と交流するよう無理強いした。マリー＝テレーズはオルガと正反対の気質だった。自分を理解してくれるように思える，この若い女性に魅了されて，ピカソは新たな活力とエネルギーに満たされたように感じた。若く，活気に満ちたマリー＝テレーズは中年のピカソを若返らせ，彼の芸術的なものの見方に新たな躍進をもたらした。ピカソは経済的な理由でオルガと結婚したままだったが，できる限りマリー＝テレーズと彼らの娘マイアと過ごした。

マリー＝テレーズがピカソに活力と栄養を与えるためにしたすべてのことを考えれば，彼らの関係は永久的なものであるべきだった。しかし不幸なことに，ピカソは基本的に身勝手で，彼の人生と芸術に刺激を与えてくれる女性を探し続けた。続く５人の女性たちのうちピカソが真剣になったのは，画家で写真家のドラ・マールだった。心温かく母親のようなマリー＝テレーズとは大いに異なり，ドラはピカソが自分の陰の側面を探索し別の芸術的段階に入る手助けをした。ドラは1940年代に「泣く女」のモデルとなった。マリー＝テレーズとドラが初めてピカソのアトリエで会ったとき，ピカソは彼女たちに，自分をめぐって戦わなければならないと言い，彼女たちが文字どおり彼の愛をめぐって格闘するのを見て楽しんだ。

1961年，ピカソが80歳のとき，それ以前の６人の女性を利用し捨てた後で，彼は２番目で最後の妻であるジャクリーヌ・ロックと結婚した。彼はいまだ熱烈に，インスピレーションを与えてくれる女性を探していたのだ。ジャクリーヌはピカソが91歳で亡くなるまでまさにそうした。ピカソの７人の女性たちがいなければ，現代の人々が楽しめる芸術はずっと少なかったかもしれない。事実上，７人の女性たちは，ピカソを愛するがゆえに苦しみながら，ピカソの芸術をともに作り上げたのだ。

✔ 語句をチェック

resist *do*ing　～することに抵抗する
idolize ～　～を偶像化する
serene　穏やかな，平穏な
discordant　調和しない，一致しない
infuse ～　～を満たす
vibrant　力強い；活気に満ちた；元気な

ポイント 試験で知らない単語が出てきたら…

300 ～ 500 語の長文では，しばしば未知の単語に出くわします。また，見知った単語でも知らない意味で使われていたりもします。それでも，たいがい大意は読み取れます。ところがその未知の単語が文中で重要な意味を持つ場合，時間が限られている「英検」準 1 級のような試験では，たかだか 1 単語で立ち止まっていられないので，読み進めていかなければなりません。

そこで，前後の文脈をたよりに，未知の単語の意味を類推できる手がかりを 2 つご紹介します。

一つは「英文の論理展開イメージ (p.106)」です。支持文は主題文を補強するので，主題文が理解できれば，支持文の方向性がわかります。その逆の場合もあるでしょう。つまり，類義語や言い換えから，未知の単語の意味を最終的に理解するわけです。

もう一つは接続詞です。たとえば，逆接を示す語に続く文は「前文とは逆の意味」ですね。こちらのほうが，前述の方法よりわかりやすいでしょう。

英文の大きな流れを理解することに重点を置くようにすると，この 2 つの手がかりを無意識に使っていることに気づくでしょう。とはいえ，覚える語彙は多いに越したことはありません。練習では辞書を活用し，語彙を増やす努力は惜しまないようにしましょう。

重要度 B

長文の内容一致選択

Read each passage and choose the best answer from among the four choices for each question.

The "10 Percent" Myth about the Brain

There is a popular belief that human beings utilize "only 10 percent" of their brains. A firm believer of this contention says that if average people could activate the other 90 percent, they could develop special, even extraordinary abilities, like memorizing 100 different words in three minutes and then reciting them in the original order without making a mistake, or using psychic power to make a vase float in the air without even touching it! Though it sounds appealing, the "10 percent" myth is so wrong that for brain specialists it seems almost laughable.

The source for the "10 percent" myth is unclear, but some brain researchers believe it is linked to the 19th-century American psychologist and philosopher William James, who argued that most people use only a small part of their mental and physical resources.

The durability of the myth seems to stem from people's unfounded conceptions about their own brains: they regard their own shortcomings as evidence of the existence of unused parts of their brains. This is a false assumption.

Certainly at times when people are completely at rest, they may be using only 10 percent of their brains. But at other times, people make much greater use of their brains. "Experts agree that we use practically every part of the brain, and that most of the brain is active almost all the time," says one American brain specialist. "Actually, the brain accounts for a mere three percent of the body's weight but consumes twenty percent of the body's energy."

The human brain consists of three parts. The largest portion performs all higher cognitive functions like understanding, reasoning, memorizing, calculating, and so on; another is responsible for motor functions, such as the coordination of movement and balance; and the third is engaged in involuntary functions like breathing. The majority of the energy consumed by the brain enables millions of neurons in these three parts to interact with each other. Researchers argue that it is such interactions that make all of the brain's higher functions possible.

Although it is generally accepted that, at any given moment, not all of the brain's regions are simultaneously activated, brain researchers have shown that, like the body's muscles, most of them are active over a 24-hour period; even in sleep, some areas of the brain are actively functioning. Scientific evidence shows that in the course of a day everyone makes use of nearly 100 percent of their brain.

[**1**] In what way is William James significant?

☐

1 He provided convincing evidence against the "10 percent" myth.

2 He was the first psychologist who was able to activate nearly 100 percent of the brain of a patient in an experiment.

3 A belief he held more than 100 years ago is still believed by many people.

4 His finding of the connection between mental and physical resources laid the foundation for scientific advancement in the 20th century.

[**2**] Which one of the following statements is true according to the American brain expert mentioned in the passage?

☐

1 The brain uses as much as two-thirds of the energy necessary for a body to function.

2 The brain of a 50-kilogram man weighs roughly 150 grams on average.

3 The amount of energy consumed by the brain is larger in women than in men.

4 The brain uses about one-fifth of the body's energy.

[**3**] The brain's higher functions

☐

1 may not be completely enabled without the interworking of different parts of the brain, each of which is responsible for distinct functions.

2 are mainly controlled by the part of the brain which is responsible for reasoning.

3 contribute to the reduction of the energy consumed by the brain.

4 are fully activated in sleep.

解答と解説

目標時間10分

次の英文を読み，質問に対してもっとも適切な答えを選びなさい。

［1］ 固有名詞 ▶ William Jamesに注目　**ANSWER 3**

訳 どのような点でウィリアム・ジェームズは大きな意味を持っているか。

1 「10 %」神話に対する説得力のある反証を示した。

2 実験で患者の脳のほぼ100 %を活性化できた，最初の心理学者である。

3 100年以上前に彼が信じていたことが，今でも多くの人に信じられている。

4 彼が心的資源と身体的資源の関係に気づいたことで，20世紀における科学的進歩の基礎ができた。

解説 固有名詞を手がかりに第2段落に注目。ウィリアム・ジェームズの説が「10 %」神話の起源とする考えがあると述べられている。

［2］ キーワード ▶ energy，body，weighsに注目　**ANSWER 4**

訳 アメリカ人の脳の専門家が本文で述べていることによれば，次のどれが正しいか。

1 身体が動くのに必要なエネルギーの3分の2に相当するエネルギーを脳が使う。

2 体重50キロの人の脳は平均でおよそ150グラムである。

3 脳が消費するエネルギーの量は，男性より女性のほうが多い。

4 身体のエネルギーのおよそ5分の1を脳が使っている。

解説 選択肢のbody，energyやweighsから，第4段落に注目。最終文参照。20 %＝5分の1の言い換えに注意する。

［3］　**ANSWER 1**

訳 脳の高度な機能は

1 それぞれが別個の機能を司(つかさど)る，脳のさまざまな部分が相互に作用しなければ完全には機能しないかもしれない。

2 論理的思考を司る脳の部分によって，主に制御されている。

3 脳が消費するエネルギーの削減に貢献している。

4 寝ているとき，完全に活性化する。

解説 設問文から第5段落に注目。最終文に脳の高度な機能について述べられている。**2**の「論理的思考を司る部分」で制御されているのは認知機能であることに注意。

全文訳

脳に関する「10%」神話

人間は脳の「たった10 %」しか使っていないということが広く信じられている。この主張を固く信じている人は，平均的な人が残りの90 %を活性化できたら，人は特別な，異常ですらある能力，たとえば3分で100の異なる語句を記憶して，間違えることなく順番どおり暗唱したり，超能力を使って，触れることなく花瓶を空中に浮かせたりする能力を持つようになるだろうに！　と言う。魅力的ではあるが「10 %」神話は間違いであり，脳の専門家にとってはほとんどばかげて見えるほどである。

「10 %」神話の源ははっきりしないが，脳の研究者の中には19世紀アメリカの心理学者で哲学者ウィリアム・ジェームズと関係があると信じている人もいる。ウィリアム・ジェームズは，ほとんどの人は心的，身体的資源のほんのわずかしか使っていないと主張した。

この神話が根強く信じられているのは，人々が抱く脳についての根拠のない考えが原因のようだ。人々は自分の欠点は脳に使われていない部分が存在することの証明だと考える。これは間違った思い込みである。

たしかに完全に眠っているときは，脳の10 %しか使っていないかもしれない。しかしそれ以外のときは，人は脳をもっと活用している。「私たちは事実上，脳のすべての部分を使っていて，脳の大部分はほとんどいつでも活性化しているという点で，専門家の意見は一致している」と，あるアメリカ人の脳の専門家は言う。「実際，脳は体重の3 %しか占めていないのに，体のエネルギーの20 %を消費している」。

人間の脳は3つの部分から成り立っている。最も大きな部分は，認識や論理的思考，記憶や計算など比較的高度な認知機能のすべてを司る。もう一つの部分は，動きやバランスの調整のような運動機能を司っている。そして3つ目の部分は呼吸のような不随意機能にかかわっている。脳が消費するエネルギーの大部分を使って，これら3部分の何百万ものニューロンが互いに作用し合う。あらゆる脳の高度な機能を可能にしているのは，このような相互作用であると研究者は主張する。

脳の部分すべてが，いついかなるときも同時に活性化しているわけではないことは一般的に受け入れられているが，筋肉同様，脳のほとんどは24時間活動していることを脳の研究者は証明してきた。寝ているときですら，脳のある部分は活発に動いているのだ。科学的な根拠によって，一日のうちに誰もが，自分の脳のほぼ100 %を使っていることは明らかである。

The Nobel Prize for iPS Cells

On October 8, 2012, the Nobel committee at Stockholm's Karolinska Institute announced that British and Japanese researchers will receive the Nobel Prize in physiology and medicine for their great contributions to sciences. The two researchers who will share the $1.2 million award are John Gurdon from Britain and Shinya Yamanaka from Japan. Gurdon first discovered that mature, differentiated cells of animals could be changed to the equivalent of embryonic stem cells, which have the potential to grow into any type of cells in the body. Forty-four years later, Yamanaka succeeded in simplifying the process. Their achievements astonished many scientists as well as non-experts all over the world. It had been assumed that specialized cells could never been changed back to stem cells, and consequently embryonic stem cells had to be taken from umbilical cords to produce organs.

In 1962, Gurdon published the finding that mature cells of tadpoles could be changed into primitive cells and produce more tadpoles. He took away DNA from an egg cell of the amphibian and put in the cell another nucleus taken out of a skin or intestinal cell. The modified cell happened to gain the capacity of growing up to be a tadpole. Thirty-five years later, other scientists applied Gurdon's method to the cloning of mammals and gave birth to the first cloned sheep named Dolly. The news spread quickly and surprised the whole world, reminding some people of the famous scene in the classic Chinese novel *Journey to the West* where the main character, a monkey, pulls bits of fur from his body and blows on them to produce his own clones. At the end of the previous century, however, no one thought the discovery had any obvious benefit for medical use.

Nearly a decade later, Yamanaka and his team at Kyoto University used mice, instead of tadpoles or sheep, and found a remarkably simple way to produce primitive cells. They found four specific genes that play a key role in turning specialized cells into "induced pluripotent stem" cells. Yamanaka named them "iPS" cells by following the example of Apple's iPod. Introducing a few or all of the four genes into, say, a skin cell of a mouse and turning it into an iPS cell takes several weeks in their lab. Like rebooting a computer, Yamanaka obtained the same results that Gurdon had discovered forty-five years before; however, Yamanaka did this without extracting DNA from egg cells.

Gurdon and Yamanaka's discoveries could hold immense potential for the development of new treatments for diseases like Parkinson's and diabetes, which are at present regarded as incurable. Currently, a great number of scientists are scrambling to fulfill the dream. In the near future, they could make iPS cells from the skin cell of a patient suffering from Parkinson's disease, grow them into brain cells and put them back into the head of the patient. Scientists could also make β-cells of a diabetic's pancreas from iPS cells and put them into the patient's body to produce insulin.

[**7**] What had been believed about embryonic stem cells?

☐

1 They were first discovered by John Gurdon.
2 They were differentiated cells of human being.
3 Only the ones taken from umbilical cords could be used for organ production.
4 They were in the early twentieth century.

[**8**] The 1997's application of Gurdon's method

☐

1 convinced the public of its great medical use.
2 was modeled after the classic Chinese novel *Journey to the West*.
3 successfully changed mature cells of tadpoles into primitive ones.
4 led to the birth of the first cloned sheep.

[**9**] What makes Yamanaka's finding remarkably different from Gurdon's?

☐

1 While Gurdon's method took a few months to produce stem cells, Yamanaka's took only a few weeks to do so.
2 Yamanaka found certain elements responsible for the production of primitive cells.
3 Instead of tadpoles or sheep, Yamanaka succeeded in cloning mice.
4 Using Yamanaka's method, you only need one type of gene instead of four required by Gurdon's method to produce primitive cells.

[**10**] Which of the following statements can be inferred from the passage?

1 There are not so many people who are suffering from Parkinson's disease compared to forty years ago.

2 Now it might be possible to cure diabetes by producing and replacing the pancreas.

3 The number of patients suffering from certain irremediable disease may decrease.

4 Some oppose the development of iPS cells due to potential risks associated with them.

解答と解説

目標時間10分

[7] 固有名詞 ▶ embryonic stem cellsに注目 ANSWER 3

訳 胚性幹細胞(ES細胞)について，どう信じられていたか。

1 それらは最初にジョン·ガードン教授によって発見された。

2 それらはヒトの分化細胞だった。

3 へその緒からとれるものだけが，臓器を作るために使われることができた。

4 それらは20世紀初頭に存在した。

解説 第1段落最終文参照。“embryonic stem cells”を本文中から探し，ガードン教授の発見以前まで信じられていたことを読み取る。最終文で，“It had been assumed that ...”と，信じられていたことが述べられている。

[8] キーワード ▶ Gurdon's methodに注目 ANSWER 4

訳 1997年，ガードン教授の方法の適用は

1 人々にすばらしい医学的用途を確信させた。

2 中国の古典小説の『西遊記』にならって作られた。

3 オタマジャクシの成熟細胞を初期化した細胞にうまく変えた。

4 最初のクローン羊の誕生を導いた。

解説 第2段落4文目参照。第2段落ではガードン教授がオタマジャクシのクローンを生成したことについて述べられている。1962年にガードン教授が発見した方法を適用して，35年後の1997年にクローン羊のドリーが誕生したことを読み取る。**3**はガードン教授の実験なので不適。

[9] ANSWER 2

訳 山中教授の発見はガードン教授の発見と何が著しく異なるのか。

1 ガードン教授の方法は幹細胞を作るのに2，3か月かかるが，山中教授は2，3週間しかかからない。

2 山中教授は，特定の要素が初期化した細胞の生成に関係していることを発見した。

3 オタマジャクシや羊の代わりに，山中教授はクローンのマウスを作ることに成功した。

4 初期化した細胞を作るのにガードン教授の方法では4種類の遺伝子が必要だが，山中教授の方法を使うと，1種類の遺伝子だけが必要である。

解説 ガードン教授と山中教授の方法の両方に言及しているのは第3段落。1文目では，山中教授のチームは“found a remarkably simple way to produce primitive cells”と述べられている。また，最終文のhoweverに注目すると，ガードン教授の方法では必要な段階が，山中教授の方法では不要なことが読み取れる。これを可能にしているのが，2文目の「4つの特定遺伝子」である。

[10] **消去法** ▶ 解答の根拠となる箇所が特定しにくいので消去法が有効 **ANSWER 3**

(訳) **本文から推測できるものは次のうちどれか。**

1 40年前と比較して，パーキンソン病を患っている人は多くない。
2 現在，すい臓を作って取り替えることで，糖尿病を治療することができるかもしれない。
3 ある種の治療のできない病気を患っている患者数は，減少するかもしれない。
4 潜在的な危険があるとして，iPS細胞の発展に反対する者もいる。

解説 最終段落1文目参照。最終段落ではiPS細胞の今後の医学的用途について述べられている。incurable = irremediableがわかれば，正解にたどり着ける。3文目以降は，パーキンソン病と糖尿病を例にして，iPS細胞の適用を示している。

(全文訳)

iPS細胞にノーベル賞

2012年10月8日，ストックホルムのカロリンスカ研究所のノーベル賞委員会は，イギリス人と日本人の研究者の，科学へのすばらしい貢献に対してノーベル生理学・医学賞を授与すると発表した。賞金120万ドルを分ける2人の研究者は，イギリスのジョン・ガードン教授と日本の山中伸弥教授である。ガードン教授は，動物の成熟した分化細胞が，体のどのタイプの細胞にもなり得る細胞，つまり胚性幹細胞（ES細胞）にあたるものに変えられることを最初に発見した。その44年後，山中教授はその過程を単純化することに成功した。彼らの功績は世界中の一般の人々だけでなく，多くの科学者をも驚かせた。分化細胞を幹細胞に戻すように変化させることは決してできず，したがって，臓器を作るためには胚性幹細胞をへその緒からとらなければならないと考えられていたからだ。

1962年，ガードン教授は，オタマジャクシの成熟細胞を初期化した細胞へと変化させ，多くのオタマジャクシを作り出すことができるという発見を発表した。彼は両生類の卵細胞からDNAを取り除き，皮膚や腸の細胞から取り出した別の核をその細胞に入れた。組み換えた細胞はオタマジャクシに成長する能力を持っていた。その 35 年後，他の科学者がガードン教授の方法を哺乳類のクローン生成に適用して，ドリーという名の最初のクローン羊を誕生させた。そのニュースは瞬く間に広がり全世界を驚かせた。人々はそのニュースから，中国の古典小説の『西遊記』で，主人公の猿が身体から毛を抜き取ってその毛を吹き飛ばすと，彼自身の複製ができるという有名な場面を思い起こした。しかしながら，前世紀の終わりには，その発見が医学利用で何らかの明確な利益をもたらすとは誰も思わなかった。

ほぼ 10 年後，山中教授と京都大学の彼のチームは，オタマジャクシや羊の代わりにマウスを使って初期化した細胞を作る，非常に簡単な方法を発見した。彼らは分化細胞を「人工多能性幹」細胞に変える鍵の役割を担う 4 つの特定遺伝子を見つけた。山中教授はそれらをアップル社のiPodの例にならって「iPS細胞」と名づけた。その 4 つの遺伝子のいくつか，あるいはすべてを，たとえば，マウスの皮膚細胞などに移植してiPS細胞に変えるには研究所で数週間かかった。コンピューターを再起動するように，山中教授は 45 年前にガードン教授が発見したのと同じ結果を得た。しかしながら，山中教授は卵細胞からDNAを取り出すことなくそれを成し遂げたのである。

ガードン教授と山中教授の発見は，現在は治療できないと考えられているパーキンソン病や糖尿病の新しい治療法の発展に，計り知れない可能性をもつだろう。現在多くの科学者が夢を実現しようと先を争っている。近い将来，パーキンソン病の患者の皮膚細胞からiPS細胞を作り，脳細胞に育て，患者の脳へそれらを戻すことができるようになるだろう。また，iPS細胞から糖尿病患者のすい臓の β 細胞を作り，インスリンを作るために患者の身体にそれらを戻すこともできるようになるだろう。

✔ 語句をチェック

differentiate　～を分化させる；区別[識別]する
equivalent　相当するもの
consequently　その結果
nucleus　細胞核
extract ～　～を取り除く；抽出する
immense　巨大な；計り知れない
scramble　我先に進む

Column③ シャドーイングでスピーキングが上達！

「発音」をよくするのにもシャドーイングが有効

英語らしく話すにはリズムとイントネーションをコピーする練習が効果的！

「**発音がいい**」という印象は，実は「発音の正確さ」と同等，あるいはそれ以上に「**個々の音の強さと長さ(リズム)**」「**個々の音の高低(イントネーション)**」がポイントになります。

シャドーイングは，英語のリズムやイントネーションをコピーする練習にも最適です。慣れてきたら，できるだけ聞こえる英文と同じリズム，イントネーションで発声するようにしましょう。⇒ Column⑥ (p.268)

「聞く」だけで話せるようになる？

細部の音にも注意を向け，その音を遅れずに再生する口の訓練がスムーズな発話につながる！

カラオケで歌うとき，**曲に合わせて口ずさんでいた曲はスムーズに歌える**けれど，「よく聞いた」だけで口ずさんだことのない曲は，あやふやだったり，覚えていなかったりすることがありますね。

英語が「**聞けるけれど話せない**」人の状況は，これに似ています。**頭の中の音のイメージがあやふやだ**と，どう音を出してよいか脳が迷い，口がスムーズに動きません。

シャドーイングでは「**あやふやにしかイメージできないため口が動かない音**」がはっきりとわかるので，**スピーキングの弱点補強**になります。

頭の中の音のイメージをすばやく発話する訓練は，発話の**流暢**(りゅうちょう)**性やスピードの向上**にもつながります。**歌を口ずさむこととシャドーイングは，リズムや音程にも注意を払う点でも，とても似ている**のかもしれませんね。

第4章

英作文

Pre-1st Grade

攻略メソッド 英作文

英検準1級合格にはライティング対策が必須

英検準1級一次試験の合否はスコアで決定する。スコアは出題数に関係なくReading，Listening，Writingの各技能に750ずつ均等に配分される。そのため，出題数により1問ごとのスコアへの影響が異なる。

英作文の出題は2024年度から2問に増えた。2問で一次試験の3分の1のウェイトを占めることになる。一次試験の合格基準スコアは1792/2250。英作文で一定の点数を取ることができなければ，一次試験を突破することは難しい。

一次試験合格には，Reading，Listening対策だけでなく，Writing対策も大切。

英作文の採点基準

英作文の採点基準となる4つの観点を確認しよう。

(1) **内容**
- **課題で求められている内容（意見とそれに沿った理由）が含まれているか。**
- **英文の構成や流れがわかりやすく論理的か。**

(2) **構成**
- **論理的な流れになっているか。**
- **接続詞などを適切に使っているか。**
- **全体的に読みやすくまとまっているか。**

(3) **語彙**
- **課題に相応しい語彙を正しく使えているか。**
- **適切な単語を使用しているか。**

(4) **文法**
- **文構造のバリエーションやそれらを正しく使えているか。**
- **文法規則を守り、自然な英語表現になっているか。**

要約問題でも基準は同じ！

英作文・意見論述の出題傾向

【頻出テーマ】

過去に出題されたテーマは右のグラフの通り。社会性の高いものが選ばれている。
これらについて自分の意見を英語で書けるように，日頃から新聞やニュースなどでさまざまな話題や意見に接しておこう。

自分の考えをまとめてみる習慣をつけるとよい。

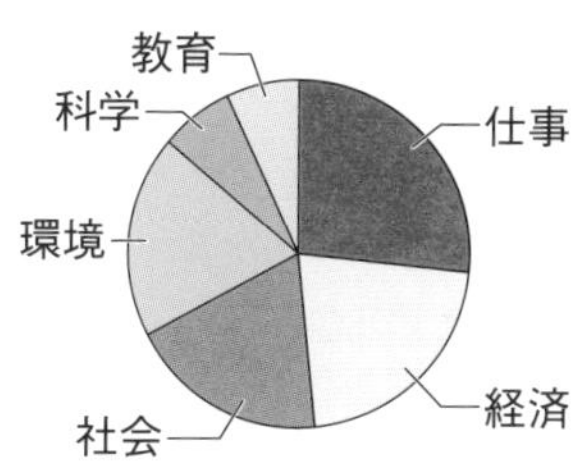

【トピックのパターン】

1．賛成か反対かを問う　Agree or disagree：...

あるトピックについての賛否を問うパターン。示された意見に賛成か反対か，自分の立場を明らかにしてから，その理由などを述べる。

2．「どう思うか」を問う　Do you think that ...？

あるトピックに対する自分の意見を述べるパターン。与えられたPOINTSをもとに，自分の意見とその理由を述べる。

3．そのほか　Is it acceptable to ...?など

1．に近い形の問い。あるトピックに対して肯定的な立場か，否定的な立場かを明らかにして，与えられたPOINTSをもとに，その理由などを述べる。

解答作成時の注意点

内容の注意点

・トピックに示された問いに答える
　→無関係な内容と判断されるとすべての観点で0点になる可能性も
・一貫した意見とそれを支持する説明や理由を述べる
　→矛盾した意見や説明は(2)**構成**の観点でもマイナス

構成の注意点

・序論，本論，結論の構成で書く
　→接続詞やディスコースマーカーを使い，論理展開を明確にする
・POINTSから2つを使い，120～150語で書く
　→問題の指示を守った構成にする

語彙の注意点

・同じ語句や表現のくり返しを避ける
　→くり返しは語彙不足と受け取られやすい
・トピックにふさわしい語彙を正しい語法で使用する

文法の注意点

・時制，名詞の単複など，文法的に正しい文を書く
・文構造にバリエーションをもたせる

以上の観点と注意点を踏まえて，次ページから，具体的に英作文攻略のポイントを確認していこう。

攻略メソッド　英作文・要約問題

POINT

まとまった英文を読み，約3分の1の長さに要約する。充てられる時間は約20分。200語程度の英文を素早く読む力，その内容を正確に理解する力，論理構造を把握したうえで簡潔に言い換える力が求められる。

Method ❶ 英文の全体像をつかむ

200語程度だと，3～4のパラグラフで構成されることが多い。
・導入（テーマの説明）→意見1（賛成）→意見2（反対）
・導入（テーマの説明）→意見1（筆者の主張）→意見2（反対の立場の主張）
などの構成が考えられる。各パラグラフの文章の中での役割を理解することが大切。

トピックセンテンスを見つけだす。

Method ❷ 段落の重要表現を追う

各段落の重要表現に印をつけて，要約時の手がかりとする。「重要表現」とは，トピックセンテンスやキーワード，論理構造を示す接続詞やディスコースマーカーなど，英文の内容を理解するうえで重要な要素となる表現のこと。具体例などの理解を助ける文は，「重要表現」に含まないので注意する。

具体例や個別の事例は重要表現からは外してもよい。

Method ❸ 自分の言葉で言い換える

印をつけた重要表現を，自分の言葉で言い換える方法を考える。

① 具体的な単語を一般的な単語に

例 the U.S and France→developed countries, Western nationsなど
iPhone→smartphone

② 文法の構造を変える

例 ・2文を1文に
The product launch was delayed. Technical problems were the cause.
→The product launch was delayed due to technical problems.
・複文を単文に
The company lost money because it invested in risky ventures.
→The company's risky investments led to financial losses.

言い換えで意味が曖昧になっていないかに注意を払う。

郵 便 は が き

料金受取人払郵便

豊島局承認

4466

差出有効期間
2025年9月30日まで
(切手不要)

170-8789

104

東京都豊島区東池袋3-1-1
サンシャイン60内郵便局
私書箱1116号

株式会社 高橋書店
書籍編集部 ⑳ 行

※ご記入いただいた個人情報は適正に管理いたします。取扱いについての詳細は弊社のプライバシーステイトメント(https://www.takahashishoten.co.jp/privacy/)をご覧ください。ご回答いただきましたアンケート結果については、今後の出版物の企画等の参考にさせていただきます。なお、以下の項目は任意でご記入ください。

お名前	年齢： 歳 性別： 男 ・ 女
ご住所 〒 −	
電話番号 − −	Eメールアドレス
ご職業 ①学生 ②会社員 ③公務員 ④教育関係 ⑤専門職 ⑥自営業 ⑦主婦・主夫 ⑧無職 ⑨その他( )	

裏面のご感想やご意見を匿名で、本の紹介や広告等に使用してもよろしいですか？ □はい □いいえ
今後の企画検討時に、アンケート等でご協力いただけますか？ □はい □いいえ

弊社発刊の書籍をお買い上げいただき誠にありがとうございます。皆様のご意見を参考に、よりよい企画を検討してまいりますので、下記にご記入のうえ、お送りくださいますようお願い申し上げます。

ご購入書籍 **英検®頻出度別問題集 音声DL版**

1）ご購入いただいた級を教えてください

□準1級　□2級　□準2級　□3級

2）英検®を受けようと思ったきっかけは何ですか（複数回答可）

□学校ですすめられて　□進学（受験）に有利と聞いて

□その他（

3）英検®対策で重視している技能はどれですか（複数回答可）

□リーディング　□リスニング　□ライティング　□スピーキング

4）試験はどのタイプで受検されますか・されましたか

□従来型（個人）　□従来型（団体）　□S-CBT

5）本書を購入いただいたきっかけを教えてください（複数回答可）

□書店で見て　□ネット書店で見て　□試験リニューアル対応商品だから

□頻出度別（効率よく学習したい）　□以前このシリーズを使っていて

□その他（

6）本書の問題数についてお聞かせください（各項目に丸をつけてください）

語句空所補充（多い・適量・少ない）　**長文**（多い・適量・少ない）

ライティング（多い・適量・少ない）　**リスニング**（多い・適量・少ない）

二次試験対策（適量・増やしてほしい）

本書についてのご感想をお聞かせください

ご協力ありがとうございまし

200語程度の与えられた英文を，60 ~ 70語で要約する問題。本文をそのまま抜き書きするのではなく，できる限り自分の言葉で言いかえることが求められる。

Method ④ 本文の論理構造は維持する

Method ①で把握した，英文の全体像，パラグラフ構成（＝各パラグラフの役割）は要約しても変えてはいけない。因果関係などの論理構造はそのままに，英文を簡潔にすることを意識する。論理構造の把握にはディスコースマーカーが重要。要約する際にも活用できるようにしたい。また，要約全体の論理的な流れがスムーズになるように，必要に応じて表現を追加したり，削除したりすることも大切だ。

役割	ディスコースマーカー
列挙	and　or　both ... and　neither ... nor
追加	in addition　besides　moreover　as well as
対比	but　however　yet　on the other hand
時間	before　after　when　since
因果	because　so　as a result　therefore
譲歩	although　even though　while　despite
条件	if　unless　on condition that　provided that
目的	in order to　so that　with the aim of　with the intention of
結論	in conclusion　as a result　consequently　therefore　finally
例示	for example　such as　for instance　namely
順序	first　second　third　next　finally
要約	in short　briefly　to sum up

特に，「因果」「対比」「目的」「例示」「順序」のディスコースマーカーに注目。

Method ⑤ 要約としての条件を満たす

60 ~ 70語で要約するためには，1段落につき20語程度にまとめる必要がある。そのうえで，次の点にも注意する。

- 自分の意見を加えていないか
- 元の英文の内容が正確に反映されているか
- 簡潔で分かりやすい文章になっているか（要約文だけで理解できる内容か）

普段から短文のパラフレーズや，ニュースや短い文章のリテリングを練習しよう。

攻略メソッド　例題

例題を使って，要約の手順を整理しよう。

1．英文の全体像をつかみ，段落の重要表現を追う

Music education at school has been a point of discussion for a while. (Activities in music classes include playing instruments, singing in a group, and learning music theories.) Many schools provide music classes, but their value has been contested.

テーマ　音楽教育の具体的な内容

Supporters of music education (believe that it brings many benefits to students.) First of all, it helps develop students' cognitive abilities. By learning music, their memory and concentration will improve. Moreover, some studies have shown that learning rhythms and timings leads to improvements in mathematical skills. Another benefit of music education is that it helps students' self-expression. (Through music, students can explore their emotions and ideas,) and that will in return help improve their self-esteem.

supportersがbenefitsがあると考えるのは当然　1つ目→2つ目もありそうと予測　キーワード　追加　2つ目　self-expressionの説明

Critics, 〈on the other hand〉, (say that the effects of music education are not that positive.) Their main argument is that it takes away time from core academic subjects. (Given that schools have limited time to teach students, they contend that focus should be on math, science and language education.) They argue that music education is not as imperative as other academic skills in children's future careers.

対比　criticsだから反対意見が続くのは当然　トピックセンテンス　キーワードの補足説明。core academic subjectsとは

2．自分の言葉で言い換える

第1段落（テーマの提示）

Music education at school has been a point of discussion for a while. / their value has been contested → The value of music education in schools is debated.

第2段落（賛成派の意見）

1つ目：it helps develop ～ → it can enhance ～

their memory and concentration will improve / improvements in mathematical skills → （cognitive abilitiesの例なので）such as memory and math skills

2つ目：it helps students' self-expression / will help improve their self-esteem

→ it fosters self-expression and self-esteem

第3段落（反対派の意見）

it takes away time from ～ → it steals time from ～

music education is not as imperative as other academic skills in children's future careers → these are more crucial for students' future success

3．論理構造を維持してまとめる

While music education is widely offered at school, its value is debated. Supporters of music education argue it can enhance students' cognitive abilities, citing improved memory, concentration, and math skills. They also believe music fosters self-expression and self-esteem. However, critics argue that music education steals time from core academic subjects like math and science, which are more crucial for students' future success. （62語）

（訳） 音楽教育は学校で広く行われているが，その価値については議論がある。音楽教育の支持者は，記憶力，集中力，計算能力の向上を挙げ，生徒の認知能力を高めることができると主張する。また，音楽は自己表現と自尊心を育むと信じている。しかし，批評家は，音楽教育は，生徒の将来の成功にとってより重要である数学や科学のような中核的な学術科目から時間を奪うと主張している。

（本文訳） 学校での音楽教育は長らく議論の的となっている。音楽の授業活動には，楽器の演奏，グループでの歌唱，音楽理論の学習などが含まれる。多くの学校が音楽の授業を提供しているが，その価値については議論が分かれている。／音楽教育の支持者は，それが生徒たちに多くの利点をもたらすと考えている。第一に，音楽教育は生徒の認知能力の発達を助ける。音楽を学ぶことで，記憶力と集中力が向上する。さらに，リズムやタイミングを学ぶことが数学的スキルの向上につながるという研究結果もある。音楽教育のもう一つの利点は，生徒の自己表現を助けることだ。音楽を通じて，生徒は自分の感情やアイデアを探求することができ，それが結果的に自尊心の向上にもつながる。／一方，批評家は音楽教育の効果はそれほど肯定的ではないと主張する。主な論点は，音楽教育が中核的な学術科目の時間を奪ってしまうことだ。学校が生徒を教育できる時間が限られているため，数学，科学，言語教育に重点を置くべきだと彼らは主張する。音楽教育は子供たちの将来のキャリアにおいて，他の学術的スキルほど重要ではないと論じている。

英作文・要約問題

No.1

- Read the article below and summarize it in your own words as far as possible in English.
- Suggested length: 60-70 words

One recent development in science is augmented reality, which adds digital content to the real-life environment. People can enjoy augmented reality through smartphones or by wearing special glasses. While this technology has great potential, some people are skeptical about it.

Supporters of this technology believe that augmented reality makes our learning experience richer and more effective. Students, for example, can see artifacts from different angles, just like when they visit real museums or historical sites. It allows them to "touch" artifacts, which is often not allowed in real museums. Moreover, it can enable learning complex skills without potential risks. By using augmented reality, trainee surgeons not only see patients' organs but also move and touch them. Since they can redo or repeat their actions as they wish, they can increase opportunities for training.

Critics argue that augmented reality can reduce incentives to experience reality. Now that people can easily see and "touch" artworks, fewer and fewer people will be encouraged to actually go and visit museums. By missing out on such experiences, they argue that people will lose chances to encounter others and interact with them in real-time.

言い換えのヒント

add ~ to ...「~を…に加える」→overlay ~ onto ...「~を…に重ね合わせる」

make ~ rich「~を豊かにする」→enrich ~「~を豊かにする」

without risks「リスクなしに」→not harm ~ / without harming ~「~を傷つけないで」

not encourage→demotivate「やる気をなくさせる」

解答と解説

目標時間20分／問

解答例

Augmented Reality, the technology that overlays digital content onto the real-life environment, has some potential. Proponents of this technology argue that it enriches our learning experience while making it more effective. In addition, it allows the learning of complex skills without harming people. On the other hand, critics believe the use of augmented reality demotivates people from actually experiencing things, resulting in reduced opportunities to interact with others. (68語)

解答例の訳

拡張現実は，現実の環境にデジタルコンテンツを重ね合わせる技術で，いくつかの可能性を秘めています。この技術の支持者は，拡張現実が学習体験を豊かにすると同時に，より効果的にすると主張しています。さらに，それは，人々に危害を加えることなく複雑なスキルを学ぶことを可能にします。一方で，批評家は拡張現実の使用が人々の実際の体験への意欲を低下させ，その結果，他者との交流の機会が減少すると考えています。

問題文の訳

科学における最近の発展の一つに拡張現実があります。これは現実の環境にデジタルコンテンツを追加するものです。人々はスマートフォンを通して，また特殊なメガネをかけて拡張現実を楽しむことができます。この技術には大きな可能性がありますが，懐疑的な人々もいます。

この技術の支持者は，拡張現実が学習体験をより豊かで効果的にすると考えています。例えば，学生たちは実際の博物館や史跡を訪れるのと同じように，様々な角度から遺物を見ることができます。実際の博物館では通常許可されない遺物への「触れる」体験も可能になります。さらに，潜在的なリスクなしに複雑なスキルの学習を可能にします。拡張現実を使用することで，研修中の外科医は患者の臓器を見るだけでなく，動かしたり触れたりもします。望むように行動をやり直したり繰り返したりできるため，トレーニングの機会を増やすことができます。

批評家は，拡張現実が現実を体験する意欲を減少させる可能性があると主張します。人々が簡単に芸術作品を見たり「触れたり」できるようになったため，実際に博物館を訪れようとする人が少なくなるでしょう。そのような経験を逃すことで，人々は対面で他者と出会い，交流する機会を失うと彼らは主張します。

No.2

- Read the article below and summarize it in your own words as far as possible in English.
- Suggested length: 60-70 words

The International Union for Conservation of Nature (IUCN) puts animals and plants that are endangered and on the verge of extinction on a list and opens the information to the public. The purpose of the list is to educate the public on how many species are near extinction and encourage them to take action. Thanks to the advancement in technology, some scientists attempt what's called de-extinction, or the practice of bringing back extinct species through cloning and genetic engineering.

Proponents of de-extinction argue that it will increase biodiversity. As the life of every species on the planet depends on other species in a complex manner, adding species will enrich other species, directly or indirectly supporting them. Moreover, such methods can increase our scientific knowledge and technology. Such information can be utilized to prevent further extinction of species in the future.

Critics of de-extinction argue, however, that the practice indeed disrupts ecological balance. The ecological system as we know it today is in balance with these species that have already gone extinct. Bringing them back to the current ecosystem is the same as introducing foreign species to another country. Furthermore, they contend that these species have gone extinct because of the lack of their habitats. Therefore, even if we bring them back, their habitats will be lacking unless we remove existing species' habitats.

言い換えのヒント

increase biodiversity「生物多様性を増加させる」→diversify「多様化する」

support「支援する，助ける」→bring benefit「利益をもたらす」

increase knowledge→build up knowledge「知識を増やす」

unless「もし～しなければ」→by ～ing「～することによって」

解答と解説

目標時間20分／問

解答例

A method of bringing back already extinct species has been discussed. Supporters argue that it will diversify the ecosystem, bringing benefits to other species. In addition, it can help us build up knowledge, and that will help us prevent other extinctions from happening. However, critics believe bringing back extinct species will break the ecological balance of today. Moreover, species brought back will suffer due to the lack of habitat space.

（70語）

解答例の訳

すでに絶滅した種を復活させる方法が議論されています。支持者は，これが生態系を多様化し，他の種にも利益をもたらすと主張しています。さらに，この方法は私たちの知識の蓄積を助け，それが他の種の絶滅を防ぐことにつながると考えています。しかし，批判者は絶滅種を復活させることで，現在の生態系のバランスが崩れると考えています。また，復活した種は生息地の不足により苦しむことになるでしょう。

問題文の訳

国際自然保護連合（IUCN）は，絶滅寸前の，そして絶滅の危機に瀕している動植物をリストに載せ，その情報を一般に公開しています。このリストの目的は，多くの種が絶滅の危機に瀕していることを大衆に教育し，行動を促すことです。技術の進歩により，一部の科学者たちは絶滅種の復活と呼ばれる，クローン技術や遺伝子工学を用いて絶滅種を復活させる試みを行っています。

絶滅種の復活の支持者は，これが生物多様性を増加させると主張します。地球上のすべての種の生命は複雑な方法で他の種に依存しているため，種を追加することは他の種を豊かにし，直接的または間接的に支援することになります。さらに，このような方法はわれわれの科学的知識と技術を向上させることができます。こうした情報は，将来的に種のさらなる絶滅を防ぐために活用できます。

しかし，絶滅種の復活の批判者は，この実践が実際には生態系のバランスを乱すと主張します。現在私たちが知っている生態系は，すでに絶滅した種がいない状態でバランスが取れています。これらの種を現在の生態系に戻すことは，外来種を別の国に導入するのと同じです。さらに，彼らは，これらの種が絶滅したのは生息地の不足が原因だと主張します。したがって，たとえ彼らを復活させたとしても，われわれが既存の種の生息地を奪わない限り，彼らの生息地は不足することになります。

No.3

- Read the article below and summarize it in your own words as far as possible in English.
- Suggested length: 60-70 words

As the world becomes more digitized, Internet censorship, a practice to control what can be said and posted on the Internet, has become a contested topic. Since there is no border on the Internet, we might need a wider consensus on whether or not to implement censorship, and if so, to what extent.

Proponents of the idea argue that by implementing Internet censorship, we can protect the public from crimes. People, especially children, will not be dragged into illegal activities such as drugs and identity theft by information posted on the Internet. In addition, without Internet censorship, national security would be threatened. Some information, such as the locations of armies and high-ranking officials, should not be widely spread in order to protect them and the country from enemies.

On the other hand, critics argue that it will limit freedom of expression. They argue that this is especially the case when there is no clear guideline on what's appropriate and what's not. Without clear guidelines that are easy to understand, the government can change the narrative of politics by controlling the Internet while claiming its own interpretation of the guidelines.

言い換えのヒント

implement Internet censorship「インターネット検閲の実施」
→check what's on the Internet「インターネット上にあるものをチェックする」

there is no ～→without ～「～なしで」

without ～ , ... would be threatened「～がなければ，…が脅かされるだろう」
→... should be protected「…は保護されるべきだ」

解答と解説

目標時間20分／問

解答例

As more and more information has been disseminated on the Internet, some argue that we need to censor the Internet. Supporters argue that checking what's on the Internet can prevent information leading to crimes from reaching people. Moreover, withholding certain information with regard to national security should be justified. Critics, however, contend that such censorship can limit freedom of expression, especially without a clear guideline to follow. (67語)

解答例の訳

インターネット上でますます多くの情報が拡散されるようになり，インターネットを検閲する必要があると主張する人々がいます。支持者は，インターネット上の内容をチェックすることで，犯罪につながる情報が人々に届くのを防ぐことができると主張しています。さらに，国家安全保障に関する特定の情報を非公開にすることは正当化されるべきだと考えています。しかし，批評家は，特に明確なガイドラインがない状況では，このような検閲が表現の自由を制限する可能性があると主張しています。

問題文の訳

世界がますますデジタル化する中，インターネット上で発することができることや，投稿できる内容を管理するインターネット検閲が，議論の的となっています。インターネットには国境がないため，検閲を実施するかしないか，そして実施するならどの程度まで実施するかについて，より広範な合意が必要かもしれません。この実践の支持者は，インターネット検閲を実施することで，公衆を犯罪から守ることができると主張しています。人々の，特に子供たちが，インターネット上に投稿された情報によって，薬物や個人情報の窃盗などの違法行為に巻き込まれなくなるでしょう。さらに，インターネット検閲がなければ，国家安全保障が脅かされる可能性があります。軍隊や高官の所在地などの情報は，彼らと国を敵から守るために，広く拡散されるべきではありません。

一方，批評家は検閲が表現の自由を制限すると主張しています。特に，何が適切で何が不適切かについての明確なガイドラインがない場合，これが起こると彼らは主張します。誰にでも分かりやすい明確なガイドラインがなければ，政府は自らのガイドライン解釈を主張しながら，インターネットを管理することで政治的な物語を変えることができてしまいます。

攻略メソッド

大問5
英作文・意見論述

POINT

英検準1級　次試験で英作文に使うことができる時間は，多くても25分程度。トピックを理解し，一から自分の主張を組み立てて，正しい英文を書くことが求められる。効率よくまとまりのある英文を書くためのコツ押さえよう。

Method ① トピックを正確に理解する

トピックの内容を正確に理解し，何に対する意見を求められているかを間違えないようにする。

トピックを理解するために，ポイント（論点）も手がかりにする。

Method ② 与えられたポイントを２つ使って意見を述べる

小論文はIntroduction（序論）— Main body（本論）— Conclusion（結論）という構成にする。与えられた４つのポイントの中から２つを使って，本論の中で自分の意見を述べる。

与えられたポイントは自分の意見を立証するために使う。

Method ③ 序論（Introduction）と結論（Conclusion）は定型文で

序論や結論は定型文を使うとよい。Agree / Disagree問題ではまず「賛成」か「反対」かを述べる。それ以外の問題では「～を…すべきかどうか／～が…されるべきかどうか」を述べる。

Introduction

①**Agree/Disagree問題の定型文**

例　I agree[disagree] with the idea that ～ , and I have two reasons for this.
「私は～という意見に賛成［反対］です。それには２つの理由があります」

②**Agree/Disagree以外の問題の定型文はshouldを使うとよい**

例　I believe[do not believe] that ～ should ..., and I have two reasons for this.
「私は～を［が］…すべき［されるべき］だと思います［思いません］。それには２つの理由があります」

Conclusion

例　For these reasons, I believe ～ .「こういった理由で私は～だと思います」

限られた時間内で意見を述べるために定型文を有効活用する。

Method 4 書きやすいほうを選ぶ

自分の意見を正直に述べる必要はない。自分は賛成だと思っても，その意見が複雑で150語には収まらない，また，英語の表現が浮かばない，というときは反対意見も考慮して書きやすいほうを選ぶ。

４つのポイントとトピックを照らし合わせて，どのような意見が書けるかをメモし，多いほうの意見にするとよい。

例 TOPIC：Should English be used as an official language in Japan?

POINTS：①Globalization ②Communication ③Overseas sales ④Civil life

メモ：①Living in Japan will be more convenient for many foreigners.
②English is a useful tool to communicate with people in different countries.
③Overseas sales will be increased.
④All the official documents must be translated into English.
The majority of people in Japan speak Japanese.

自分の意見とは異なる方向性で書くときは論理が首尾一貫しているか注意。

Method 5 与えられたポイントはキーワードとして使う

ポイントは４つの中の２つを使うというルールだが，そのまま使う必要はない。そこから広がる内容を盛り込むのも可。

例 Economy「経済」→ unemployment rate「失業率」
economic stability「経済の安定性」

Method 6 1つのポイントにつき55語程度で書く

ポイント１つにつき３～４文（55語程度）が目安。１つのポイントだけ語数が極端に多くならないようにバランスよく書く。それぞれのポイントをFirst, ...とSecond, ...で書き始め，具体的な事実や自分の意見を端的に述べる。

ポイント＝意見の根拠。２つのポイントに関連を持たせる必要はない。

POINT

英作文攻略のためには，英語でエッセイを書く際の基本的な型や手順を知っておくとよい。例題と解答例をもとに，解答の書き方を確認しよう。

TOPIC
Agree or disagree: Remote work is an efficient way to work.

POINTS
- Time savings…理由①通勤しない＝他のことに時間が使える，ゆっくり眠れる
- Work environment
- Work-life balance…理由②家族との時間が持てる，家事や用事と両立できる
- Loneliness

解答例

I agree with the idea that remote work is an efficient way to work. I have two reasons to support my opinion.

First of all, working remotely saves us time. Since we do not have to commute to the office, we can use our commuting time for our hobbies and studies. Also, since we do not have to wake up early to commute, we can get plenty of rest.

Secondly, remote working makes it easier for us to have a good work-life balance. If we work at home or close to home, we can work while watching our family and children, or do our chores in between. We can work in a way that suits our situations, which increases our productivity.

For these reasons, I believe that working outside the office is efficient.

訳

リモートワークは効率的な働き方であるという意見には賛成です。私の意見を裏付ける理由は2つあります。

第一に，リモートワークは時間の節約になります。オフィスに通う必要がないので，通勤時間を趣味や勉強に充てることができます。また，通勤のために早起きする必要がないので，十分な休息をとることができます。

第二に，リモートワークはワーク・ライフ・バランスをとりやすくしてくれます。家や家の近くで仕事をすれば，家族や子どもを見ながら仕事ができますし，家事の合間にも仕事ができます。自分の状況に合った働き方ができるので，生産性も上がります。

このような理由から，私はオフィス以外の場所で仕事をすることは効率的だと考えています。

【型】

Introduction（序論）・Main body（本論）・Conclusion（結論）という構成にする。Main bodyはトピックセンテンス（主張）とサポーティングセンテンス（具体例や補足説明）で構成することが望ましい。

	内容	表現	注意点
序論 Introduction	主張 賛成or反対 ～だと思う	I agree/disagree with the idea ～ I think/do not think that ～	1～2文。自分の主張と以下で理由を述べることを伝える。
本論 Main body	主張の理由 理由①＋具体例・補足説明 理由②＋具体例・補足説明	First of all, ～ Secondly, ～	POINTSの中から2つを用いる。それぞれ2～4文。
結論 Conclusion	結論	For these reasons, ～	1～2文。再度主張を述べる。 Introductionと少し表現を変える。

【手順】

① TOPIC を理解する。

②（自分の立場を決める前に）POINTS を確認する。

③それぞれの項目について，賛成・反対それぞれの立場で思いつく理由とそれを支持する具体例や補足説明を書き出す（英語でも日本語でもよい）。

《例》

・Time savings　賛成：通勤不要＝他のことに時間が使える，ゆっくり眠れる

・Work environment　賛成：自宅に整っていればスムーズ
　反対：必ずしも自宅が仕事に向いた環境とは言えない

・Work-life balance　賛成：家族との時間が持てる，家事や用事と両立できる
　反対：仕事と私生活の区別がなくなり，働きすぎる

・Loneliness　反対：同僚とコミュニケーションが取りにくい

④③で思いつく内容が多い立場で，【型】に当てはめて書く。あくまでも書きやすい立場を選ぶことがコツ。

⑤最後に読み直して，文法的な誤りや内容の矛盾がないかを確認しよう。

攻略メソッド

どのテーマにも使える！ 基本表現を覚えよう

限られた時間でまとまりのある英文を書くためには，よく使われる表現を覚えて，使えるようにしておくことも必要です。出題テーマにかかわらず頻出の表現をピックアップしました。ぜひ例文とセットで覚えましょう。

重要語句	例文
First, ～ 第一に，～	First, it is an economy to share a room. 第一に，ルームシェアをすることは経済的である。
Secondly, ～ 第二に，～	Secondly, almost all women are concerned about the latest fashion. 第二に，ほとんどの女性は最新の流行に関心がある。
However, ～ しかしながら，～	However, vegetarians tend to be undernourished. しかしながら，菜食主義者は栄養が足りない傾向がある。
... because ～ ～なので…	Living alone is comfortable because we can do anything we want. したいことが何でもできるので，一人暮らしは快適である。
Although ～ , ... ～であるが，…	Although these companies have made great progress in their treatment of workers, they need to do more. これらの会社は社員の待遇において多大な進歩をしたが，さらなる進歩が必要である。
Thanks to ～ , ... ～のおかげで，…	Thanks to lower shipping costs, we will import more goods. 輸送費用が下がったおかげで，より多くの品物を輸入するだろう。
If ～ , ... 仮に～ならば，…	If we want to keep these sculptures in good condition, museums are essential. 仮にこれらの彫刻品をよい状態で保ちたいならば，博物館は欠かせないものである。
Furthermore, ～ さらに，～	Furthermore, technological advancement will become more and more significant. さらに，科学技術の進歩はますます意味のあるものになるだろう。
In addition, ～ さらに，～	In addition, working overtime is extremely stressful. さらに，残業はきわめてストレスを起こしやすい。
In conclusion, ～ 結論として，～	In conclusion, more people should think about their own health seriously. 結論として，より多くの人が自分の健康について真剣に考えるべきだ。

重要語句	例文
In order to ～ , ... ～するために，…	In order to maintain its moral standards, Japan does not need to imitate foreign countries. 道徳的規準を維持するために，日本は外国をまねる必要はない。
I think S should ～ 私はSが～すべきだと思う	I think you should visit some World Heritage sites. 世界遺産をいくつか訪れるべきだと思う。
For example, ～ たとえば，～	For example, some of my friends want to work abroad. たとえば，何人かの友人は外国で働きたがっている。
～ cause O to ... ～はOが…する原因になる	Greenhouse gases can cause sea level to rise. 温室効果ガスは海面上昇を引き起こす原因になりうる。
by ～ , ... ～することで，…	By giving us opportunities to see the beautiful behavior of animals, zoos make a great contribution to conservation efforts. 動物の美しい生態をのぞく機会を与えることで，動物園は保護の取り組みに多大な貢献をしている。
need to ～ ～する必要がある	We need to replace cash with electronic money in the near future. 近い将来，現金を電子マネーにとってかえる必要がある。
be one of the best ways to ～ ～する最良の方法の一つだ	Reducing violent crimes is one of the best ways to make the public safer. 暴力犯罪を減らすことは公共をより安全にする最良の方法の一つだ。
In particular, ～ 特に，～	In particular, many parents are worried about its safety. 特に多くの親はその安全性を心配している。
It is essential for ～ to ... ～が…することは不可欠だ	It is essential for the government to support unemployed people. 政府が失業者を支援することは不可欠だ。
For these reasons, ～ このような理由から，～	For these reasons, I think convenience in modern society will grow rapidly. このような理由から，現代社会の利便性は急速に高まると思われる。
as ～ ～につれて	As people become older, their vision gets weaker. 人は年を取るにつれて視力が悪くなる。

攻略メソッド　テーマ別攻略①

テーマ1　仕事

近年の働き方について，女性労働者（育児との関係），外国人労働者（国際化），ワークライフバランスなどが出題されている。また，高齢者雇用，非正規雇用などのテーマも出題が予想される。各問題の原因や現実的で具体的な解決策について，自分の意見を整理しておこう。

TOPIC
Do you think that the work environment of women should be improved in Japan?

POINTS
- Salary
- Child raising
- Job opportunities
- Fair judgement of work ability

解答例

Japanese companies have greatly improved their treatment of female workers. However, more should be done, especially in terms of salaries and child-rearing.

Unequal salaries are a serious problem. Average pay rates are much higher for men than for women, and even women with a higher education tend not to make enough money.

In Japanese society, a lot of female workers have to stop working to raise their children. This is also a big problem. However, this problem would be solved if Japanese companies introduced measures such as flexible schedules. These measures allow capable female employees to continue working while raising their children.

Today, women play a great part in Japan's workforce. So, it is necessary that they be paid more and that it become easier for them to continue working while raising their children.

訳

日本の企業は女性労働者の待遇についてめざましい改善を遂げてきました。しかし，特に，給与と子育てに関してもっとやるべきことはたくさんあります。

給与の不平等は深刻な問題です。平均給与額は女性より男性の方がはるかに高く，高学歴の女性でさえ十分に稼ぐことができない傾向にあります。

日本の社会では，多くの女性労働者が子育てのために働くのをやめなければなりません。これもまた大きな問題です。しかし，日本の企業がフレックスタイム制などの対策を導入すればこれは解決されるでしょう。これらの対策によって，能力のある女性労働者が育児をしながら働き続けることができます。

今日，女性は日本の労働力の大きな役割を果たしています。だからこそ，彼女たちにもっと多くの給与が支払われ，子育てをしながら働き続けやすくなることが必要です。

その他の出題例

●Do you think that the government should do more to support people out of a job?
●Agree or disagree: Companies in Japan have to employ more foreign workers.
●Should companies improve the way they treat their workers?

理由づけのヒント＆着眼点

「失業問題と貧困」について書くなら…
・失業者は新しい仕事につくスキル不足のことが多いため，政府の支援が必要。
・失業保険には受給期間があるため，期限を延長する必要がある場合もある。

「外国人労働者」について書くなら…
・少子化による人口減少での労働力不足を，外国人労働者によって補える。
・外国人労働者が外国から日本に来ることにより，日本の経済が刺激される。
・外国人の革新的な考え方が日本企業には必要である。

「労働環境の問題」について書くなら…
・男女は昇進の機会を平等に与えられるべきである。
・時間外労働などについて見なおすべきである。

知っておきたい表現

・新しい仕事を見つけるために：to find new jobs
・労働力を維持するために: to maintain one's workforce
・外国人労働者を雇う：to hire foreign employees
・男女平等：gender equality
・残業がない日：no overtime day

頻出語句

average pay rate	平均給与額
child-rearing	子育て
competitive	競争力のある
cultural difference	文化の違い
employer	雇用者
equality	平等
firm	会社
foreign worker	外国人労働者
globalization	グローバル化
high-tech	ハイテク

innovative	革新的な
job opportunity	仕事の機会
job training	職業訓練
lack of skill	スキルの欠如
new employee	新入社員
serious issue	深刻な問題
unemployed people	失業者
unemployment insurance	失業保険
workforce	労働力
work-life balance	ワークライフバランス

攻略メソッド　テーマ別攻略②

テーマ２　経済

経済は複数の分野と絡んでいる。都市開発は環境問題と，新技術・新サービスの開発は個人情報保護の問題と，貿易は国際問題と隣り合わせである。また，所得の格差拡大，エネルギー問題など，経済の進展に伴って現れる負の側面について整理しておこう。

TOPIC

Agree or disagree: Japan should make further efforts to spread a cashless system.

POINTS

- Save time
- Crime
- Advantage for companies
- Effect on consumers

解答例

If technology advances more than ever, we will soon be able to use a cashless system instead of physical money. It would both benefit consumers and make our society safer.

Consumers would not have to carry their wallets full of bills and changes with them, and they would not need to go to banks to withdraw cash. Furthermore, they can make payments more quickly, so lines to pay for purchases could be greatly reduced.

Going out without having cash would reduce crime. There would be fewer opportunities for criminals to rob people and shops. Moreover, shops would not have to worry about counterfeit money anymore.

Today, cash is becoming much less common. The sooner it is eliminated, the sooner crimes can be reduced. We will be able to live a comfortable life with a cashless system.

訳

もし今以上に技術が進歩すれば，近いうちに私たちは現金の代わりにキャッシュレスシステムを使えるようになるでしょう。キャッシュレスシステムによって，消費者は恩恵を受けることができ，また社会はさらに安全になります。

消費者はお札や小銭でいっぱいになった財布を持ち歩く必要がなくなりますし，現金を引き出すために銀行へ行く必要もなくなります。さらに，支払いがもっと速くできるため，支払い待ちの列を大幅に減らすことができます。

現金を持たずに外出することは犯罪を減らすことになります。犯罪者による略奪や強盗の機会は少なくなります。さらに，店はニセ札の心配をする必要はもうなくなります。

今日，現金はより一般的でなくなりつつあります。早くなくなればなくなるほど，早く犯罪を減らすことができます。私たちはキャッシュレスシステムによって快適な生活を送ることができるでしょう。

その他の出題例

●Should local governments create tourist sites, such as theme parks or museums?

●Do you think that Japanese people will buy more imported products in the future?

理由づけのヒント&着眼点

「地方自治体などがテーマパークなどの観光地を造ること」について書くなら…

・観光地はレストランやホテルなど，複合的な経済効果を生み，地域を活性化させる。

・観光関連の企業が増えることで雇用が増える。

・観光地を建設する際に，自然などの環境を損なう恐れがある。

「海外からの輸入品などを生活に多く取り入れること」について書くなら…

・日本人は国内ブランドを好む傾向にあったが，近年の海外のものも品質がよくなっている。

・発展途上国の製品を買うことによって，発展途上国の労働者を支援することができる。

知っておきたい表現

・経済を刺激するために：to stimulate the economy

・人々の暮らしを改善するために: to improve the lives of people

・地元の人々へのよい影響：positive effect on local people

頻出語句

cashless society	キャッシュレス社会
criminal	犯罪の，犯罪者
domestic brand	国内ブランド
electronic money	電子マネー
electronic payment	電子決済
governments' tax revenue	政府の税収
high quality	高品質
imported product	輸入製品
Japanese product	日本製品
local government	地方自治体

local people	地元の人々
local resident	地域住民
people's standard of living	人々の生活水準
presently	現在
privacy	プライバシー
shipping cost	輸送コスト
technological advancement	技術進歩
tourism-related business	観光関連事業
tourist site	観光地
wage	賃金

攻略メソッド　テーマ別攻略③

テーマ3　社会

社会では，史跡の保存，核家族や世代間の同居の問題など，幅広い分野から出題されている。範囲が広く出題が予想しにくい分野といえる。普段からニュースなどで社会問題に触れ，倫理・文化・安全などの複数の観点から，問題の原因とその解決法を考えておこう。

TOPIC

Agree or disagree: In the future, the number of young people who live with their parents after they finish their education will increase.

POINTS

- Safety
- Cost of living
- Sharing the work
- Convenience

解答例

Today, many young people live with their parents after completing their education. This trend will continue in the future because of the safety and convenience of modern society.

First, a lot of young people are concerned about safety. They are worried about today's high crime rates and media reports of burglaries, so they feel that living alone is risky. They believe they can reduce such risk by living with their family.

Secondly, to live with their family is convenient as everyone can share the housework. Housework such as cleaning and cooking takes a lot of work, and sharing these duties helps people to have more time for enjoyable things like hobbies.

For these reasons, the number of young people living with their family will keep increasing.

訳

今日，多くの若者が教育を終えてから親と同居しています。この傾向は，現代社会における安全面と利便性の理由から将来にわたって続くでしょう。

第一に，多くの若者が安全について懸念しています。彼らは今日の高い犯罪率や空き巣などのマスコミ報道を気にしているので，一人暮らしが危険であると感じています。家族と一緒に暮らすことで、そうしたリスクを減らすことができると考えているのです。

第二に，家族と住むことは全員で家事を分担できるので便利です。掃除や料理などの家事はたいへんな労力が必要となるので，それらの家事を分担することによって趣味などの余暇の時間を増やすことができます。

こういった理由で，家族と同居する若者の数は増え続けるでしょう。

その他の出題例

●Should Japanese government try to protect its historic sites?

●Agree or disagree : More efforts should be done to protect public safety.

理由づけのヒント＆着眼点

「史跡を保存する重要性」について書くなら…

・観光旅行業界のために，史跡を保存することは重要である。

・史跡は人々の歴史を理解するのに大いに役に立つ。

「テクノロジーと治安」について書くなら…

・テクノロジーの発展により，犯罪が多様化している。

・テクノロジーの発展により，個人情報の流出などの危険性が増している。

・テクノロジーに関する新たな法律の必要性が高まっている。

知っておきたい表現

・史跡を守るために：to preserve historic sites

・観光客を増やすために: to increase tourists

・治安を改善するために: to improve public safety

・犯罪を減らすために: to reduce crimes

・テクノロジーについての新しい法律：new laws on technology

頻出語句

benefit	利益
concern	心配させる，関心
cost of living	生活費
daily lives	日常生活
historic site	史跡
impact	影響
local community	地域社会
local economy	地域経済
patrol	巡視する
preserve	保存する

public safety	治安
risky	危険な
security	安全
social media	ソーシャルメディア
stimulate	刺激する
tension	緊張
threaten	脅す
today's society	現代社会
violent crime	暴力犯罪
World Heritage site	世界遺産

攻略メソッド　テーマ別攻略④

テーマ4　環境

環境分野では，人間と動植物との関係が出題されやすい。人間の豊かな暮らしにより動植物が受ける被害を考えよう。また，気候変動，外来種，海洋汚染，森林破壊，自然災害などに関して，世界規模の視点と同時に身近な生活での配慮にも触れると，内容にも厚みが出る。

TOPIC
Agree or disagree: In the future, more people need to eat only vegetables to live.

POINTS
- Environment
- Saving time
- Animal rights
- Health

解答例

I agree with the idea that in the future, more people need to eat only vegetables to live. They should do so for health reasons and to protect animal rights.

A vegetarian's way of living can benefit our health. Fast food contains high amounts of fat, which has been shown to cause obesity and heart disease. By having more nutritious vegetables, people would be less likely to get sick.

Becoming a vegetarian can play a big part in protecting animals. Factories producing meat products often have bad conditions, and the animals there are treated poorly. If more people stop eating meat these factories will be forced to close down, and fewer animals would be killed for food.

In conclusion, more people should have only vegetables to improve their own health and to protect the rights of animals.

訳

私は，将来より多くの人々が野菜だけを食べて生きる必要があるという考えに賛成です。健康上の理由や動物の権利を守るためにそうすべきです。

菜食主義者の生活様式は我々の健康に役立ちます。ファストフードは脂肪分が高く，肥満や心臓病の原因になることが明らかになっています。より栄養価の高い野菜を食べることで病気になりにくくなります。

菜食主義者になることによって，動物の命を守る上で大きな役割を果たすことができます。食肉製品を作る工場は劣悪な環境であることが多く，そこの動物たちはひどい扱いを受けています。もしより多くの人々が肉を食べるのをやめれば，これらの工場は閉鎖せざるを得なくなり，食用のために殺される動物も少なくなるでしょう。

結論として，人々の健康を改善し，動物の権利を守るためにより多くの人々が菜食主義者になるべきです。

その他の出題例

●Is it necessary to keep animals in zoos?

●Agree or disagree: In order to protect the environment, the Japanese government should do something.

理由づけのヒント＆着眼点

「人々は菜食主義者になる必要がある」に反対意見を書くなら…

・人々の体には動物性の栄養素も必要である。

・家畜を扱う産業に影響する。

「動物園で動物を飼うことの必要性」について書くなら…

・絶滅の危機にある動物を守るために動物園は必要である。

・動物について学ぶという点で，動物園は教育上必要である。

「日本政府と環境」について書くなら…

・もっと公害を減らす努力をすべきである。

・絶滅の危機にある動物を守るべきである。

知っておきたい表現

・環境を守るために: to protect the environment

・大気汚染を減らすために: to reduce air pollution

・教育的価値：educational value

頻出語句

animal protection	動物保護
animal rights	動物の権利
asthma	ぜんそく
behavior	行動
conservation effort	保護活動
donate	寄付する
economic cost	経済的費用
educational opportunity	教育の機会
endangered species	絶滅危惧種
extinct	絶滅した

fast food	ファストフード
habitat	生息地
hunting	狩猟
inhale	吸い込む
lifestyle	生活様式
natural resource	天然資源
numerous	多数の
obesity	肥満
polluted air	汚染された空気
vegetarian	菜食主義者

攻略メソッド　テーマ別攻略⑤

テーマ５　科学

科学に関する出題は少ない。対策のコツは，科学自体ではなく科学と社会との関わり合いを論じることである。物理や化学の知識は必要ない。科学の発展が社会にどのような恩恵（または悲劇）をもたらすかについて常識的にまとめよう。

TOPIC

In the future, will humans live on other planets?

POINTS

- Technology
- Dangers
- Situation on Earth
- Cost

（解答例）

Living on other planets once seemed like science fiction. However, increased threats to humankind's survival and scientific advances are making it almost a reality.

First, great progress has been made in developing the technology. Innovations like reusable rockets will help the transport of people and materials which are needed to sustain colonies on other planets.

Secondly, disease outbreaks and global warming have the potential to wipe out humanity. As the danger of human extinction on Earth becomes clear, the idea of devoting resources to colonizing other planets is getting attention. Now, there is so much momentum behind it that the action seems certain to succeed.

Living on other planets always comes with obstacles. However, humans will be able to colonize other worlds through technological development that lessen threats to human survival.

（訳）

他の惑星に移住することは，かつてSFのように考えられていました。しかし，科学的な進歩や人類生存への脅威が増したことによって，それが現実に近いものになっています。

第一に，技術の開発においてめざましい進歩が遂げられています。再利用可能なロケットなどの革新は，人々や他の惑星でのコロニー維持に必要な物資の輸送を容易にします。

第二に，病気の発生や地球温暖化は人類を絶滅させる恐れがあります。地球での人類絶滅の危機が明らかになるにつれて，他の惑星に移住することに資源を充てようとする考えが注目を集めています。現在，その勢いは大きく，実行すれば成功は確実だと思われます。

他の惑星に移住することには障害がつきものです。しかし，人類は，技術の発展によって人類の生存への脅威を減らすために他の惑星に移住ができるようになるでしょう。

理由づけのヒント&着眼点

♂ 他の惑星に住むことについて，他の意見を書くなら…

・他の惑星は地球から離れすぎていて，人類が移住するには抵抗がある。
・地球の環境をもっと大切にするべきだ。
・温度，水分量などが地球に近い適当な惑星がないので，さらなる科学技術の進歩が必要だ。

知っておきたい表現

・科学的な進歩：scientific advancement
・人類絶滅の恐れ：the potential to wipe out humanity
・人類絶滅の危機: the danger of human extinction

頻出語句

advancement	進歩
combine	結びつける
devote	ささげる
facilitate	容易にする
fragility	壊れやすさ
global warming	地球温暖化
humankind	人類
innovation	革新
lessen	減らす
momentum	勢い

nuclear war	核戦争
obstacle	障害
outbreak	発生
potential	可能性(のある)
practical	実践的な
science fiction	SF
survival	生存
technological development	技術開発
threat	脅威
tremendous progress	驚異的な進歩

英作文・意見論述　科学

No.1

- Write an essay on the given TOPIC.
- Use TWO of the POINTS below to support your answer.
- Structure: Introduction, main body, and conclusion
- Suggested length: 120-150 words

TOPIC

Agree or disagree:
Advancements in science and technology have made our lives better

POINTS

- Environment
- Democracy
- Weapons
- Efficiency

（訳）※実際の試験に和訳はありません。

トピック
賛成ですか，反対ですか：
科学や技術の進歩によって，私たちの生活は向上してきた

ポイント

- 環境
- 民主主義
- 兵器
- 効率

覚えておきたい単語・熟語

- outweigh ～　重要度が～より勝っている
- facilitate　促進する，手助けする
- urbanization　都市化
- greenhouse gas　温室効果ガス
- democratize ～　～を民主化する
- contribute　貢献する

解答と解説

⏱目標時間20分／問

解答例

I disagree with the idea that advancements in science and technology have made our lives better, and I have two reasons for this.

First, technology has facilitated urbanization. Now more and more people live and work in cities and engage in economic activities there. People drive everywhere and live comfortably in air-conditioned rooms. A great amount of greenhouse gases have been emitted to the air due to such life styles, and they have destroyed our forests and contributed to the rising sea level.

Secondly, people have developed weapons of mass destruction by using science and technology. Such weapons have claimed many innocent lives including those of children in various wars.

It is for these reasons that I do not believe advancements in science and technology have made our lives better. (130語)

訳

科学や技術の進歩によって，私たちの生活が向上してきたという考えに私は反対です。それには２つの理由があります。

第一に，技術によって都市化が進みました。現在ますます多くの人が都市で生活し，働き，そこで経済活動に従事しています。人はどこにでも車で出かけ，エアコンがきいた部屋で快適に暮らしています。このような生活スタイルのために大量の温室効果ガスが空気中に放出され，私たちの森林が破壊され，海面上昇の原因となっています。

第二に，科学や技術を使って，人は大量破壊兵器を開発してきました。このような兵器はさまざまな戦争で，子どもを含めた罪のない数多くの命を奪ってきました。

こういった理由で，私は，科学や技術の進歩によって私たちの生活が向上してきたとは思いません。

賛成意見を書くなら…

・Democracy
情報伝達，コミュニケーションの高速化，平易化
→多くの人が非民主的社会への批判ができ，よりよい社会に変えることができる
・Efficiency
コンピューターによって物理的なアクションが不要に→生活の効率化，余暇の増加

No.2

- Write an essay on the given TOPIC.
- Use TWO of the POINTS below to support your answer.
- Structure: Introduction, main body, and conclusion
- Suggested length: 120-150 words

TOPIC

Should a country develop a national DNA database?

POINTS

- Exoneration
- Crime prevention
- Privacy
- False accusation

（訳）※実際の試験に和訳はありません。

トピック

国家は，全国DNAデータベースを作るべきか

ポイント

- 免罪
- 犯罪防止
- プライバシー
- 冤罪

覚えておきたい単語・熟語

- exonerate ～　～の容疑を晴らす
- guilty　有罪の
- falsely　間違って
- imprison ～　～を刑務所に入れる
- commit　（犯罪，間違い）を犯す
- infringement　（人権などの）侵害
- discourage ～　～のやる気をそぐ
- be accused of ～ing　～したと責められる

解答と解説

⏱目標時間20分／問

解答例

I believe that it is a good idea to establish a national DNA database, and I have two reasons for this.

First, such database will help exonerate innocent people who are currently in prison for crimes that they did not commit. By comparing a DNA sample obtained at a crime scene to the ones on the database, we can identify the culprit and release the falsely detained individual.

Secondly, a national DNA database will help deter prospective criminals from committing crimes, and make the country safer. When it is known that criminals cannot get away with crimes because the police can easily identify the culprits by using the DNA database, that will encourage potential criminals to have a second thought before committing crimes as most of them do not want to get caught.

For these two reasons, I believe it is a good idea to establish a national DNA database. (150語)

訳

私は，全国DNAデータベースの設置はよい考えだと思います。それには２つの理由があります。

第一に，このようなデータベースは，犯していない罪で現在服役している人の無実を晴らすのに役立つでしょう。犯罪現場で採取されたDNAサンプルをデータベースのサンプルと比較することによって，容疑者を特定し，誤って拘留されている個人を解放することができます。

第二に，全国DNAデータベースによって，将来犯罪者となる可能性のある人が罪を犯すのを防ぐのに役立ち，国内をより安全にできるでしょう。警察がDNAデータベースを使って簡単に容疑者を特定することができるので，罪を犯して見つからずに逃げ切ることはできません。そのことが知られるようになれば，犯罪者になる可能性がある人が罪を犯す前に考えなおす動機付けとなるでしょう。彼らのほとんどは捕まりたくはないからです。

こういった２つの理由で，私は全国DNAデータベースの設置はよい考えだと思います。

反対意見を書くなら…

- Privacy　情報漏えいの可能性→差別や不正の元
- False accusation　データが100パーセント正しいわけではないし，すり替えも可能→なりすまし犯罪や冤罪が起きる可能性

重要度 B

英作文・意見論述

経済

No.1

- Write an essay on the given TOPIC.
- Use TWO of the POINTS below to support your answer.
- Structure: Introduction, main body, and conclusion
- Suggested length: 120-150 words

TOPIC

Agree or disagree:
Industrialized countries should help developing countries modernize

POINTS

- Environment
- Poverty
- Global economy
- Fairness

（訳）※実際の試験に和訳はありません。

トピック
賛成ですか，反対ですか：
先進国は発展途上国の現代化を助けるべきだ

ポイント
- 環境
- 貧困
- 世界経済
- 公平性

覚えておきたい単語・熟語

- environmental destruction　環境破壊
- pollution　汚染，公害
- live in poverty　貧しい暮らしをする
- impoverished　貧しい
- balanced　バランスのとれた
- world order　世界秩序

解答と解説

目標時間20分／問

解答例

I agree with the idea that industrialized countries should help developing countries modernize, and I have two reasons for this.

First, many people in developing countries live in dire poverty, and many of them lose their lives due to a lack of food or water. If these countries modernize and adopt more advanced means of production of food and materials, many lives will be saved. Only industrialized countries have means and human resources to help them in this endeavor.

Secondly, industrialized countries have developed by exploiting resources in developing countries. Benefits obtained through exploitation such as economic wealth should not be kept only in industrialized countries. It is only fair to share the fruits of modernization.

For these reasons, I believe that industrialized countries should help developing countries modernize. (129語)

訳

私は，先進国は発展途上国の現代化の手助けをするべきだ，という考えに賛成です。それには２つの理由があります。

第一に，発展途上国では多くの人が極度の貧困状態で生活し，彼らの多くは食料や水不足のために命を落としています。もしこれらの国々が現代化して，もっと進歩した食料や原料の生産手段を採用すれば，多くの命が救われるでしょう。先進国のみが，このような試みで彼らを助ける手段や人的資源を持ち合わせています。

第二に，先進国は，発展途上国の資源を搾取することによって発展してきました。このような搾取によって得た経済的な豊かさのような利益は，先進国の中だけで留めておくべきものではありません。現代化の成果を共有することが公平なのは明らかです。

こういった理由で，私は，先進国は発展途上国の現代化を手助けするべきだと思います。

反対意見を書くなら…

・Environment
多くの国が経済的に発展→環境破壊が進行

・Global economy
発展途上国は原材料の生産／先進国は製品の生産という役割分担
→経済のバランスが取れている

No.2

- Write an essay on the given TOPIC.
- Use TWO of the POINTS below to support your answer.
- Structure: Introduction, main body, and conclusion
- Suggested length: 120-150 words

TOPIC

Agree or disagree:
Japanese companies should hire more foreign workers in the future

POINTS

- Information
- Skilled labor
- Unemployment
- Population

訳 ※実際の試験に和訳はありません。

トピック
賛成ですか，反対ですか：
日本の企業は，将来もっと外国人労働者を雇うべきである

ポイント
- 情報
- 熟練の労働者
- 失業
- 人口

覚えておきたい単語・熟語

- leak （情報などが）もれる，もらす
- domestic 国内の
- unskilled labor 単純労働者
- unemployment rate 失業率
- fertility rate 出生率
- aging society 高齢化社会

解答と解説

目標時間20分／問

解答例

I agree with the idea that Japanese companies should hire more foreign workers in the future, and I have two reasons for this.

First, if companies actively seek for foreign workers, domestic workers will need to become more competitive to remain marketable. This competition will encourage both foreign and domestic workers to earn more skills, and such skilled workforce will enable the companies to survive and thrive in the international economy.

Secondly, hiring foreign workers will be a solution to a labor shortage Japan is currently facing. The Japanese population is decreasing, and the number of those aged between 15 and 64 is expected to decrease even more in the future. Without foreign workers, the Japanese economy will not be supported.

For these reasons, I believe that Japanese companies should hire more foreign workers in the future. (137語)

訳

私は，日本企業が将来もっと多くの外国人労働者を採用するべきだという考えに賛成です。それには2つの理由があります。

第一に，もし企業が積極的に外国人労働者を求めれば，国内の労働者は需要に応えるためにより競争力をつけなければなりません。この競争によって，外国人労働者も国内の労働者も，もっと技能を身につけるでしょう。また，このような技術をもった労働者によって企業は国際経済の中で生き残り，繁栄することができるでしょう。

第二に，外国人労働者の採用は日本が現在直面している労働力不足の解決策となるでしょう。日本人の人口は減少していて，15歳から64歳の人の数は将来一層減少すると見込まれています。外国人労働者なしでは，日本の経済を支えられないでしょう。

こういった理由で，私は日本の企業は将来もっと多くの外国人労働者を採用するべきだと思います。

反対意見を書くなら…

・Information
競合企業への情報漏えいの可能性が高まる→情報漏えいによって企業が衰退する
・Unemployment　低賃金の労働者の増加→日本人の失業率の増加

英作文・意見論述　政治・その他

No.1

- Write an essay on the given TOPIC.
- Use TWO of the POINTS below to support your answer.
- Structure: Introduction, main body, and conclusion
- Suggested length: 120-150 words

TOPIC

Should there be a term limit on members of the Diet?

POINTS

- Choice
- New ideas
- Experience
- Corruption

訳 ※実際の試験に和訳はありません。

トピック

国会議員の任期に制限を設けるべきか

ポイント

- 選択
- 新しい考え
- 経験
- 汚職

覚えておきたい単語・熟語

・freedom to ～　～する自由
・newcomer　新参者
・experienced　経験豊富な
・institutional knowledge　制度に関する知識
・corrupted　堕落した
・bribe　賄賂（を贈る）

解答と解説

目標時間20分／問

解答例

I do not believe there should be a term limit on members of parliament, and I have two reasons for this.

First, a term limit will prevent experienced politicians from serving in office long enough. Politics is complicated, and not everybody can serve as politicians. In order to understand the complexity of how government works and how to balance various interests in making laws, considerable experience is necessary. A term limit will wipe this institutional knowledge.

Secondly, a term limit will deprive people of their freedom to choose their own representatives. People will not be able to vote for candidates of their choice if there is a term limit, since some of the candidates are automatically removed from elections. Unwanted politicians should be removed through elections, not by a term limit.

For these reasons, I do not believe there should be a term limit on members of parliament. (148語)

訳

私は国会議員の任期に制限を設けるべきだとは思いません。理由は２つあります。

第一に，任期の制限があると経験豊かな政治家が長く議員を努めることができません。政治は複雑なものですし，誰でも政治家として務めを果たすことができるわけではありません。政府がどのように機能するか，法律を作る際にさまざまな利害のバランスをどのようにとるべきかといった複雑なことを理解するためには，かなり豊かな経験が必要です。任期の制限があると，このような制度上の知識を消し去ってしまうでしょう。

第二に，任期の制限によって，人々が自分たち自身の代表を選ぶ自由が奪われてしまうでしょう。任期の制限があると，候補者の中には自動的に選挙に出られなくなる人がでてくるので，人々は自分たちが選んだ候補者に投票することができなくなるでしょう。必要とされていない政治家は，任期の制限によってではなく，選挙によってはじかれるべきです。

こういった理由で，私は国会議員の任期に制限を設けるべきだとは思いません。

賛成意見を書くなら…

- Corruption
  企業や関連団体と結びつきにくい→癒着が減る
- New ideas
  若い世代やさまざまな立場の人が選ばれる→新しい考えが政策に反映される

Column ここが誤りやすい！

問題文をよく読もう！

○単語数が指定以内に収まっているか。

→普段から１パラグラフの語数を意識して作文を書くようにしよう。

○POINTに指定されている語が入っているか。

→指定されている語を使った英文を先に考え，他の英文で肉付けしていこう。

文法は正確に！

○時制が正しいか。

→１文内，１パラグラフ内で時制が混在していないかを確認しよう。

→前後の文に時制の矛盾がないかを確認しよう。

○三単現のsが正しいか。

→主語が三人称，単数かを常に意識しよう。特に抽象名詞などの不可算名詞（単数扱い）に注意しよう！

○可算名詞と不可算名詞をしっかり区別しよう。

→名詞は可算名詞か不可算名詞かによって，それに伴う動詞の形や代名詞に影響があるので注意しよう。

○aとtheの使い分けが正しいか。

→冠詞は文法の中でも使い分けが難しい。文法書などでもう一度確認しておこう。

○単語を正確に！

→単語のスペルが曖昧な場合は，簡単なものや確実に覚えているものに置きかえて書くようにしよう。

→単語の短縮形(don't, can'tなど)は使わない方がフォーマルな文になる。

全体を見直そう！

○同じ表現をくりかえしていないか。

→なるべく同じ表現は使わず，類義語や類義表現などで言いかえよう。

○パラグラフの構成を確認しよう。

→自分の意見，具体例，理由，まとめなど，伝えたいことが順序立てて書かれているかを確認しよう。

→接続詞などが正しく使われているかを確認しよう。

第5章

リスニング

Part 1　会話の内容一致選択

音声アイコンのある問題は、音声を聞いて答える問題です。
音声はスマホやパソコンでお聞きいただけます。詳細は3ページをご参照ください。

Pre-1st Grade

攻略メソッド 会話の内容一致選択

POINT

問題冊子に印刷された4つの選択肢が手がかり。会話が流れる前に，この選択肢に目を通し，問題ごとに選択肢の種類を「動詞＋α」と「文」に振り分ける。これだけでも質問内容や会話中の注意して聞くべき部分がある程度予測できる。会話と質問の放送は1度きりなので，問題を解く前の準備が決め手となる。

Method ❶ 選択肢はナレーション中に「動詞＋α」と「文」に振り分け

リスニングテスト開始前の注意事項と，パート1の導入文は，事前に十分練習してあれば，あえて聞く必要はない。この間に選択肢に目を通そう。

選択肢は「動詞＋α」か「文」だけ。「動詞＋α」→○，「文」→△と印をつける。

Method ❷ 選択肢が「動詞＋α」→「これから何をするか」の質問と予測

選択肢が「動詞＋α」の問題では，ほとんどがwhatで始まる質問文。その多くが，未来形や不定詞を含む。未来形も不定詞も「これから起こること」「これからすること」に言及する表現。

〈出題例〉

未来形 “What will she do?”「彼女は何をするつもりか」

不定詞 “What did she advise him to do?”「彼女は彼に何をするよう忠告したか」

○をつけた問題は，これからの行動，話者の申し出・提案・意思について質問される。

Method ❸ 選択肢が「動詞＋α」→会話の後半に注目

Method❷で予測した「これからのこと」は，会話の後半で提示されることが多い。

⚠ **会話の前半に出てきた単語を含む選択肢に注意！**

会話の中で聞いた単語を見ると，思わず選びたくなる。だが，会話の前半に出てきた単語を含む選択肢はダミーの可能性が高い。

問題数 12。1 つの会話につき設問が 1 つ，解答時間はそれぞれ 10 秒。

会話内容についての質問に対しもっとも適切な答えを 4 つの選択肢から選ぶ。

Method 4 選択肢が「文」→ 主語が he なら男性，she なら女性に注目

選択肢の主語がすべてheなら男性の発言，sheなら女性の発言という点に注意して聞き取ろう。

- 主語以外の人物や固有名詞は会話中のキーワードと考え，会話の内容を予測する材料にする。△をつけた問題は主語がポイント。

⚠選択肢の he や she は，話者以外の人物を指すこともある！
質問文中の，話者以外の第三者に注意。

Method 5 選択肢が「文」→ 疑問詞は what か why

選択肢が文の場合，質問文の疑問詞はほとんどがwhatかwhy。特にwhyは，約4分の1を占める。

- what → 話者の意図・意見または，現在や過去・未来の行動や出来事に注目。
- why → 行動や出来事の原因などに注目。

〈whyの出題例〉

"Why is she concerned?"「なぜ彼女は心配しているのか」
"Why couldn't he go to the meeting?"「なぜ彼は会議に行けなかったのか」

Method 6 選択肢が「文」→ 動詞の時制で聞き取る部分を決定

選択肢の動詞の時制からポイントとなる部分がわかる。

- 選択肢の時制が過去 → 会話の前半に注目。
  選択肢の時制が未来 → 会話の後半に注目。
  選択肢の時制が現在 → 現在の状況に注目。

▶▶▶「解答と解説」のマークの意味

文 選択肢が文　　動詞＋α 選択肢が「動詞 ＋ α」
問 題 会話の中に問題点がある

会話の内容一致選択

友人や家族との日常会話

Each dialogue will be followed by one question. Choose the best answer to each question.

No.1

Track 04

1 Go to the sea in Miami.

2 Go on an overseas cruise.

3 Go gambling in Las Vegas.

4 Go to a museum in Chicago.

No.2

Track 05

1 Eat at a pizza restaurant.

2 Cook something from scratch.

3 Order some Chinese.

4 Eat some salad and ready cooked meal.

No.3

Track 06

1 He only likes educational ones.

2 He doesn't like ones with violence.

3 He wants to get fighting games.

4 He's never played ones.

Track 04

解答と解説

⏱解答時間10秒／問 No.1

それぞれの問いに対してもっとも適切なものを選びなさい。

(放送文)

● What are our choices? Casino tour in Las Vegas or scuba diving in Miami?

◎ No, this website also has choices overseas.

● Let's go somewhere domestic this time. I don't want to take any chance of getting stuck overseas and missing the big department meeting in September.

◎ Alright then. So what's your call?

● Either Las Vegas or Miami will be fine, but I would prefer not to go through Chicago. Air traffic in Chicago is awful.

◎ Well, it is hard to avoid Chicago while flying to Las Vegas from here.

● Then you know my answer!

Question : What are they most likely to do during their vacation?

(訳)

● 選択肢は何？　ラスベガスのカジノツアーかマイアミでスキューバダイビング？

◎ いいえ。このホームページには海外の選択肢もあるわよ。

● 今回は国内のどこかに行こうよ。海外で足止めされて，9月の大きな部署会議に出席できなくなるようなリスクを背負いたくないんだよ。

◎ わかったわ。じゃあ，あなたの意見は？

● ラスベガスでもマイアミでもどっちでもいいよ。でも，シカゴ経由は避けたいな。シカゴの航空事情はひどいからな。

◎ ええと，ここからラスベガスに行くのにシカゴを避けて通るのは難しいわ。

● じゃあ，僕の答えはもうわかるよね。

質問：彼らが休暇中にもっともしそうなことは何か。

1　マイアミの海に行く。　**2**　海外クルーズに行く。

3　ラスベガスでギャンブルしに行く。　**4**　シカゴの博物館に行く。

ANSWER 1

解説 動詞＋α **▶会話の後半に注目。地名がポイント**

男性の最後から2番目の発言 "I would prefer not ～." 「できれば～したくない」がポイント。男性はシカゴ経由は避けたいと言い，女性はラスベガスに行くにはシカゴを避けるのは難しいと言っていることから，マイアミに行くことがわかる。

第5章 会話の内容一致選択 Ⓐ 友人や家族との日常会話

Track 05
No.2

放送文

◎ Hi, honey. I forgot to ask you to pick Ryan up at school today.

● It's not that I mind, but isn't it your turn today?

◎ Yes, it is, but I have to meet with my client at 5. My boss set this meeting up for me yesterday afternoon.

● OK. I guess you cannot come home before dinner. Do you want me to pick something up for dinner too?

◎ Some pre-made kits will do. We also have leftover salad in the fridge. It's on the middle shelf in a green container.

● OK. Have a good day at work and drive safely when you come home.

◎ You too, and I will see you tonight.

Question : What is the man going to do for dinner tonight?

訳

◎ ねえ，あなた，今日，学校へライアンを迎えに行ってと頼むのを忘れていたの。

● 別に構わないけど，今日は君の番じゃなかった？

◎ そうよ。でも5時にクライアントに会わなきゃいけないのよ。昨日の午後，上司が私が行くようにって決めたの。

● わかった。たぶん夕食までに家に帰れないだろうね。夕食のために何か買ってきてほしい？

◎ 出来合いのものでいいわよ。冷蔵庫に残りもののサラダもあるわ。真ん中の段の緑の容器に入っているわ。

● わかったよ。じゃあ仕事がんばってね。帰るとき，車の運転に気をつけて。

◎ あなたもね。じゃあ今晩ね。

質問：男性は今晩の夕食はどうするか。

1 ピザ屋で食べる。　**2** 一から何かを作る。
3 中華料理を注文する。　**4** サラダと出来合いのものを食べる。

ANSWER 4

解説 動詞＋α **▶会話の後半，夕食に関するやりとりに注目**

女性の3番目の発言 "Some pre-made kits will do." がポイント。pre-が「前もって，あらかじめ」の意味を持つ接頭辞なのでpre-madeは「既に出来上がった，出来合いの」の意味。これは**4**のready cookedと同じ内容を表す。さらに，～ will do「～が役立つ，～で間に合う」がわかれば，正解にたどり着ける。

放送文

◎ It's already August. Oh, that means Josh's turning seven next month.

● Oh, that's right. What should we get for him this year? We got him picture books last year.

◎ I know he is asking for some video games. He is just like other kids now.

● He is not asking for fighting games, is he?

◎ No way. He is into some kind of puzzle. I've seen the puzzle before and it seemed educational.

● As long as it's not violent, I don't mind.

◎ Why don't we go look for some this weekend?

Question : What does the man say about video games?

訳

◎ もう８月ね。まあ，ということは，ジョシュは来月７歳になるのね。

● ああ，そうだね。今年は何をあげたらいいかな？　昨年は絵本をあげたよね。

◎ 彼がテレビゲームを欲しがっているのは知っているのよね。もう他の子どもとまったく同じね。

● 格闘ゲームを欲しがっているんじゃないんだろ？

◎ そんなわけないわ。なんかパズルにはまっているみたいなの。以前そのパズルを見たことがあるけれど，ためになりそうだったわ。

● 暴力的でさえなければ，僕は構わないよ。

◎ 今週末，探しに行ってみない？

質問：男性はテレビゲームについて何と言っているか。

1　彼は教育用のものしか好きではない。
2　彼は暴力的なものは嫌いだ。
3　彼は格闘ゲームが欲しい。
4　彼はゲームをしたことがない。

ANSWER 2

解説　文　**▶選択肢の主語がhe → 男性の発言に注目**

男性の最後の発言がポイント。"As long as it's not violent, ～" と言っているので，**1**の "only likes educational ones" は当てはまらないことに注意する。選択肢のonesが何を指しているかを考えながら聞く。

1 Ask the boss to quit.

2 Quit her job.

3 Ask her boss about a job opening.

4 Go to have coffee.

1 He liked the color.

2 He thought it was attractive.

3 He could save money on it.

4 He liked the sales clerk.

1 Nathan does not like Skippy.

2 Nathan does not like waking up early.

3 Nathan has forgot about his promise.

4 Nathan's favorite program is over.

解答と解説

Track 07
No.4

放送文

● Emma, you work at the Corner Cafe, right? How much do you get paid there?

◎ I started at $7 but I now make $8 an hour. It doesn't pay that well, but we can have flexible hours and everybody gets along well. So I really like it there. Why?

● I am looking for a part-time job. I'll have to start helping out my parents to pay my tuition.

◎ I can talk to the boss if you are interested. There might be something opening up soon.

● Really? Could you do that for me?

Question : What is Emma probably going to do?

訳

● エマ，君ってコーナーカフェで働いているよね。そこでいくらもらっているの？

◎ 時給7ドルで始めたけれど，今は8ドルもらっているわ。給料はそんなによくないけれど，時間に融通が利くし，みんな仲がいいの。だからとても気に入っているわ。なぜ？

● アルバイトを探しているんだ。両親が学費を払ってくれるのを手伝い始めなきゃいけないんだ。

◎ あなたがもし興味があるなら上司に話してみるわ。何かすぐに空きが出るかもしれないし。

● 本当に？　そうしてくれる？

質問：エマはたぶん何をするか。

1 上司に辞めてくれと頼む。
2 仕事を辞める。
3 上司に仕事の空きについて尋ねる。
4 コーヒーを飲みに行く。

ANSWER 3

解説 **動詞＋α** **▶会話の後半に注目**

エマの2番目の発言 "I can talk to the boss if you are interested." がポイント。直前で男性がアルバイトを探していると言っていることへの返事なので，彼のために仕事を紹介してあげようと思っているとわかる。

✔ 語句をチェック

open up　空きが出る

No.5

放送文

◎ Hi, Kevin. Is that a new tie?

● It sure is. You are the first to notice. I saw over ten people so far, but no one said anything.

◎ I really like it. It brings out the color in your eyes.

● I don't usually go for red, but the sales clerk gave a convincing pitch.

◎ You mean you bought it because she was attractive?

● How did you know?

◎ Come on! How long do you think I've known you?

Question : Why did Kevin buy the new tie?

訳

◎ ねえケビン。それって新しいネクタイ？

● そのとおり。気がついたのは君が初めてだよ。今日は 10 人以上に会ったけど，誰も何も言わなかったんだ。

◎ すごく素敵だわ。目の色が引き立つわね。

● ふだんは赤を買ったりしないんだけど，店員のセールストークがうまくてね。

◎ 彼女が魅力的だったから買ったってこと？

● なんでわかったんだ？

◎ やだなあ！　どれだけ長い間知り合いだと思ってるのよ。

質問：ケビンはなぜ新しいネクタイを買ったのか。

1 彼がその色が好きだったから。　**2** 彼がそれが魅力的だと思ったから。
3 彼がそれにかかるお金を節約できたから。　**4** 彼が店員を気に入ったから。

ANSWER 4

解説 **文** **▶選択肢の主語がhe → 男性の発言に注目**

女性の 3 番目の発言 “You mean you bought it because she was attractive?” と，それに対する男性(＝ケビン)の返答がポイント。このやりとりから，ケビンが店員に好感を持ったことがわかれば正解にたどり着ける。

✔ 語句をチェック

pitch　売り口上
save money on ～　～にかかるお金を節約する ≒ ～が安くなっている

No.6

放送文

◎ Nathan, it's about time to go to bed. How many times do I have to tell you?

● I will as soon as this program is over.

◎ No, Nathan. You've been watching TV for over three hours! You have to get up early tomorrow.

● Why? It's Sunday tomorrow, and I have nothing to do.

◎ Yes, you do. Don't tell me you don't remember your promise to walk Skippy.

Question : What seems to be the problem?

訳

◎ ネイサン，もう寝る時間よ。何度言わなきゃいけないの？

● この番組が終わったらすぐに寝るよ。

◎ だめ，ネイサン。もう3時間以上テレビを見ているでしょ！　明日は早起きしないといけないのよ。

● どうして？　明日は日曜日で，何もすることがないのに。

◎ いいえ，あるわよ。スキッピーを散歩させる約束を忘れたって言わないでよね。

質問：何が問題と思われるか。

1 ネイサンはスキッピーのことが好きではない。
2 ネイサンは早起きが好きではない。
3 ネイサンは約束を忘れてしまっている。
4 ネイサンのいちばん好きな番組が終わってしまった。

ANSWER 3

解説 問題 **▶選択肢がすべてネガティブな内容 → 何か問題があると予測**

選択肢がすべてNathanで始まっており，ネガティブな内容となっているので，ネイサンには何か問題があり，それについて尋ねられる問題だと予測できる。ポイントは最後のやりとり。“I have nothing to do”と言うネイサンと，それに対する女性の返答から，ネイサンが約束を忘れてしまっていることがわかれば，正解にたどり着ける。

✔ 語句をチェック

promise to *do*　～するという約束
walk ～(動物)　～(動物)を散歩に連れて行く

No.7

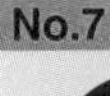

Track 10

1 He is busy teaching.

2 He won't be on campus.

3 He has other meetings.

4 He is sick today.

No.8

Track 11

1 Keep the piano and swimming lessons.

2 Quit the piano lessons.

3 Quit the swimming lessons.

4 Keep the piano and swimming lessons and add ballet lessons.

No.9

Track 12

1 She hasn't started her project yet.

2 She has lost the project materials.

3 She lost her project partner.

4 Her dad cannot come to the science fair.

解答と解説

Track 10
No.7

放送文

◎ Oh shoot! Is it 7:30 already? I'm running late.
● Why are you in such a hurry? You haven't had your morning coffee yet.
◎ I have a meeting with my professor at 8:00 a.m. today.
● You're supposed to meet this early?
◎ Yeah, he has classes all day today, so that is the only time he is available.
● You'd better get going then.
◎ OK, I'll talk to you soon.

Question : Why can't the woman meet the professor later?

訳

◎ ああ，しまった！　もう7時半？　遅れちゃうわ。
● なぜそんなに急いでいるの？　まだ朝のコーヒーを飲んでないじゃないか。
◎ 教授と今日の午前8時にミーティングがあるの。
● こんなに朝早く会うことになっているの？
◎ そうなの。教授は今日一日中授業があるのよ。だから，それが唯一空いている時間なの。
● じゃあ，もう行ったほうがいいな。
◎ そうね，じゃあまた後でね。

質問：なぜ女性はもっと遅い時間に教授に会うことができないのか。

1　彼が教えることで忙しいから。
2　彼がキャンパスにいないから。
3　彼には他の会議があるから。
4　彼が今日病気だから。

ANSWER 1

解説　文　**▶選択肢の主語がhe → 話者以外の第三者に注意**
1の"busy teaching"や**3**の"has other meetings"などから，男性に何かできないことがあり，その理由を尋ねられることが予測できる。女性の3番目の発言がポイント。"has classes all day"が，**1**では"is busy teaching"と言い換えられている。選択肢の主語はすべてheだが，会話に第三者が登場していることに注意する。

✔ 語句をチェック

be supposed to *do*　～することになっている
be available　〈人を主語にして〉(人の)手が空いている，時間がある
〈物を主語にして〉(物が)手に入る

放送文

◎ Milly wants to take a ballet lesson.

● Really? She already has piano and swimming lessons. We cannot afford any more lessons, and we don't have the time in our schedules to give her a ride.

◎ Yes, she knows that she cannot do all three. She likes ballet more than swimming and is thinking about dropping the swimming lessons.

● But letting her quit easily is not good. We want her to stick to something once she starts.

◎ That's true. I just hate to disappoint her.

● OK, I will talk to her about that tonight after dinner.

◎ Thank you. I appreciate that.

Question : What does the man want Milly to do?

訳

◎ ミリーがバレエのレッスンに行きたいって。

● 本当に？　もうピアノとスイミングを習っているじゃないか。僕たちはこれ以上レッスンのお金を払う余裕はないし，車で送り迎えする時間もないよ。

◎ ええ，彼女も3つ全部はできないってわかっているのよ。スイミングよりバレエのほうが好きだから，彼女はスイミングをやめようと思っているの。

● でも，簡単にやめさせるのはよくないよ。一度始めたらやり続けてもらいたいしね。

◎ そうね。ただ，がっかりさせたくないのよね。

● わかった，僕がそれについて今夜，夕食後に話をするよ。

◎ ありがとう。感謝するわ。

質問：男性はミリーにどうしてほしいか。

1 ピアノとスイミングのレッスンを続ける。　**2** ピアノをやめる。
3 スイミングをやめる。　**4** ピアノとスイミングを続けてバレエを追加する。

ANSWER 1

解説 **動詞＋α** **▶会話の後半に注目**
選択肢から，習い事に関する会話だと予測して聞く。女性が2番目の発言で，スイミングをやめてバレエを習いたいというミリーの考えを男性に伝えている。男性は2番目の発言で "We want her to stick to something once she starts." と言っている。stick to ～「～をやり通す」がわかれば，今の習い事を続けてほしいと思っていることが理解でき，正解にたどり着ける。

放送文

● Cynthia, isn't your school science fair coming up soon?

◎ Yes, dad, but there's some trouble with it.

● Why is that?

◎ Well, Meg backed off from our project. We had been working together on it for over a month.

● I guess it is hard to find a new partner at this point. Can't you do it by yourself?

◎ I suppose I could, but she has most of our materials.

● You just need to kindly ask her for them.

Question : What is Cynthia's problem?

訳

● シンシア，学校の科学展がもうすぐなんじゃないの？

◎ そうなの，お父さん。でも，ちょっと問題があるのよ。

● どうして？

◎ ええと，メグが私たちの研究課題から手を引いちゃったの。1か月以上も一緒にそれに取り組んできたのに。

● この時点で新しいパートナーを探すのは難しいと思うよ。一人ではできないのかい？

◎ 一人でできると思うけれど，彼女が私たちの資料のほとんどを持っているの。

● 資料をもらえるよう丁重に頼んだらいいだけだよ。

質問：シンシアの問題は何か。

1 彼女はまだプロジェクトを始めていない。
2 彼女はプロジェクトの資料をなくしてしまった。
3 彼女はプロジェクトのパートナーを失った。
4 彼女の父が科学展に来ることができない。

ANSWER 3

解説 **問題** **▶選択肢がすべてネガティブな内容 → 何か問題があると予測**

1～3 の主語がsheなので，女性(＝シンシア)に何か問題が発生していることが予測できる。予測しながら聞いていれば，女性が2番目の発言で述べている問題点を的確に聞き取れる。back off「手を引く；撤回する」の意味するところが理解できれば，正解にたどり着ける。

会話の内容一致選択

施設での会話

Each dialogue will be followed by one question. Choose the best answer to each question.

No.1

Track 13

1 Come to the clinic tomorrow.

2 Visit another clinic.

3 Come to the clinic before the appointed time.

4 Make an appointment for 2:30.

No.2

Track 14

1 Use the phone for over 24 months.

2 Talk more than three hours.

3 Sign up for a two-month contract.

4 Pay a deposit.

No.3

Track 15

1 It's been too long since he purchased the item.

2 It's too heavy.

3 He lives in Washington.

4 He lives in Alaska.

Track 13

解答と解説

⏱解答時間10秒／問　No.1

それぞれの問いに対してもっとも適切なものを選びなさい。

放送文

● Good morning, ABC clinic. This is Ethan. How may I help you?

◎ Hi, I would like to make an appointment for Friday.

● We have openings at 9:30, 11:45, and 2:30.

◎ How long does it usually take? If it doesn't take too long, I would like to go during my lunch break.

● Well, it depends on each patient. If everything goes well, it shouldn't take more than 10 minutes.

◎ OK, then I will take 11:45.

● OK. Please make sure to check in 10 minutes in advance.

Question : What does the man tell the woman to do?

訳

● おはようございます。ABCクリニック，イーサンです。ご用件を伺います。

◎ 金曜日の予約を取りたいのですが。

● 9時半，11時45分，2時半に空きがあります。

◎ ふつう，どれくらい時間がかかりますか？　もしあまり時間がかからないのでしたら，お昼休みに行きたいのですが。

● ええと，患者さんによりますね。順調にいけば，10分以上かからないはずです。

◎ そうですか，では11時45分でお願いします。

● わかりました。必ず10分前に受付をしてください。

質問：男性は女性にどうするように言っているか。

1　明日クリニックに来る。　**2**　他のクリニックを訪れる。
3　予約の時間より早くクリニックに来る。　**4**　2時半の予約を取る。

ANSWER 3

解説 動詞＋α **▶会話の後半に注目**

選択肢のclinic，appointmentから病院の予約をしていると予測する。男性の最後の発言がポイント。check in「受付をする」，in advance「前もって」が**3**で“come to the clinic”，“before the appointed time”に言い換えられていることがわかれば，正解にたどり着ける。男性の他の発言は，女性に指示しているわけではない。

Track 14
No.2

放送文

● This is our latest model. In fact, I use it myself.

◎ It looks nice, but it has too many functions. I just make phone calls and send some text messages. I don't need other things on my phone.

● Then, how about the ZX-300? It is exactly what you are looking for.

◎ How long does the battery last?

● With it fully charged, you can talk three hours straight.

◎ Do you have any good offers now?

● Actually, if you sign up for a two-year contract, you will get this phone free of charge.

Question : What does the woman have to do to get the free phone?

訳

● これが最新モデルです。実は私自身も使っています。

◎ かっこいいけれど，機能がありすぎるんですよね。私は電話をかけて携帯メールを送るだけなので，他の機能はいらないんですよ。

● でしたらZX-300 モデルはいかがですか？　これこそがあなたが求めていらっしゃるものですよ。

◎ バッテリーはどれくらいもちますか？

● 完全に充電した状態で，3 時間連続通話ができます。

◎ 今，何かキャンペーンをしていますか？

● 実は 2 年契約されますと，この電話機が無料になります。

質問：女性は無料で電話機を手に入れるには何をしなければならないか。

1 電話機を 24 か月以上使う。　**2** 3 時間以上話す。
3 2 か月の契約を交わす。　**4** 頭金を支払う。

ANSWER 1

解説　動詞＋α　**▶会話の後半に注目**

選択肢から電話に関する話題だと予測する。質問の“the free phone”が聞き取れれば，男性の最後の発言がポイントだと判断できる。2 年 = 24 か月，free of charge「無料で」を理解していれば，正解にたどり着ける。

✔ 語句をチェック

with ～ ...　～が…の状態で

放送文

◎ House Electronics customer support center. This is Jennifer. How may I help you?

● Hello. I'm calling to get information on how to return an item I purchased online.

◎ Sure, could you please tell me when your order was made?

● Let me see. It looks like I made the purchase on June 21.

◎ OK. Since it is within our 90-day no conditional return period, you can send it back to our return warehouse in Washington or you can return it at our nearest store.

● Well, you do not have a store within the state I live in.

◎ Oh, I suppose you live in Alaska. I am sorry for the inconvenience. In that case, go ahead and send it to our warehouse.

Question : Why can't the man return the item to the store?

訳

◎ ハウス・エレクトロニクス，カスタマーサポートセンターのジェニファーです。どうされましたか？

● もしもし。オンラインで購入した商品の返品方法についてお伺いしたいのですが。

◎ かしこまりました。いつ注文されたか教えていただけますか？

● ええと，そうですね。6月21日に買ったようです。

◎ はい。それでは無条件返品期間の90日以内ですので，ワシントンの返品倉庫にご送付いただくか，お近くの店舗でご返品いただけます。

● ええと，住んでいる州にお店がないので。

◎ ああ，アラスカにお住まいですね。ご不便をおかけいたしまして申し訳ございません。それでは倉庫にお送りください。

質問：男性はなぜ商品を店に返せないのか。

1 商品を購入してから日にちが経ちすぎている。 **2** 商品が重すぎる。
3 彼はワシントンに住んでいる。 **4** 彼はアラスカに住んでいる。

ANSWER 4

解説 文 **▶男性の発言と「場所」「時間」「重さ」に関する発言に注目する**
最後のやりとりがポイント。男性の“you do not have a store within the state I live in”と，それに続く女性，それぞれの発言を聞き取る。女性の3番目の発言から，**1** は当てはまらない。

No.4

Track 16

1 Order room service.

2 Eat at Charlie's.

3 Eat at Irene's Seafood.

4 Skip dinner.

No.5

Track 17

1 The man will be late for the meeting.

2 The convention center is far.

3 There are not many tourists in D.C.

4 Other people have got lost.

No.6

Track 18

1 The color is too bright.

2 It's too big.

3 It's too casual.

4 It's too small.

解答と解説

放送文

◎ Is there anything I can help you with, Mr. Smith?

● Yes, I would like to try some clam chowder while I am in Boston. Are there any good restaurants around here that you would recommend?

◎ There are plenty of good ones around here. If you don't mind waiting in line a bit, I recommend Charlie's, which is only four blocks from here.

● Oh, well, actually I have some work that I would like to finish up.

◎ Or there is another good one called Irene's Seafood, which is just north of here. A lot of our guests go there, and since it has ample seating, on most of the days, there is no waiting.

Question : What is the man most likely to do?

訳

◎ スミス様，何かご用はございますか？

● はい，ボストン滞在中にクラムチャウダーを食べてみたいのですが，この辺りにおすすめのレストランはありますか？

◎ この辺りにはたくさんいいレストランがございますよ。もし，少し並んでお待ちになるのがお嫌でなければ，チャーリーズをおすすめします。ここからほんの4ブロックのところにございます。

● ああ，ええと，実は終わらせたい仕事があるので。

◎ あるいは，アイリーンズ・シーフードといういいお店もございます。ここのすぐ北側です。こちらのお客様もよく利用されますが，席が豊富にございますので，いつでもほとんど，待ち時間はございません。

質問：男性はたぶん何をするだろうか。

1 ルームサービスを注文する。
2 チャーリーズで食べる。
3 アイリーンズ・シーフードで食べる。
4 夕食を食べない。

ANSWER 3

解説 動詞＋α ▶**文の後半の食事の場所に注目**

男性の2番目の発言がポイント。"I have some work that I would like to finish up" から，待つのが嫌だとわかる。それに対して，女性はIrene's Seafoodをすすめている。女性の最後の発言から，そのレストランは待ち時間がほとんどないことがわかるので，おそらく男性はそこで食事するものと思われる。

Track 17

No.5

放送文

● Excuse me. It seems like I am a bit lost. I'm wondering if you could help me.

◎ Not a problem. So, first time in D.C.?

● Yes, I just arrived this morning and I'm supposed to be at the convention center in fifteen minutes. It does not seem to be happening now.

◎ You've still got some time.

● I guess I am a typical tourist who gets lost.

◎ Don't worry. You are not the first one. That's what the information desk is for.

Question : What do we learn from the woman?

訳

● すみません。少し道に迷ったようです。助けていただけないでしょうか。

◎ 大丈夫ですよ。ワシントンD.C.は初めてですか？

● はい。今朝着いたばかりで，今から15分後にはコンベンションセンターにいることになっているんですけどね。もうそうなりそうにはないですね。

◎ まだ時間がありますよ。

● 私は道に迷う典型的な旅行者ですね。

◎ 心配しなくて大丈夫ですよ。他にも迷う方はいらっしゃいます。そのために案内所があるのですから。

質問：女性の発言から何がわかるか。

1 男性が会議に遅れる。 **2** コンベンションセンターは遠い。
3 ワシントンD.C.にはあまり旅行者がいない。 **4** 他にも道に迷った人がいる。

ANSWER 4

解説

質問から，女性の発言だけを思い出して選択すればよい。男性の最後の発言 "I am a typical tourist who gets lost." に対する女性の発言がポイント。直訳すると，「あなたが最初の人ではありません。」 つまり，この男性の前にも道に迷った人がいることを意味していると考えられる。

No.6

放送文

◎ So, how do you like it? This is the most popular color this season. Since this shirt is not too flashy, you can wear it in a casual setting, as well as with business attire.

● Yeah. I think the color matches my skin tone. It does brighten up my face.

◎ When you want to go casual, you can match it up with jeans, just like you do now. I really like it on you.

● Thank you, but it's a bit tighter than I would like around the shoulders. I have wide shoulders and it's hard to find tops that fit me.

◎ I'll go grab a medium and we can see how it fits.

Question : What is wrong with the shirt?

訳

◎ さて，いかがですか。今シーズン，この色はとても人気ですよ。このシャツは派手すぎませんからビジネススーツとも合わせられますし，カジュアルにも着こなせます。

● そうですね。色が私の肌の色に合っていると思います。顔が本当に明るく見えますね。

◎ カジュアルに着こなしたいときは，今されているようにジーンズに合わせられますよ。とてもお似合いですよ。

● ありがとうございます。でも肩の辺りがちょっと自分が思っているよりきついですね。肩幅が広いので，合うトップスを見つけるのが難しいのですよ。

◎ Mサイズを持ってきて，合うか見てみましょう。

質問：シャツの何が悪いのか。

1 色が明るすぎる。　**2** 大きすぎる。
3 カジュアルすぎる。　**4** 小さすぎる。

ANSWER 4

解説 **問 題** **▶選択肢のtooから，何か問題があることを予測**
最初のやりとりから，選択肢の **1** と **3** は当てはまらない。会話中のflashy → **1** のbrightの言い換えにも注意する。男性の 2 番目の発言で，butが聞き取れたら，その後に何か問題点が述べられることが予測できる。a bit tighter「少しきつい」がわかれば，正解にたどり着ける。

✔ 語句をチェック

brighten up ～　～を明るくする
like ～ on A　～がAに似合うと思う

会話の内容一致選択

ビジネス・学校での会話

Each dialogue will be followed by one question. Choose the best answer to each question.

1 Give him an extra helper.

2 Give him an extension on the project.

3 Give him more opportunity.

4 Give him a day off.

1 He is excited about taking it.

2 He would rather take math.

3 He is hesitant to take it.

4 He is determined not to take it.

1 It was their homework.

2 Meg was not at work.

3 They were good at it.

4 Meg fired them.

Track 19

解答と解説

⏲解答時間10秒／問 **No.1**

それぞれの問いに対してもっとも適切なものを選びなさい。

放送文

◎ Would you mind being in charge of this project? This is our featured project this year and we need somebody like you to manage it.

● Of course, it will be my pleasure. I've been looking for an opportunity like this.

◎ I will ask Jordan to be your assistant. He was my assistant before and I can assure you that he will be of good help.

● Could I ask for two assistants? Since I have other small projects, I will feel better if I have another one.

◎ I will see what I can do.

● Let me know as soon as possible.

Question : What does the man request the woman to do?

訳

◎ このプロジェクトの担当になってくれますか？　これは我々の今年の目玉プロジェクトで，運営するのにあなたのような人が必要なの。

● もちろんです。喜んでお引き受けします。このような機会を待っていました。

◎ ジョーダンに，あなたのアシスタントになるよう頼んでおきます。彼はかつて私のアシスタントでしたが，彼がとても役に立つことは私が保証しますよ。

● アシスタントを２人つけてもらえますか？　この他にも小さなプロジェクトを抱えているので，アシスタントがもう１人いたほうが安心します。

◎ 何とか手を打ってみましょう。

● できるだけ早く教えてください。

質問：男性は女性に何をするよう頼んだか。

1　彼に追加の助手をつける。
2　プロジェクトの期日を延ばす。
3　彼にもっと機会を与える。
4　彼に休暇を１日与える。

ANSWER 1

解説 動詞＋α ▶**会話の後半で男性に与えられるものに注目**

男性の２番目の発言がポイント。アシスタントをもう１人つけるよう要求していることがわかる。another one（＝ assistant）→ an extra helperの言い換えに注意。

Track 20

No.2

放送文

◎ There are too many classes to choose from. Daniel, are you going to take the World History course?

● I was going to, but I'm not sure now.

◎ Why not? I thought you were interested in World History. This class will cover exactly that. You should take it.

● I looked over the syllabus, and it has a lot of homework.

◎ What are you talking about? Most of the classes do anyway.

● Yeah, you're right, but I do not perform well under pressure. Either way, I will go to the first couple of classes and then decide.

◎ That's a good idea.

Question : What does Daniel feel about the history class?

訳

◎ 授業の選択肢が多すぎるわ。ダニエル，あなたは世界史のクラスを取るの？

● そのつもりだったけど，今はわからないな。

◎ どうして？　世界史に興味があると思っていたけど。この授業はちょうどそれを扱うのよ。取ったほうがいいわよ。

● シラバスを見たんだけど，宿題が多いんだ。

◎ 何を言ってるの？　どうせ，ほとんどの授業がそうじゃないの。

● そうだね，でも僕はプレッシャーがかかると，いい成績を残せないんだよ。どちらにしても，最初の2回の授業に行って，それから決めるよ。

◎ それがいいわ。

質問：ダニエルは歴史のクラスについてどう思っているか。

1 彼は取ることについてわくわくしている。
2 彼はどちらかといえば数学を取りたい。
3 彼は取ることをためらっている。
4 彼は絶対に取らないと決めている。

ANSWER 3

解説 **文** **▶選択肢の主語が he → 男性の発言に注目**

会話の最初で世界史の授業に関する話題だとわかる。男性(＝ダニエル)の発言はネガティブだが，最後に "I will go to the first couple of classes and then decide." と言っているので，まだ授業を取らないと決めたわけではないとわかる。

No.3

放送文

◎ I heard our client screaming over the phone. How come he was so upset?

● The samples we sent last week had some defects. As far as I know, he deserves to be angry.

◎ Oh, no. Didn't Meg inspect them twice before she shipped them? That is what she usually does and no one has had any issues with her before.

● Actually this time she didn't. She was out of town on a business trip last week.

◎ Oh no, so who inspected the order?

● Some college students who work there part-time.

Question : Why did the students inspect the samples?

訳

◎ クライアントが電話で大声を出しているのを聞いたんだけど。彼はなぜそんなに怒っていたの？

● 先週発送したサンプルが不良品だったんだよ。僕の知る限りでは，怒るのも無理ないよ。

◎ あら，まあ。発送する前にメグが2回検品したんじゃないの？　彼女はいつもそうしているし，今まで問題はなかったわ。

● 実は今回は，彼女は検品していないんだ。先週，彼女は出張で出かけていたんだ。

◎ え，じゃあ，誰が検品したの？

● アルバイトの大学生だよ。

質問：なぜ学生たちがサンプルを検品したのか。

1 それが宿題だった。　**2** メグが職場にいなかった。
3 彼らが得意だった。　**4** メグが彼らを解雇した。

ANSWER 2

解説　文　▶**選択肢の主語 Meg に関する発言に注目**

男性の2番目の発言以降がポイント。女性の2番目の発言から，メグはふだんはサンプルの検品を担当している人物だとわかる。男性の2番目の発言 “out of town”「出かけている」，“on a business trip”「出張中で」がわかれば，正解にたどり着ける。

✔ 語句をチェック

as far as I know　私の知る限りでは
deserve to *do*　～するのも当然だ

Column④ シャドーイングでリーディングが上達！

脳は文字情報を受け付けない!?

目が読み取った文字情報は音声情報に変換されてから意味処理される！

英文を読んでいると，**読み方がわからない単語のところでは読むスピードが落ちてしまいますよね**。それは脳で「音声情報への変換がスムーズに行われていないから**処理が滞っている**」状態なのです。

「速く読む」とはどういうこと？

「速く読む」＝文字情報 ⇒ 音声情報 ⇒ 音声処理 ⇒ 意味処理が速くできること！

リーディングの際の眼球運動の研究*により，熟練した読み手が毎分 250 ～ 300 語程度の速いペースで読む際にも，**ほぼすべての文字を眼球がとらえている**ことがわかりました。つまり「速く読む」，とは「**重要語中心の飛ばし読み**」ではないのです！

「文字情報」⇒「意味処理」の間の処理が**少ない認知資源**で行われると，「**情報の保持**」「**背景知識の利用**」などにも**認知資源を使う余裕が生まれる**ので，**内容理解の向上**につながります。

Column②で，**シャドーイングは音声処理の自動化に有効な練習法**と紹介しましたが，**文字情報 ⇒ 音声情報の自動化に有効な練習法**として**パラレルリーディング**があります。次のColumn⑤(p.250)で練習方法を紹介しているので，参考にしてください。

シャドーイングとパラレルリーディングの組み合わせで練習していけば，文字情報 ⇒ 音声情報 ⇒ 音声処理の過程がスムーズになり，リーディングの上達につながります。

*Just, M. A. & Carpenter, P. A. (1980). A theory of reading: From eye fixation to comprehension. *Psychological Review*, 87: 329-354.

リスニング

Part 2　文の内容一致選択

音声アイコンのある問題は、音声を聞いて答える問題です。
音声はスマホやパソコンでお聞きいただけます。詳細は3ページをご参照ください。

Pre-1st Grade

攻略メソッド 文の内容一致選択

POINT

事実に基づく論理的な文が読まれる。放送は１度きりで，メモをとる時間はほとんどない。したがって，トピックを把握し内容を予測しながら聞くことが重要になる。選択肢からキーワードを探し，それを手がかりに英文を聞こう。

Method ① 文章が流れる前に選択肢の「キーワード」をチェックする

導入文は約 30 秒。事前に十分練習してあれば，あえて聞く必要はない。この間に地名，動物名，物の名前など，文章のキーワードになりそうな選択肢の語句をチェックする。ただし，選択肢をすべて読む必要はない。

- 設問文が読まれる時間や解答時間を活用して，選択肢を見る時間を確保。
- 選択肢中の名詞などキーワードになりそうな語に○をつける。
- 選択肢中のキーワードは答えの根拠の目印になる。

Method ② タイトルを聞きトピックを把握する

論説文ではタイトルも手がかりの一つ。詳しい内容はわからなくても，トピックが提示され，内容理解の助けになるので，聞き逃さないようにする。

- 選択肢のキーワード + タイトルで，トピックを把握する。

Method ③ 最初の２文で内容を理解する

英文の典型的な論理展開は「主題文（Topic Sentence）」→「支持文（Supporting Sentences）」。最初の 2 文は集中して聞こう（英文の論理展開イメージはp.122参照）。

- 重要な事柄は文章の始めにくる。
- 最初の2文から，選択肢の代名詞の内容が特定できることがある。

⚠ **読み始めから気を抜かない！**

日本語の文章では「起承転結」の展開が多く，結論が最後にくることが多い。しかし，英語の文章の多くは，結論を先に述べ，その説明や具体例を後に続ける展開になっているので，最初の文を聞き逃さないようにしよう。

問題数12。1つの文章につき設問が2つ，解答時間はそれぞれ10秒。英文を聞き，質問に対してもっとも適切な答えを4つの選択肢から選ぶ。

Method 4 選択肢を見ながら聞こえた順に解く

本文の**部分的な情報に関する設問**が多く，本文の**内容順に出題される**。大半の問題は設問文を聞かなくても，聞いた内容と合う・合わないを判断できる。

- 引っかけ問題なし。**本文の内容と合う選択肢は**必ず1つだけ。
- 話題が変わったら**次の設問の選択肢群に移る。**

> **⚠ 話題の転換は要注意！**
> 1問目の選択肢群を本文の最後まで見ていても時間の無駄。長めのポーズ，逆接の表現，別の人物名などを「話題の転換」の合図と考えて，2問目の選択肢群に目を向けよう。

ココにも注目！

ポイントa ディスコースマーカー（＝話の展開の方向性を示す言葉）

支持文にはいくつかの展開パターンがあり，内容理解の助けになる。聞き取りの目印となるディスコースマーカーを知っておこう。(p.107 Method 5 も参照)

DMの例	示す内容
in the study [experiment / survey]	研究の目的，方法，結果
not all ... / not every ... / others ...	メインアイデアに異論があること
at first	その後の変化を述べる可能性が高い

ポイントb イメージを描く

音読される英文を文字で記憶することは難しい。音読のスピードについていくためにも，場面をイメージして映像を思い浮かべるとよい。

- **英語を聞くときに，ふだんから映像を思い浮かべる練習をする。**

▶▶▶「解答と解説」のマークの意味

キーワード 選択肢にキーワードがある　　DM ディスコースマーカーに注目する
代名詞 選択肢に出ている代名詞の内容がポイントになる

文の内容一致選択

海外・文化・環境・動物

Each passage will be followed by two questions. Choose the best answer to each question.

[A]

Track 24

[No.1]
1 When he was living in an African zoo.
2 When he was sleeping in his underground home.
3 When he was on his way home after hunting.
4 When he was watching his borders with his family.

[No.2]
1 Living in a zoo is much safer than living in the wild in Africa.
2 We must use caution all the time because danger exists around.
3 To get rid of the snake's poison, one week's rest is enough.
4 We must fight against life-threatening enemies to save our family.

[B]

Track 25

[No.3]
1 It was brought to Japan from China decades ago.
2 It was first served in Japan.
3 It is healthier than any other food.
4 It was introduced to China during Heian period.

[No.4]
1 The customers don't think their food as good as in "go-round" sushi restaurants.
2 They have won the battle over customers to "go-round" sushi restaurants.
3 Some people still prefer them to "go-round" sushi restaurants.
4 They are usually located in remote areas.

[C]

[No.5] **1** How fast they will learn a language.
2 How they communicate with other children at school.
3 What kind of people they will grow up to become.
4 What kind of childhood dream they will have.

[No.6] **1** She will adopt the practice herself.
2 She will suspect that the parents do not take a good care of him.
3 She will immediately report a child abuse to the police.
4 She will have more respect towards his parents than before.

[D]

[No.7] **1** The size of the board the game is played on.
2 The treatment of captured pieces.
3 The number of pieces originally given to players.
4 The shape and the dimension of pieces.

[No.8] **1** Use their remaining pieces for exclusively defensive purposes.
2 Move the kings as backward as possible.
3 Engage in offensive movements with the pieces that are left.
4 Accurately grasp how many pieces the opponent has.

解答と解説

Track 24

⏱解答時間10秒／問 **[A]**

それぞれの問いに対してもっとも適切なものを選びなさい。

放送文

The Legend of Arthur in the Wild

Arthur is a five-year-old male meerkat, an African cousin of the Indian mongoose, who lives with several dozen other meerkats in an extended family, or clan, in the desert of southern Africa. Wild meerkats face many more hazards than meerkats that live in a zoo ever see. With the other adults in his clan, Arthur cautiously watches over their territory most of the day, standing upright to his full height of 33cm by balancing on his tail. When danger strikes, he fights valiantly against hostile enemies by storming towards them on all fours. He usually wins, but occasionally his luck turns bad.

Returning home from hunting one day, he was bitten by a poisonous snake which had intended to eat him. Arthur's body grew numb; he nearly collapsed but somehow found enough strength to chase away the snake. After much effort and time, he dragged himself home to his clan's underground burrow, where he slowly recovered for more than a week. Since then, his nearly fatal encounter has taught Arthur to raise his vigilance to the daily dangers he faces in the wild. His story therefore is handed down here as one of the meerkats' Arthurian legends.

Questions :
No.1 When did Arthur meet a dangerous snake?
No.2 What message does the legend of Arthur pass to other meerkats?

訳 **野生のアーサー伝説**

アーサーは5歳のオスのミーアキャットだ。ミーアキャットはアフリカに住むマングースの仲間であり，拡大家族，つまり一族の中で他の数十匹の仲間とともに，アフリカ南部の砂漠で暮らしている。野生のミーアキャットは，動物園で暮らすミーアキャットよりも数多くの危険に直面する。一族の他の大人たちと一緒に，アーサーはほぼ一日中，尻尾でバランスを取りながら全長33センチの体でまっすぐに立ち，注意深く縄張りを見張る。危険に襲われると，彼は四つんばいになって戦意を抱く敵に突進し勇敢に戦う。たいてい彼が勝つが，ときには運が悪くなることもある。

ある日，狩りから戻る途中，彼を食べようとした毒ヘビにかまれた。アーサーの体は麻痺(まひ)し，倒れそうになったが，なんとか力を振り絞ってヘビを追い払った。頑張って長い時間を費やし，地中にある一族の巣穴まで体を引きずって戻ると，彼は１週間以上かかってゆっくりと回復した。それ以来，もう少しで命を落としかねない危険との遭遇は，アーサーに野生で直面する日常の危険に用心するように教えている。それゆえに，彼の物語はここにミーアキャットのアーサー王伝説の一つとして伝わっているのである。

[No.1] キーワード ▶ on his way home after huntingに注目 ANSWER 3

質問：アーサーはいつ危険なヘビに出合ったか。

1 アフリカの動物園で暮らしていたとき。
2 地中の巣穴で眠っていたとき。
3 狩りの後，巣に帰る途中で。
4 家族と一緒に境界を見張っていたとき。

解説 第２段落１文目に“Returning home from hunting one day”とあり，続けて何が起こったかが説明される。“he was bitten by a poisonous snake”から，このときに危険なヘビに出合ったことがわかる。タイトルから，アーサーは野生であることがわかるので，**1** はすぐに消去できる。質問のsnakeが聞き取れれば，正解にたどり着ける。

[No.2] ANSWER 2

質問：アーサーの伝説は，他のミーアキャットにどんなメッセージを伝えているか。

1 動物園で暮らすほうが，アフリカの野生で暮らすよりずっと安全である。
2 周りには危険があるので，常に注意しなければならない。
3 ヘビの毒を取り除くには，１週間休めば十分である。
4 家族を救うためには，命を脅かす敵と戦わなければならない。

解説 第２段落の最後の２文にミーアキャットのアーサー王伝説について書かれている。thereforeから，前文の内容が正解だと考える。“raise his vigilance to the daily dangers”とあることから**2**が正解。

放送文

Traditional or "Go-Round"?

Many people will be surprised to learn that sushi did not originate in Japan. Sushi was first created in China and is believed to have come to Japan during the Heian period, over a thousand years ago. The word sushi means "sour-tasting" because of the vinegar used to flavor the rice and raw fish. Decades ago, people flocked to "go-round" sushi bars, lining up outside these trendy new places not only in Japan, but even in Singapore, Great Britain, and many other countries.

By popularizing sushi, these "go-round" sushi bars drew customers away from old established sushi restaurants, to the distress of traditional sushi masters. Certainly "go-round" sushi bars have convenient locations and interior layouts that make it easy for people to place and receive orders. By contrast, traditional sushi restaurants offer fresher and higher-quality ingredients, served in a familiar Japanese atmosphere. For these reasons, many Japanese businesspeople still gather after work at traditional sushi bars, where they can relax over drinks and conversation with colleagues while sharing sushi that is deliciously fresh and beautifully displayed.

Questions :
No.3　What do many people believe about sushi?
No.4　What can be inferred about traditional sushi restaurants?

訳　**伝統か「回転」か？**

多くの人は，すしの起源は日本ではないということを知ると驚くだろう。すしは最初に中国で作られ，1000年以上前，平安時代に日本に伝わったと考えられている。飯と刺身に風味をつけるために酢を使うので，すしという言葉には「酸っぱい味」という意味がある。数十年前，人々は「回転」ずしに押し寄せ，日本だけでなく，シンガポール，イギリス，他の国々でも，その流行(はや)りの目新しい場所に列を作った。

すしが大衆化することで，「回転」ずしは昔ながらのすし屋から客を引き離し，伝統的なすし職人たちに苦悩をもたらした。たしかに「回転」ずしは便利な場所にあり，店内は注文したり，注文を受けたりしやすい配置になっている。一方，伝統的なすし屋は，慣れ親しんだ日本的な雰囲気でより新鮮で上質なネタを提供する。こういった理由から，今でも多くの日本のビジネスマンは仕事の後に伝統的なすし屋に集まる。そこでは，美しく盛りつけられた新鮮でおいしいすしを食べながら，同僚たちと酒を飲み，会話をしてくつろげるのである。

[No.3] **ANSWER 2**

質問：多くの人々はすしについてどのように信じているか。

1 数十年前に中国から日本に伝えられた。
2 日本で初めて提供された。
3 他のどんな食べ物より健康的だ。
4 平安時代に中国に紹介された。

解説 最初の文 “Many people will be surprised to learn that sushi did not originate in Japan.” に注目する。「すしの起源は日本ではないことに驚く」との内容から，人々がどのように信じているかを推測する。すしが日本で最初に作られたと信じていると考えられるので**2**が正解。

[No.4] 代名詞 ▶ they ＝ traditional sushi restaurants **ANSWER 3**

質問：伝統的なすし屋についてどのように推測できるか。

1 客は伝統的なすし屋の食べ物は「回転」ずしほどよくないと思っている。
2 顧客の取り合いで「回転」ずしに勝った。
3 「回転」ずしより伝統的なすし屋を好む人がいる。
4 ふつう人里離れた場所にある。

解説 選択肢の多くが “go-round” sushi restaurantsとの対比になっていることから，選択肢中のtheyは伝統的なすし屋を指すと推測して聞く。最後の２文で伝統的なすし屋について，日本のビジネスマンはすし屋に集まるとあり，「回転」ずしが人気の一方で，伝統的なすし屋を好む人がいることがわかる。

放送文

Where should children sleep?

Parents use their unstated everyday beliefs to make many family decisions, including who sleeps where and how. In cultures where the main parental goal is to integrate children into the household and society, babies are held close at hand, even during the night. By contrast, in such Western societies as the United States that value independence and self-reliance, babies and children sleep alone. Underlying such unconscious societal goals is a fundamental assumption: the ways parents treat children while they are very young have major effects on how they turn out as adults.

Family sleeping arrangements, in other words, can take on a moral significance, and the basis of that morality is, of course, culturally constructed. American and European parents believe it is morally "correct" for infants to sleep alone and thus learn to be independent. They view child-parent co-sleeping as psychologically unhealthy, even sinful. Those in co-sleeping cultures such as Japan see the Western practice of placing an infant alone as wrong, bordering on child neglect. Parents in both kinds of cultures are convinced that only their moral structure is "correct."

Questions :

No.5 **What effects are parental treatments of their children believed to have on the children?**

No.6 **What is a Japanese mother's likely reaction towards a 6-month baby sleeping in his own bed in his own room?**

訳　子どもはどこで寝るべきか。

親は家族間でさまざまな事柄を決めるために暗黙の日常的信念を利用するが，それには誰がどこでどのように寝るかということも含まれる。子どもたちを家庭や社会に溶け込ませることが親の主な目標である文化においては，赤ん坊は夜の間でもかたわらに抱きかかえられたままである。対照的に，独立や自立を重んじるアメリカ合衆国のような西洋社会では，赤ん坊や子どもたちも一人で寝る。このような無意識の社会的目標には，次のような基本的な前提が背後にある。子どもたちが非常に幼いときの両親の扱い方が，どのような大人になるかに大きく影響するということだ。

言い方を変えれば，家族がどのように寝るかは道徳的な意義を帯びることがあり，その道徳性の基礎は，いうまでもなく文化的に築かれたものだ。アメリカやヨーロッパの親は，幼児が一人で寝ることで自立することを学ぶのは道徳的に「正しい」と信じている。彼らは，親と子どもが一緒に寝ることは心理的に不健全で罪深いとさえみなす。日本のような添い寝文化の人々は，幼児を一人にさせる西洋の習慣は間違っており，育児放棄に近いと考える。どちらの文化の親たちも，自分たちの道徳の仕組みだけが「正しい」と確信しているのである。

[No.5] キーワード ▶ grow upに注目 ANSWER 3

質問：わが子に対する親の扱い方が，子どもたちにどんな影響を与えると考えられているか。

1 子どもたちがどれだけ早く言語を身につけるか。
2 学校で他の子どもたちとどのようにやりとりするか。
3 成長してどのような人間になるか。
4 子どもの頃にどんな夢を持つか。

解説 第1段落最終文に“how they turn out as adults”とある。子どもに対する両親の扱い方が，子どもがどのような大人になるかに大きく影響すると説明していることから，**3**が正解。

[No.6] ANSWER 2

質問：自分の部屋の自分のベッドで眠る6か月の赤ん坊に対して，日本人の母親が示すであろう反応はどれか。

1 自分でもその習慣を取り入れる。
2 その子の両親がきちんと世話をしていないのではないかと思う。
3 すぐさま警察に児童虐待を通報する。
4 その子の両親に対して以前より尊敬の念が増す。

解説 第2段落4文目で“Those in co-sleeping cultures such as Japan see the Western practice of placing an infant alone as wrong, bordering on child neglect.”だと述べている。“bordering on child neglect”＝“not take a good care of him”の言い換えに気がつけば，正解にたどり着ける。

放送文

Shogi and Chess

Shogi and chess, having originated from the same ancient game, naturally have similarities. Both are games in which two players move several pieces on the board, capture the opponent's pieces and try to give checkmate and win. *Shogi* pieces can move in much the same ways as chess pieces.

The two games also have differences. While a chess board has 8 by 8 (that is, 64) black and white squares on it, a *shogi* board has 9 by 9 (that is, 81) squares in the same color. Each chess player starts with 16 black or white pieces in 6 different three-dimensional shapes. Each *shogi* player, on the other hand, begins with 20 pieces in 8 pentagonal shapes of various sizes, and can use captured pieces as their own, which is the most significant difference between the two games. This unique rule enables *shogi* players to use various offensive tactics while arranging some pieces to defend their king. In contrast, at chess, few pieces remain on the board toward the end of the game, so that all the pieces including the kings move offensively.

Questions :

No.7 What is the most important difference between chess and *shogi*?

No.8 What do chess players have to do in the latter half of a game?

訳 **将棋とチェス**

将棋とチェスは古代の同じゲームが起源なので当然，類似点がある。どちらも２人のプレーヤーが盤上でいくつかの駒を動かし，相手の駒を取り，王手詰めにして勝つゲームだ。将棋の駒はチェスの駒とよく似た動きができる。

２つのゲームには相違点もある。チェス盤には 8 × 8（つまり 64）の黒と白のマス目があるのに対して，将棋盤には 9 × 9（つまり 81）の同じ色のマス目がある。チェスのプレーヤーは，それぞれ立体の形をした 6 種類の 16 個の黒と白の駒でゲームを始める。一方，将棋の対局者は，それぞれ様々な大きさの五角形の 8 種類の駒 20 個で始め，取った駒を自分の持ち駒として使うことができる。これは２つのゲームのもっとも顕著な相違点だ。この独特なルールのおかげで，将棋の対局者は自分の玉(ぎょく)を守るために駒を配置して，さまざまな攻めの戦略をとることができる。対照的に，チェスではゲームの終盤になると，盤上にほとんど駒が残らないので，キングを含むすべての駒が攻めの動きをすることになる。

[**No.7**] キーワード ▶ captured piecesに注目 **ANSWER 2**

質問：チェスと将棋のもっとも重要な相違点は何か。

1 競技する盤の大きさ。
2 取った駒の扱い方。
3 プレーヤーに最初に与えられる駒の数。
4 駒の形や大きさ。

解説 第2段落4文目に，“captured pieces” があり，その後で “the most significant difference between the two games” と述べられていることから，**2**が正解だとわかる。

[**No.8**] **ANSWER 3**

質問：チェスのプレーヤーはゲームの後半で何をしなければならないか。

1 もっぱら守りの目的で残りの駒を使う。
2 キングをできるだけ後方へ動かす。
3 残りの駒で攻めに徹する。
4 相手がいくつ駒を持っているか正確に把握する。

解説 選択肢から，戦略にかかわる内容に注目する。第2段落5文目以下で述べられている。最終文の “move offensively” が**3**で “offensive movements” と言い換えられていることに気づけば，正解にたどり着ける。

✔ 語句をチェック

originate 始まる，生じる，発展する
opponent 相手
three-dimensional 立体の
pentagonal 五角形の

頻出度 B

文の内容一致選択

科学・その他

Each passage will be followed by two questions. Choose the best answer to each question.

[A]

Track 28

[**No.1**]
1 The Earth's orbit around the Sun.
2 Dimness of stars caused by dark spots.
3 The remoteness of stars.
4 The highly skilled professionals.

[**No.2**]
1 It discovered that there is no Earth-like planet.
2 It found more than 1,000 candidates for habitable planets.
3 It mainly monitors stars as far as 5,000 light years away.
4 It has been discontinued.

[B]

Track 29

[**No.3**]
1 It was established by Hippocrates.
2 It was found in some fragments in ancient Greece.
3 It had close analogy with magic or religion.
4 It had great influence on today's medicine.

[**No.4**]
1 He served emperors as a doctor.
2 He did nothing but writing a few books that remain today.
3 He learned medical tradition in his youth.
4 He studied under Hippocrates.

Track 30

[No.5] **1** Treat everybody around them to some food.
2 Pay obeisance to cherry blossoms.
3 Walk around public parks and view them.
4 Take pictures of the beautiful cherry blossoms.

[No.6] **1** Seeing some art exhibitions.
2 Drinking in public being forbidden.
3 Appreciating the beauty of the blossoms.
4 Falling into the pond.

[D]

Track 31

[No.7] **1** People at that age make a hypothesis.
2 It is the age that children begin to speak.
3 Only children themselves can decide when it is.
4 It occurs at the age of five.

[No.8] **1** It has not tested in some points.
2 It has already been refuted.
3 High school students are the best learners.
4 Experts provide further support for it.

解答と解説

Track 28

①解答時間10秒／問 

それぞれの問いに対してもっとも適切なものを選びなさい。

放送文

The Space Telescope : Kepler

The space telescope Kepler was launched by NASA in March of 2009 on a mission to find habitable Earth-like planets orbiting other stars. Kepler is now orbiting our Sun as it watches about 150,000 stars, most of which are between 600 and 3,000 light years away. When planets pass in front of their parent stars, they make dark shapes like sunspots and cause the stars to dim intermittently. Kepler is sensitive enough to detect such subtle phenomena. Indeed, the telescope is so sensitive that it discovered more than 1,200 candidates for habitable planets in only four months after its launch. The candidates were planets that happened to cross the straight line between Kepler and their parent stars during those four months. Kepler project scientists estimate that 34 percent of the stars that Kepler surveys have more than one planet with short orbital periods similar to that of Earth. Some of these planets may harbor life as we know it, and possibly life that we cannot even imagine.

Questions :
No.1 What helps Kepler to detect some planets?
No.2 What did we learn about the Kepler project?

訳 **宇宙望遠鏡ケプラー**

宇宙望遠鏡ケプラーは，太陽系外で地球のような，生命が生存するのに適した惑星を探すという使命をもって，2009年3月にNASAによって打ち上げられた。ケプラーは，今も太陽を周回する軌道にのっておよそ15万個の恒星を観察している。その恒星のほとんどが600～3000光年離れている。惑星が親星の前を通るとき，惑星が太陽の黒点のような暗い陰となり，恒星が周期的にうす暗くなる原因になる。ケプラーはこのような微妙な現象を検出できるほどに高感度だ。事実，その望遠鏡はとても感度が高いので，打ち上げからわずか4か月で居住可能な惑星の候補を1200個以上も発見した。候補は，4か月の間にケプラーと親星の間を偶然にまっすぐ横切った惑星だった。ケプラープロジェクトの科学者たちは，ケプラーが調査する恒星の34％は，地球の軌道周期と似た短い軌道周期の惑星を複数持っていると推定している。これらの惑星のいくつかは，私たちが知っているような生命体や，もしかすると私たちが想像もできないような生命体をはぐくんでいるかもしれない。

[No.1] **ANSWER 2**

質問：ケプラーがいくつかの惑星を見つける手助けとなるものは何か。

1 太陽の周りの地球の軌道。
2 黒点に起因する恒星のほの暗さ。
3 星の遠さ。
4 非常に熟練した専門家たち。

解説 3文目の "they make dark shapes like sunspots and cause the stars to dim intermittently" と4文目 "Kepler is sensitive enough to detect such subtle phenomena." に注目する。**2**の "dark spots" が "dark shapes like sunspots" だとわかれば，正解にたどり着ける。

[No.2] **キーワード** ▶ habitable planetsに注目 **ANSWER 2**

質問：ケプラープロジェクトについて何がわかるか。

1 地球のような惑星はないということを発見した。
2 1000個以上の，生命が生存するのに適した惑星の候補を見つけた。
3 5000光年離れた星を主に監視する。
4 中止された。

解説 5文目に "the telescope is so sensitive that it discovered more than 1,200 candidates for habitable planets" とある。the telescopeは前文のKeplerを指している。1200個以上の，生命が生存するのに適した惑星の候補を発見したとあるので，**2**が正解。

放送文

Hippocrates and Galen

Both Hippocrates and Galen were medical doctors in ancient Greece, and they made a great contribution to the development of medicine, which had originally been deeply connected with magic or religion in primitive societies. Hippocrates, who is Plato's contemporary and historically the most highly-respected physician, is famous for the statement, "Life is short, art is long." About 60 of the books he wrote are said to remain today, but it is uncertain whether he actually wrote them or not. In those writings, he took a rational and naturalistic view of diseases and emphasized medical ethics.

Galen was born and died in the second century A.D., about 600 years after Hippocrates. In his youth, he traveled around and gained a good knowledge of medical traditions and human anatomy. Later he lived and worked in Rome as physician to four Roman emperors, and wrote a lot of books as an advocate for Hippocrates. Thanks to his efforts, medicine in ancient times was passed down to posterity. Galen's works became the basis for various medical schools from the Middle Ages to the early modern period.

Questions :
No.3 What do we learn about medicine in primitive societies?
No.4 What did Galen do in Rome?

訳 ヒポクラテスとガレノス

ヒポクラテスとガレノスは2人とも古代ギリシャの医者であり，医学の発展に大いに貢献した。医学はもともと，原始的な社会では呪術や宗教と深く結びついていた。ヒポクラテスはプラトンと同時代の人で歴史的にもっとも名高い医者だが，「人生は短く，術の道は長い」の格言で有名である。彼が書いた，およそ60の著作が今日まで残っているといわれているが，本当に彼の手によるものかは確かではない。これらの著作において，彼は病気に対し理性的で自然主義的な見方をし，医の倫理を強調した。

ガレノスはヒポクラテスの約600年後の2世紀に生まれ，死んだ。彼は若い頃，方々を旅して，医の伝統と人体解剖について十分な知識を得た。のちに彼はローマに住み，4代にわたるローマ皇帝の侍医として働き，ヒポクラテスの唱導者としてたくさんの本を書いた。彼の努力のおかげで，古代の医学は後世に受け継がれた。ガレノスの著作は中世から近世にかけてのさまざまな医学学派の基礎となった。

[No.3] 代名詞 ▶ it = medicine in primitive societies ANSWER 3

質問：原始的な社会における医学について何がわかるか。

1 ヒポクラテスによって確立された。
2 古代ギリシャのいくつかの著作の断片の中で発見された。
3 呪術や宗教と近い関係にあった。
4 今日の医学に大きな影響を与えた。

解説 第1段落1文目参照。代名詞の内容は設問を聞くまで特定しにくいが，それ以外のキーワードをもとに，本文で「言われていないこと」は消去するとよい。設問の“in primitive societies”が聞き取れれば，正解にたどり着ける。“been deeply connected with”と“had close analogy with”の言い換えに注意する。

[No.4] ANSWER 1

質問：ガレノスはローマで何をしたか。

1 皇帝に医者として仕えた。
2 今日まで残っているいくつかの本を書く以外，何もしなかった。
3 若い頃，医学の伝統を学んだ。
4 ヒポクラテスに師事した。

解説 第2段落3文目参照。タイトルから，heはヒポクラテスかガレノスを指すと予測できる。**4**から，恐らくはガレノスに関してだと考えて聞くと，文の前半ではヒポクラテス，後半ではガレノスについて述べられているとわかる。本文を聞いた時点で，**1**と**3**に絞れ，設問の“in Rome”が聞き取れれば，正解にたどり着ける。

✔ 語句をチェック

contemporary　同時代人
rational　理性的な，合理的な
anatomy　解剖学

放送文

Hanami in Japan and America

Every spring when cherry trees are in full bloom, many Japanese people enjoy *hanami*, or blossom viewing parties, with relatives, friends and colleagues. They sit under the cherry trees in public parks and admire the cherry blossoms. Many also drink large amounts of beer and sake, believing that they can't appreciate the blossoms without getting drunk. In this way they show their respect for the short-lived blossoms—which bloom for only a few days—and contemplate their own fleeting lives as they get intoxicated.

In America's capital, Washington, D.C., things are rather different. The capital is famous for its 3,000 cherry trees, gifts from Japan a hundred years ago, that stand around the Tidal Basin, a huge pond near the even larger National Mall. The annual Cherry Blossom Festival includes many art exhibitions, light operas and fireworks, but no public drinking. If you get drunk, you risk arrest or you may get drenched, as the Tidal Basin has no fences around it! People admire the blossoms simply by viewing them. Perhaps the true meaning of *hanami* survives in Washington rather than in Japan.

Questions :
No.5 What do some Japanese people do by drinking a lot of alcohol at *hanami*?
No.6 What may happen if you get drunk at the Cherry Blossom Festival in Washington?

訳 **日本とアメリカの花見**

毎年桜の花が満開になる春，日本人の多くは花見，すなわち花を観賞するための集まりを，親戚や友達，同僚と楽しむ。公園の桜の木の下に座り，桜の花に見とれる。それに加えて多くの人々は，酔わないと花のよさを十分に理解できないと信じて，大量のビールや日本酒を飲む。このようにして，日本人は，たった数日しか咲かない短命の花に敬意を表し，酔って自分たち自身のはかない人生を思うのである。

アメリカの首都ワシントンでは，事情はいくぶん異なる。その街は3000本の桜の木で有名である。それらの木は100年前に日本から贈られたものであり，タイダルベイスンの周りに植えられている。タイダルベイスンはさらに大きなナショナル・モールの近くにある巨大な池である。毎年の桜祭りには，たくさんの美術展覧会やオペレッタ，花火が含まれるが，公の場で飲酒することはない。もし酔ったら，逮捕される危険を負うか，びしょぬれになってしまうかもしれない。というのも，タイダルベイスンには周囲にフェンスがないのだ！　人々は花をただ眺めて賞賛する。おそらく本当の意味での花見は，日本でよりもワシントンで生き残っているのだろう。

[No.5] D M ▶結論を表すin this wayに注目 **ANSWER 2**

質問：日本の人々の中には，花見でたくさんのアルコールを飲むことで何をする人がいるか。

1 周りにいるみんなに食べ物をおごる。
2 桜の花に敬意を表する。
3 公園を歩き回ってそれらを眺める。
4 きれいな桜の花を写真に撮る。

解説 第1段落最終文参照。第1段落は日本の花見について述べている。花見の本来の目的が花を観賞することで，花見でのどの振る舞いもそのためである。本文を聞いた時点で**2**か**3**に絞れ，設問の“drinking a lot of alcohol”が聞き取れれば，正解にたどり着ける。“show their respect for”＝“pay obeisance to”の言い換えに注意する。

[No.6] **ANSWER 4**

質問：ワシントンの桜祭りで酔っ払ったら，何が起きるだろうか。

1 いくつかの美術展覧会を見ること。
2 公の場で飲酒することが禁止されること。
3 花の美しさを理解すること。
4 池に落ちること。

解説 第2段落4文目参照。タイトルを聞いて，日本とアメリカの花見を対比して述べていることがわかるので，第2段落はアメリカの花見についてで，質問もそれに関係するものと予測しながら聞く。本文を聞いた時点で，**2**を消去できる。さらに設問の“may happen”という表現が聞き取れれば，囲いがないから池に落ちてしまうかもしれない，の部分を問われていることがわかり，正解にたどり着ける。

放送文

The Critical Period Hypothesis

In language acquisition studies, there is a controversial idea called "the critical period hypothesis." According to this hypothesis, once people reach a certain age, it is almost impossible to become as fluent in a foreign language as a native speaker. Researchers hold widely different views on just when this "certain age" occurs. Some contend it is age five and others claim it is somewhere between the ages of twelve to fifteen.

But is it really hopeless to expect to become fluent unless you start learning another language very early in life? One important factor seems to be ignored by experts. That is, young children have little else to do other than absorb language in their daily lives, while high school students have to struggle with many things unrelated to language. It remains uncertain whether children in "the critical period" are really better language learners than seventeen-year-olds, as no one has tested what would happen if these age groups were exposed to the same foreign language under the same conditions for the same period of time. The critical period hypothesis seems likely to remain unconfirmed for some time to come.

Questions :
No.7 What do some researchers say about "certain age"?
No.8 What do we learn about the critical period hypothesis?

訳 **臨界期仮説**

言語習得の研究において，「臨界期仮説」という論争を引き起こす考えがある。この仮説によれば，人はある年齢に達するとネイティブスピーカーのように流暢(りゅうちょう)に外国語を操ることはほとんど不可能になる。この「ある年齢」がまさにいつなのかについて，研究者たちはさまざまな異なる見解を持っている。5歳だと主張する研究者もいれば，12～15歳の間のどこかだと主張する研究者もいる。

しかし，人生のかなり早い段階で別の言語を学び始めないかぎり，流暢に話せるようになる期待は，本当に持てないのだろうか。1つの重要な要因が専門家たちに無視されているようである。それは，小さな子どもたちは毎日の生活で言葉を吸収する以外にほとんどすることがないが，一方で高校生は，言葉に関係のないたくさんの事柄に取り組まねばならないことだ。「臨界期」にいる子どもたちが本当に17歳の子どもよりも言語習得に長(た)けているのかどうかは，はっきりしていない。なぜなら，これらの年齢集団が同じ条件下で同じ時間，同じ言語に触れたらどうなるのか，誰も検証したことがないからだ。臨界期仮説は，しばらくは確証のないままだろう。

[No.7] キーワード ▶ ageに注目 **ANSWER 4**

質問：「ある年齢」について，ある研究者たちはどのように言っているか。

1 その年齢の人々は仮説を立てる。
2 子どもたちが話し始める年齢である。
3 子どもたち自身だけがそれがいつかを決めることができる。
4 それは5歳で起こる。

解説 キーワードから，「年齢」に関する部分に集中して聞く。第1段落最終文参照。1文目から，「臨界期仮説」はまだ「仮説」であり，議論されている最中だとわかるが，その一説が「5歳」である。設問文まで聞かなくても，答えが確定できるタイプの問題。

[No.8] D M ▶ 理由を表す接続詞asに注目 **ANSWER 1**

質問：臨界期仮説について何がわかるか。

1 いくつかの点でまだ検証されていない。
2 すでに誤りだと証明された。
3 高校生がもっとも覚えが早い。
4 専門家はよりいっそうそれを支持する。

解説 第2段落4文目後半参照。第2段落が逆接を表す接続詞butから始まっているので，「さまざまな意見がある」という第1段落に対して「まだ証明されていない」というような内容がくると推測でき，**1**と**4**に絞れる。小さな子どもと高校生を例に，“It remains uncertain”とあり，その後に理由を表す接続詞asが続いて，確かでない理由が述べられている。

Column⑤ シャドーイングの基本練習法

どんな素材が効果的？

自分が余裕をもって聞ける速さの素材で！

速すぎてまったくシャドーイングできない素材を何度も練習するのは苦痛ですし，効果もあまり期待できません。

スピードの速すぎるものや知らない単語が多すぎるものは避け，レベルを徐々に上げていくようにするといいでしょう。

シャドーイングの手順

最初からいきなりシャドーイングでは，ちょっとハードルが高いですね。次の手順で，英文の予習・復習をしながらシャドーイングしてみましょう。

①リスニングで予習

まずはヘッドホンやイヤホンで音声を聞きながら，全体の意味を考えてみましょう。

②シャドーイング（バージョン１）

次に，聞こえた音声のすぐ後について復唱します。意味は考えずに，音声だけに集中します。完璧を求めず，聞こえた音を気楽にシャドーイングしてみましょう。

最初からはっきり発音しようとすると，「聞く」と「話す」のバランスがとれないことがあります。大きな声で復唱できないときは，小さくつぶやくように復唱するといいでしょう。

③パラレルリーディングで復習

英文テキストを見ながら，その音声を聞き，②のシャドーイングのときより，音声に遅れないよう復唱していきます。このとき，自分の声をICレコーダーなどで録音しておくと，テキストの復唱できていなかった部分を後でチェックできます。

意味や読み方のわからない単語は調べ，音の連結・脱落・変化などで復唱しにくかった箇所はその部分だけ取り出して練習します。

Column④ (p.226) で紹介したように，パラレルリーディングは読解力向上にも有効な練習方法です。

シャドーイングの発展練習法はColumn⑥ (p.268) で紹介しています。

リスニング

Part 3　Real-Life形式の内容一致選択

音声アイコンのある問題は、音声を聞いて答える問題です。
音声はスマホやパソコンでお聞きいただけます。詳細は3ページをご参照ください。

Pre-1st Grade

攻略メソッド Real-Life形式の内容一致選択

POINT

与えられた情報から，それに適した行動をとれるか，**実践力を試す問題**。状況を把握して聞くことが重要。また，読まれる文章のパターンを知っておくとポイントを絞って聞ける。

Method ❶ 事前に状況（Situation）を読む

導入文が流れる 45 秒間を有効に活用する。この間に，**少なくとも 3 問分の状況は読んでおきたい。**

キーワードには下線を引く。

> ⚠ **1 問目は導入文が終わるときに状況を読み終える！**
> 1 問目の状況を問題が始まる直前に読み終えるように，自分が 45 秒で読める状況の数を，練習でつかんでおこう。

Method ❷ 状況と設問を読むための 10 秒で設問と選択肢を確認する

状況は事前に読んでおくので，**この 10 秒では設問と選択肢を読む**。文章を聞き終えると同時に答えをマーク。**余った解答時間と次の問題の準備時間の計 20 秒弱で，次の問題の状況を(再)確認し，設問と選択肢を読む**。

与えられた時間は先取りして使う！

Method ❸ 聞き取りのカギは「状況の理解」

- 自分はどんな人物？
- 何をしたい？
- どこにいる？
- 時間はいつまである？
- いくら持っている？

など，状況の**5 W 1 Hに関わる内容**に下線を引いておく。

自分の置かれた状況がわかれば聞き取りのポイントを**絞れる。**

問題数5。1つの文章につき設問は1つ，準備時間10秒，解答時間10秒。状況と設問，選択肢を読んだ後，効果音入りの文章を聞き状況に合う答えを4つの選択肢から選ぶ。

Method 4 パターンに慣れる

出題される文章は6種類。

・**連絡・説明**：特定の人物や集団に向けた連絡や説明。

・**館内放送**　：特定の施設にいる人に対する放送。

・**留守番電話**：「あなた」の留守番電話に録音されたメッセージ。

・**音声ガイド**：Ⓐイベントや商品の説明。

　　　　　　　　Ⓑ用件に合せてナンバーボタンを押すように導くもの。

・**ラジオ**　　：道路交通情報，イベントの宣伝など。

それぞれ典型的な展開なので，次に示される情報の内容を予測できる。

ココにも注目！

ポイント 言い換えに慣れる練習法

言い換えられた表現が理解できるかが，一つのポイント。
まとまりのある英文を読み，自分の言葉で要旨を言い換える練習が効果的。
たとえば――

① 本書の長文を1つ選ぶ
② 1パラグラフを，メモをとりながら読む
③ 本を閉じ，メモだけを見て内容を思い出す
④ メモを裏返し，そのパラグラフの要旨を自分なりの英語で書く
⑤ ②～④を繰り返し，全パラグラフの要旨を書き終えたら，自分で書いた要旨から長文全体の内容を反芻（はんすう）する
⑥ 要旨を裏返し，長文のまとめを自分なりの英語で書く

この練習を積み重ねれば，自分だったらどう言うかをしぜんに考えるようになり，言い換え表現が出てきてもすぐに内容とリンクできるようになる。

頻出度A Real-Life形式の内容一致選択 連絡・説明・館内放送

Each passage will have one question. Choose the best answer to each question.

No.1

Track 34

Situation : Your son is 8 years old and wants to be a paleontologist. You arrived at a museum at 10:00 a.m. You have to leave by 12:45 to make it to a lunch appointment. You hear the following announcement.

Question : What should you do at 11:00 a.m.?

1 Go to the South wing by yourself.
2 Make your son go to the exhibit by himself.
3 Come back to the North wing with your son.
4 Start the class.

No.2

Track 35

Situation : You are a first-year student at Churchill College and you attend orientation. You took a college preparation math class in high school. You hear the following announcement from a professor.

Question : What should you do?

1 Go to take the test.
2 Change your adviser.
3 Show your adviser your high school diploma.
4 Show your adviser the list of high school classes you've taken.

No.3

Track 36

Situation : You are attending a sociology conference, and you are here to listen to lectures by scholars on stratification issues. You hear the following announcement.

Question : Where should you go?

1 Room 601 at 11:00. **2** Room 501 at 10:30.
3 Room 201 at 11:00. **4** Room 301 at 10:30.

解答と解説

Track 34

⏱解答時間10秒／問 No.1

それぞれの問いに対してもっとも適切なものを選びなさい。

放送文

Thank you for coming to Dino-Land today. We have a wide range of dinosaur discovery displays here from the Rocky mountains of the U.S., as well as from other regions around the world. In the South wing, we have a learning center, where children are welcomed to participate in a hands-on lesson on fossil excavation. Lessons start at 11:30, 12:30, and 2:30. If you are interested, please register at the information desk here in the North wing. Registration begins 30 minutes prior to the start of class. Children under the age of 10 are required to be accompanied by an adult. Take advantage of this unique opportunity. Have a great day!

訳

本日はダイノランドにお越しくださいまして，ありがとうございます。ここダイノランドには，アメリカロッキー山脈地域で発見されたものはもちろん，世界中の地域の恐竜に関する発見物も展示されています。南ウイングには，学習センターがございます。この学習センターでお子様は化石発掘の実践レッスンを受けていただけます。レッスンは11時半，12時半，2時半に開始します。興味のある方は，こちらの北ウイングのインフォメーションデスクでお申し込みください。お申し込みはレッスン開始の30分前から受け付けます。10歳未満のお子様には保護者の付き添いが必要です。ここでしかないこの機会をご活用ください。それでは，よい一日をお過ごしください。

状況：あなたの息子は8歳で，古生物学者になりたいと思っている。あなたたちは午前10時に博物館に到着した。昼食の約束に間に合うよう12時45分には出発しなければならない。あなたは次のアナウンスを聞く。

質問：あなたは午前11時に何をすべきか。

1 一人で南ウイングに行く。　**2** 息子に一人で展示を見に行かせる。
3 息子と一緒に北ウイングに戻ってくる。　**4** 講座を始める。

ANSWER 3

解説

状況から，息子にレッスンを受けさせたいことがわかる。出発する時刻から，11時半のレッスンのために11時に申し込みに北ウイングへ行くと予測できる。息子は8歳なので，レッスンには一緒に行かなければならない。

No.2

放送文

We are administering placement tests for math courses this Thursday. All of you must take the test. However, those who have taken some college preparation courses in certain high schools may be exempted. If you think that you may be qualified, go to talk to your adviser by Wednesday 5 p.m. When talking with your adviser, have your high school transcript with you. Your adviser will give you a certified slip if you are exempted. The test will start at 11:00 a.m. in room 101 at the testing center on Thursday. The registration desk will open at 9:00 a.m.

訳

今週木曜日に数学コースのクラス分けテストを実施します。あなた方は全員このテストを受けなければなりません。しかし，一部の高校で大学の準備コースを受講した生徒は，このテストを免除される可能性があります。もし，自分がこれに当てはまると思われる場合は，水曜日の午後5時までに，指導教官に申し出てください。その際には，高校の成績証明書を持っていってください。もしテストが免除される場合は指導教官が証明書を渡します。テストはテストセンターの101号教室で木曜日午前11時から開始します。テストの受付は午前9時から開始します。

状況：あなたはチャーチル大学の新入生で，オリエンテーションを受けている。あなたは高校で数学の大学準備コースを取っていた。あなたは教授からの次の説明を聞く。

質問：あなたはどうすべきか。

1 テストを受けに行く。
2 指導教官を替える。
3 指導教官に高校の卒業証書を見せる。
4 指導教官に高校で受けた授業のリストを見せる。

ANSWER 4

解説

状況から，高校で大学準備コースを受講していたことを確認する。3～4文目から，テストの免除が受けられる可能性があるので，指導教官に会いに行くべきだとわかる。transcriptは「成績証明書」で，取った授業とその成績の一覧。選択肢**3**にあるdiplomaは「卒業証書」で，成績は載っていない。

✔ 語句をチェック

exempt ～　～を免除する

放送文

Welcome to the annual gathering of the International Sociology Society. We have a very exciting day planned. We are offering various lectures throughout the day on Gender, Stratification, and Immigration and Migration. Lectures on Gender will be held in room 301. Those on Stratification, and Immigration and Migration will be held in rooms 201 and 501, respectively. Each series of lectures will start at 10:30, except for the ones on Stratification, which will start at 11 o'clock. For a detailed schedule, please refer to the leaflet you got at the reception. Please enjoy your day!

訳

国際社会学学会の年次総会にようこそ。今日はとてもすばらしい日を予定しています。終日を通して，ジェンダー，階級問題，国内外移民問題に関するさまざまな講演を用意しております。ジェンダー問題についての講演は 301 号室で，階級問題と国内外移民問題の講演はそれぞれ 201，501 号室で開催されます。11 時に始まる階級問題の講演を除き，その他のそれぞれ一連の講演は 10 時半に始まります。詳細なスケジュールについては，受付でお渡ししたリーフレットをご覧ください。どうぞ一日お楽しみくださいませ。

状況：あなたは社会学の学会に参加している。あなたは階級問題についての学者の講演を聞くためにここにいる。あなたは次のアナウンスを聞く。

質問：あなたはどこへ行けばいいか。

1 11 時に 601 号室。
2 10 時半に 501 号室。
3 11 時に 201 号室。
4 10 時半に 301 号室。

ANSWER 3

解説

状況から，stratification issues「階級問題」がキーワードになっていることがわかる。このキーワードを頭に入れて聞く。4～5 文目で場所について，6 文目で開始時刻についてそれぞれアナウンスされている。場所で選択肢 **3** が正解だと判断できるが，respectively「それぞれ」がわからないときは選択肢 **2** か **3** に絞り，開始時刻を確認する。選択肢を見ると，開始時刻が 2 つ設定されている可能性も考えられるので，「10 時半」と聞いて答えを決めてしまわないようにしたい。6 文目を最後まで聞くと，except for「～以外」以下にキーワードが出現する。

Situation : You are on a flight to New York, where you will meet a connecting flight to Vancouver, Canada. You hear the following announcement from the captain.

Question : Where should you go?

1 Terminal C.
2 Gate B7.
3 Gate B35.
4 Gate B39.

Situation : You are at a shopping mall. You have purchased $195 worth of clothes today. You hear the following announcement.

Question : What should you do to gain any profits?

1 Go to the customer service desk with the receipt.
2 Show a clerk your photo ID.
3 Buy $5 batteries.
4 Buy $2 milk and $3 soap.

Situation : You already own a computer, but you want to buy another. The main reason you want a second computer is to write reports on the go. You will also do some work on the Internet with it. Your budget is $600. A clerk at the electric store tells the following.

Question : Which should you buy?

1 EQ-300.
2 EQ-350.
3 EQ-300 and the office work software.
4 EQ-350 and the office work software.

解答と解説

Track 37
No.4

放送文

Good morning passengers. This is your captain speaking. We are currently cruising at an altitude of 31,000 feet at an airspeed of 450 miles per hour. The weather is finally clearing up and the sky over New York is clear. We are trying to make up time due to the delay. However, we are still expecting to land in New York approximately 60 minutes behind our schedule. If you are connecting to Chicago, Denver, or Spokane, please notify one of the cabin attendants. The gate for Chicago is B7, and gates for Denver and Spokane are B35 and B39. Those of you who have an international connection flight, please go to the terminal C. We apologize for the inconvenience and thank you for flying with us.

訳

乗客の皆様，おはようございます。機長です。現在高度31000フィートを時速450マイルで飛行中です。やっと空模様がよくなってまいりまして，ニューヨーク上空は快晴です。遅れを取り戻そうとしておりますが，現在のところニューヨークには予定時刻よりおよそ60分遅れて到着の予定です。シカゴ，デンバー，スポケーンに乗り継ぎのお客様は，客室乗務員にご連絡ください。シカゴ行きの搭乗口はB7，デンバー，スポケーン行きの搭乗口はB35，B39です。国際線にお乗り換えのお客様はCターミナルにお越しください。ご迷惑をおかけして申し訳ございません。本日はご搭乗いただきまして，ありがとうございました。

状況：あなたはニューヨーク行きの飛行機に乗っている。あなたはニューヨークでカナダのバンクーバー行きに乗り換える予定だ。機長から次のアナウンスが流れる。

質問：あなたはどこに行かなくてはならないか。

1 Cターミナル。　**2** B7 搭乗口。
3 B35 搭乗口。　**4** B39 搭乗口。

ANSWER 1

解説

ニューヨークからカナダのバンクーバーに行くには，国際線に乗り換えなければならないことを頭に入れて聞く。9文目に国際線に乗り換える乗客への案内がある。“Those of you who have an international connection flight” が理解できなくても，その前の3都市すべてが目的地と違うことがわかれば，正解にたどり着ける。

Track 38
No.5

放送文

Thank you for shopping with us. Today, in addition to the special offers in each department, we are also offering a store-wide special. You will receive a 10% cash back if you purchase $200 or more. This offer is valid until August 31. Please be advised that any purchase of prescription medicine, groceries, and gift certificates will be excluded from the total amount. To be eligible for this offer, bring your receipts and photo ID to the customer service desk between 11:00 a.m. and 7:00 p.m. So enjoy your shopping!

訳

当店をご利用いただきましてありがとうございます。本日は各売り場の特価品に加え，全店舗による特別企画をご用意いたしております。200 ドル以上のお買い上げで，10 %分のキャッシュバックを受け取っていただけます。これは 8 月 31 日までの特別企画です。処方薬，食料品，商品券のお買い上げは合計金額から差し引かれますのでご了承ください。午前 11 時から午後 7 時までの間にレシートと写真付きの身分証明書をお客様サービスカウンターまでお持ちくだされば，このサービスを受けていただけます。どうぞお買い物をお楽しみくださいませ。

状況：あなたはショッピングモールにいる。今日あなたは 195 ドル分の衣類を購入した。あなたは次のアナウンスを聞く。

質問：得をするには何をしたらいいか。

1 レシートを持ってお客様サービスカウンターに行く。
2 店員に写真付きの身分証明書を見せる。
3 5 ドルの電池を買う。
4 2 ドルの牛乳と 3 ドルの石鹸(せっけん)を買う。

ANSWER 3

解説

200 ドルで 10 %のキャッシュバックがもらえる。あと 5 ドルで 200 ドルになるので，何かを買うと得になる。5 文目でサービス除外品がアナウンスされている。選択肢 **4** は，除外品である食料品(牛乳)を含んでいるので不可。

✔ 語句をチェック

prescription medicine　処方薬
groceries　食料品
gift certificate　商品券

放送文

You are at the right place. We have a wide selection of laptop computers. As a second computer if you are limiting your use to e-mailing, surfing the net, and simple office work, you may want to consider the EQ-350 and the EQ-300. Both weigh as light as 2.1 pounds, so these are the best options for travelers. The main difference between the two is the price. The EQ-350 is $550 and the EQ-300 is $400. It is because while the EQ-350 comes with the office work software, the EQ-300 doesn't. You can buy the software at our store or elsewhere. We have the most competitive price on the software in the market at only $250.

訳

お客様，ちょうどこちらでございます。私たちは幅広くノートパソコンを取りそろえております。2台目のパソコンとしてEメールや，インターネット，簡単な事務仕事程度のご使用を目的とされるのでしたら，EQ-350とEQ-300をご検討ください。どちらもたったの2.1ポンド(約950グラム)なので旅行には最適です。この2つの大きな違いは値段です。EQ-350は550ドルで，EQ-300は400ドルです。EQ-350には事務仕事用のソフトが付いてきますが，EQ-300には付いてこないからです。このソフトは当店や他店でもご購入いただけます。当店の値段はたったの250ドルで，市場でもっともお安くなっております。

状況：あなたはすでに1台パソコンを持っているが，もう1台買いたい。2台目のパソコンが欲しい主な理由は，出先で報告書を書くためだ。インターネットにもつなぐ予定である。予算は600ドル。電器店の店員が次のように言う。

質問：あなたはどれを買えばいいか。

1 EQ-300。
2 EQ-350。
3 EQ-300と事務仕事用のソフト。
4 EQ-350と事務仕事用のソフト。

ANSWER 2

解説

状況から，使用目的が書類作成(事務仕事)とインターネットであることがわかる。また，選択肢から，EQ-300とEQ-350の違いに注意して聞けばよいとわかる。5～7文目で2つの違いが述べられている。安いほうのEQ-300に事務仕事用のソフトを付けてもいいが，最終文から，ソフトは最安値でも250ドルで，本体と合計で650ドルとなる。予算オーバーなので，もともとソフトの入ったEQ-350を買うのがもっともよい選択である。

Real-Life形式の内容一致選択 留守番電話・音声ガイド・ラジオ

Each passage will have one question. Choose the best answer to each question.

No.1

Track 40

Situation : You work as a freelance interior coordinator. Currently you work only three days a week on Monday, Tuesday, and Thursday. Every Sunday night you take a French lesson. You've just returned home from your lesson, and you hear the following voice message.

Question : What is the best for you?

1 Meet Luke at 7:00 p.m. on Sunday.
2 Meet Tom at 6:00 p.m. on Wednesday.
3 Meet Tom and Luke at 7:30 on Wednesday.
4 Turn down Tom's offer.

No.2

Track 41

Situation : You live on the main street in Janesville. You need to go to the office in Apple City by car. You are listening to the radio.

Question : What should you do to get to the office as soon as possible?

1 Take Milford and Oregon street.
2 Take Country Road 41.
3 Take North High street.
4 Take I-45 westbound.

No.3

Track 42

Situation : You are a high school science teacher. You ordered a DVD to show to your students. You already paid for it, but today you get the following voice message on your phone.

Question : What should you do to get the money back?

1 Wait three to four weeks.
2 Go to DVDfans.com.
3 Call the provided number.
4 Put your name on the waiting list.

No.4

Track 43

Situation : You have just received a letter from the cable company to notify that they had not received this month's payment. However, your credit card balance indicated that you had paid. You call the cable company and receive the following message.

Question : Which button should you push?

1 2
2 3
3 4
4 0

解答と解説

Track 40

①解答時間10秒／問 **No.1**

それぞれの問いに対してもっとも適切なものを選びなさい。

放送文

Hi, this is Tom. I'm calling to let you know that Luke, the architect friend of mine you wanted to meet is in town now. Next Sunday we're going to a party celebrating the grand opening of a restaurant that he helped design. I think it would be a good opportunity for you both to meet. The party will start at 7:00 p.m. If Sunday doesn't work, I can set something up next week. As far as I know, Luke is free on Wednesday. If you want to meet him for dinner, let's plan on meeting around 7:00 p.m. Actually, to be safe, let's meet at 7:30 since I have to work until 6:00 p.m. Either way, please give me a call.

訳

やあ，トムです。君が会いたいと言っていた，友達で建築家のルークが今，町に来てることを知らせようと思って電話したんだ。次の日曜日，僕たちは彼がデザインに関わったレストランのグランドオープン祝賀パーティーに行くけど，2人が会ういい機会だと思って。パーティーは午後7時からだよ。もし日曜日が無理なら，来週何かお膳立てできる。僕の知る限りでは，ルークは水曜日は空いている。もし夕食を一緒にしたいのであれば，午後7時頃に会うことにしよう。あ，でも念のため，7時半にしよう。僕が6時まで仕事なんだ。どっちにしても僕に電話して。

状況：あなたはフリーランスのインテリアコーディネーターだ。現在月，火，木の週3日だけ働いている。毎週日曜日の夜にはフランス語のレッスンを受けている。レッスンからちょうど帰ってきたところで，次の留守番電話のメッセージを聞く。

質問：何があなたにとってもっともいいか。

1 日曜日の午後7時にルークに会う。
2 水曜日の午後6時にトムに会う。
3 水曜日の7時半にトムとルークに会う。
4 トムの提案を断る。

ANSWER 3

解説

選択肢の人名・時間・曜日を確認して聞く。トムの提案は，日曜日の7時からのパーティーか，水曜日の夕食。状況から日曜日は用事があるので，最適とは言えない。水曜日について，トムは最初「7時頃」と言っているが，その後，7時半と言い直していることに注意。

No.2

放送文

Good morning. Traffic seems to be a bit troublesome for many of this morning's commuters. First off, the construction on I-45 began at 5:00 a.m. this morning. The alternative route from Janesville to Apple City is Country Road 41, but it is backed up. It will probably take an hour and a half to get there. Making driving conditions even worse, an accident involving three cars occurred early this morning on North High street between the main street in Janesville and Country Road 41. The traffic around this area is almost stopped. You can take a detour on Milford and Oregon street to Apple City, but as more commuters are expected to choose this alternative, it will probably take an hour to get there.

訳

おはようございます。今朝は通勤する方々にとって少々，厄介な交通状況となっているようです。まず，I-45 での工事が今朝 5 時に開始されました。ジェインズビルからアップルシティーへの代替道路は国道 41 号ですが，ここは渋滞が起きています。アップルシティーまで 1 時間半ほどかかるでしょう。さらに走行条件を悪くするのは，ジェインズビルの大通りと国道 41 号をつなぐ，ノースハイストリートで早朝に起きた車 3 台を巻き込む事故です。この辺りの交通はほぼ停止しています。ミルフォードとオレゴンストリートを使ってアップルシティーに行けますが，多くの通勤ドライバーがその道を通ることが予想されるので，アップルシティーまで 1 時間ほどかかるでしょう。

状況：あなたはジェインズビルの大通りに住んでいる。あなたはアップルシティーのオフィスに車で行く必要がある。あなたはラジオを聞いている。

質問：できるだけ早くオフィスに着くにはどうしたらいいか。

1 ミルフォードとオレゴンストリートを使う。
2 国道 41 号を使う。
3 ノースハイストリートを使う。
4 西方面へ向かう I-45 を使う。

ANSWER 1

解説

選択肢がすべて道の名前なので，それぞれの交通事情についてしっかり聞く。また状況から，大通り沿いに住んでいることも確認しておく。工事中の道路に代わる道も渋滞で 1 時間半ほどかかる上に，大通りとの間で事故が起きている。したがって，1 時間ほどかかるが，最終文で示されたルートを行くしかない。

Track 42

No.3

(放送文)

Hi, this is Blake from DVDfans.com. Thank you for your order, Ms. Walker. Unfortunately, the title you ordered "The truth of the Amazon River" is out of stock. It is one of our most popular series and due to the large number of orders that came in last week, it is not available at this time. We placed your order on the waiting list and will ship it as soon as it arrives here. Please expect three to four weeks to complete your order. If you decide to cancel your order on this title, please contact us at 1-800-666-1234. Thank you very much for your business.

(訳)

こんにちは，DVDfans.comのブレークです。ウォーカー様，ご注文ありがとうございます。残念ながら，ご注文いただきました『アマゾン川の真実』は品切れとなっております。こちらは我が社の一番人気のシリーズでございまして，先週に入りました大量の注文のため，現在手に入らない状況になっております。ウォーカー様のご注文は順番待ちリストに載せましたので，入荷ししだい出荷させていただきます。ご注文の品を発送するには3，4週間かかります。もし，この商品の注文をキャンセルなさりたい場合は，1-800-666-1234にお電話ください。ご注文くださいましてありがとうございます。

状況：あなたは高校の科学教師だ。あなたは生徒に見せるためにDVDを注文した。すでに料金を支払ったが，今日，次のメッセージが留守番電話に残っている。

質問：返金してもらうにはどうしたらよいか。

1 3，4週間待つ。
2 DVDfans.comのウェブサイトに行く。
3 与えられた電話番号に電話する。
4 名前を順番待ちリストに載せる。

ANSWER 3

解説

返金してもらうには注文をキャンセルしなければならない，ということを念頭に置いて聞く。この問題では選択肢のすべてが本文中にちりばめられているので，自分の求める条件が出るまで落ち着いて聞く。

✔ 語句をチェック

out of stock　品切れ
due to ～　～のせいで，～が原因で

Track 43

No.4

放送文

Thank you for calling Global Cable. This is an automated guidance. In accordance with the guidance, please choose from one of the following options. To open an account, press 1. To disconnect the service, press 2. To report a service outage in your area, press 3. For questions about billing, press 4. For any other purposes, press 0 to talk to one of our customer service representatives. If you already have an account with us, please have your account number ready. Your call may be recorded due to quality assurance.

訳

グローバルケーブルにお電話いただきましてありがとうございます。これは自動ガイダンスです。音声ガイダンスにしたがって，次のオプションから選んでください。サービスを開始するには1を，解約するには2を，お住まいの地域でのサービスの停止を報告するには3を，請求書に関するお問い合わせは4を押してください。また，その他すべてに関するお問い合わせは，0を押して顧客サービス担当者とお話しください。すでにサービスをご利用のお客様は，アカウント番号をご用意ください。品質保証のためにお電話を録音させていただく場合がございます。

状況：あなたはたった今，ケーブル会社から今月分の支払いがまだである旨の手紙を受け取った。しかし，クレジットカードの残高によると，あなたはすでに支払い済みだ。ケーブル会社に電話すると次のメッセージが流れてくる。

質問：どのボタンを押せばいいか。

1 2　　**2** 3
3 4　　**4** 0

ANSWER 3

解説

料金未払いの手紙を受け取ったが，すでに支払ったことが確認できている，という状況から考えて，支払いについて問い合わせることが予測できる。「請求書に関する問い合わせ」が最適。音声ガイダンスでは，特に状況を事前に十分確認しておく必要がある。

✔ 語句をチェック

automated guidance　自動ガイダンス
in accordance with ～　～に従って
service outage　サービス停止

Column⑥ シャドーイングの発展練習法

スピーキングにつながるシャドーイング

聞こえた音声を自分の口が正確にコピーして再現できるように練習する！

①シャドーイング（バージョン2）

バージョン1 (p.250) よりも音声を正確に復唱することに意識を向けましょう。特にリズムやイントネーションが，聞こえる音声とズレないようにシャドーイングをします。

ICレコーダーなどで自分の声を録音し，あいまいにしか発音できていないところや，リズムや，イントネーションに不自然なところがないか確認してみましょう。

パラレルリーディング (p.250) 同様，音の連結・脱落・変化や発音しにくい単語などを個別に練習した後，自分の声を録音しながらシャドーイングをします。これを何度か繰り返し，音声を正確にコピー・再生できるよう訓練します。

意味に意識を向け，人に語りかけるようにシャドーイングするのがコツ！

次に，意味に意識を向けます。声のトーン，リズム，イントネーションなどでも意味を表現しながらシャドーイングを行います。自分がナレーターや俳優になったつもりで，場面や状況を思い浮かべ，抑揚をつけながら第三者に語りかけるように「なりきって」行うことが重要です。

録音した自分の声を聞く際は，「内容が伝わってくるか」「気持ちが込められているか」「説得力があるか」という点をチェックします。この練習は英語でのプレゼンテーションなどの上達にも役立ちます。

②リテリング

仕上げに，音声を再度聞きながらメモをとり，そのメモをもとに内容をスピーキングで再生します。単語や表現方法は変わっても構いません。

この練習は，TOEFLなどのスピーキングのほか「英検」準1級の二次試験対策にも有効なので，一次試験対策と並行して練習してみてください。

第6章

面　接

音声アイコンのある問題は、音声を聞いて答える問題です。
音声はスマホやパソコンでお聞きいただけます。詳細は3ページをご参照ください。

Pre-1st Grade

攻略メソッド

POINT

応答の内容や発音，語彙などに加え，積極的にコミュニケーションを図る姿勢も評価される。試験はすべて英語で行われるので，面接の流れを前もって把握しておくとよい。

面接の流れ

(1) **入室**
　指示に従って面接室に入る。面接委員に面接カードを手渡し，着席する。
(2) **氏名・受験級の確認と簡単な質問**
　面接委員が受験者の氏名・受験級の確認，簡単な質問をし，英語で答える。
(3) **面接カードの受け取りとナレーション準備**
　面接委員から問題カードを受け取り，ナレーションの内容を考える。**（1分）**
(4) **ナレーション**
　面接委員の指示に従い，ナレーションを始める。**（2分）**
(5) **質疑応答**　質問は４つ。
　１問目は「あなたがイラストの４コマ目の人物だったらどう思うか［言うか］」，２～４問目はイラストに関する話題について，受験者自身の意見を問うもの。
(6) **問題カードの返却と退室**
　試験後は問題カードを面接委員に返却し，退室する。

Method ① 入室時から面接は始まっている

面接委員とのやりとりも“Attitude”として採点の対象。入室したら，面接委員の目を見て“Hello.”と言おう。面接委員にカードを渡すときも，“Yes, here you are.”と言いながら渡す。しぜんな会話を心がけ，“Please have a seat.”や“Here is your card.”と言われたら，必ず“Thank you.”と返してから行動しよう。

無言はNG。**面接委員と積極的に会話する！**

Method ② 簡単な質問に答えてペースを作る

氏名などの確認の後によくある質問は次のとおり。

　What do you do for living? / Do you use English at work?
　How did you come here today? / How long did it take to come here?

２文程度**を目安に，質問の答えを準備しておく。**

ナレーション(2分)＋質問4。4コマのイラストを見て，その内容の説明と，関連する話題の質疑応答。

Method ③ ナレーションは指示文からブレない

問題カードに載っている，誰が何をしようとしているのかの説明文に沿ってストーリーを考えよう。

カードの下線部をしっかり読む。

Method ④ ナレーションは1コマ2文

ストーリーを考えないと，と思うと萎縮してしまいがちだが，各コマを順に描写すると考えよう。とても簡単な気がしてくるはず！

1コマの描写は2文，どうしても言いたいことがあればもう1文。

Method ⑤ 2コマ目以降は時間や場所を表す語句かつなぎ言葉で始める

2コマ目以降には a month later，in the park など，時間の経過や場所を示す語句が示されていることが多い。この語句を使って始めると描写しやすい。語句がない場合は then，after a while，so など，自分でつなぎ言葉を補う。

話のつながりを明確にし，まとまりのあるナレーションをする。

Method ⑥ 4コマ目には登場人物の感情を

4コマ目には登場人物が何かをした結果の感情が表されていることが多い。

締めくくりは，イラストの表情を参考に。

Method ⑦ 質疑応答は＋2文で。単純な内容でもよい

質疑応答は，あなた自身の意見を尋ねられる。あまり考えすぎず，答えやすい内容で答える。

文法的な誤りは最小限に。難しい表現を避けるのが鉄則。
yesまたはnoで答えられる質問 → 最初に必ずyesかnoで答える。
5W1Hの質問 → 具体的な答えとなる1文＋補足説明など支持文を2文程度。

Track 44～50

You have one minute to prepare.

This is a story about an old man who has never used a computer.
You have **two minutes** to narrate the story.
Your story should begin with the following sentence:
One day, at a family gathering, an old man's family showed him a lot of computer brochures.

Questions（以下は問題カードに記載されていません）

【No.1】
Please look at the fourth picture. If you were the old man's daughter, what would you be thinking?

【No.2】
Do you believe that computers are beneficial for human relationships?

【No.3】
Do you think that family ties are getting weaker these days than they were in the past?

【No.4】
Today, there are more options for family structures.
Do you think unmarried children should live with their parents until they get married?

解答と解説

⏱試験時間約８分

Track 46

ナレーションの例

One day, at a family gathering, an old man's family showed him a lot of computer brochures. ① The family recommended that he buy one. However, the man was hesitant. ② The next day, while he was taking a walk outside, he saw an electronics shop having a sale. Since it even came with a free printer, he decided to buy a computer. ③ For the next few weeks, he spent hours every day learning how to use the computer. It was very hard for him, but he tried his best. ④ A month later, on his birthday, he was able to video call with his grandchildren. Not only he, but also his daughter and his grandchildren were all happy. His daughter and grandchildren sang the happy birthday song for him.

訳

ある日，家族の集まりで，おじいさんの家族が彼にコンピューターのパンフレットをたくさん見せた。①家族は彼にコンピューターを買うよう勧めたが，彼は乗り気ではなかった。②次の日，彼は散歩の途中で電器店が安売りをしているのを見た。プリンターが無料でついてくるというので，彼はコンピューターを買うことに決めた。③それから数週間，彼はコンピューターの使い方の勉強に毎日何時間も費やした。たいへん難しかったが，彼は最善を尽くした。④1か月後，彼の誕生日に，彼は孫とのビデオ通話ができた。彼だけでなく娘や孫たちもみんな喜んでいた。彼の娘と孫たちは，彼のためにハッピーバースデーの歌を歌った。

Track 47

【No.1】

質問：4 番目のイラストを見てください。もしあなたが老人の娘だったら，何を考えているでしょうか。

解答例①

I would be thinking, "Dad, you should have learned how to use a computer earlier. I am happy that we can talk more often face-to-face."

訳 「お父さん。もっと早くコンピューターの使い方を習えばよかったのに。これでもっと頻繁に顔を見て話せるからうれしい」と考えているでしょう。

解答例②

I would be thinking that my dad and children looked really happy to talk face to face, and computers were very useful.

訳 父と子どもたちは顔を見て話せてとても喜んでいるようだし，だからコンピューターはとても役立つと考えているでしょう。

解説 イラストの，喜んでいる様子を踏まえて答える。間接話法が自信を持って使いこなせない場合は，解答例①のように直接話法で答えよう。

Track 48 【No.2】

質問：コンピューターは人間関係にとって有益だと思いますか。

解答例①

Yes, I do. As in these illustrations, computers can help connect people who are physically remote to each other. With computers people all over the world can communicate with each other.

訳 はい。これらのイラストが示すように，コンピューターは物理的には遠く離れている人たちをつなぐ手助けができます。コンピューターによって，世界中の人たちが互いに意思の疎通ができます。

解答例②

No, I don't. Nowadays people spend more time on computers than talking to people. We can now even do shopping with computers without talking to people. Our lives have gotten more convenient, but our human relationships shallower.

訳 いいえ。近頃ではコンピューターの前にいる時間のほうが，人と話す時間より多くなっています。今やコンピューターがあれば，人と話すことなく買い物すらできてしまいます。生活はより便利になったけれども，人間関係は希薄になりました。

解説 まずYesかNoを述べる。理由は世間一般で言われているもので構わない。難しい内容でなくても，それぞれの答えを的確に支持し，説得力のある内容となるように答えることが大切。

【No.3】

質問：家族のつながりは昔に比べて弱くなっていると思いますか。

解答例①

Yes, I do. There are more elderly people who live alone than before. In the past, three generations often lived together. But our houses are smaller these days, which makes it difficult for three generations to live together.

訳 はい。以前に比べ一人暮らしをする老人が増えています。昔は三世代同居というのがよくありました。しかし，近頃の家は以前より小さいので三世代同居を難しくしています。

解答例②

No, I don't. Since people do not have as many children as before, people now have closer relationships between children and parents. It's much easier to take days off from work for children than it was in the past, too.

訳 いいえ。以前ほど子どもを持たなくなったので，子どもと親との絆（きずな）は強まっています。昔に比べ，子どものための仕事の休みもかなり取りやすくなっています。

解説 質疑応答は答えプラス2文が基本。Yes/Noの理由＋補足情報の構成がよい。

【No.4】

質問：今日では，家族形態の選択肢が増えています。結婚していない子どもたちは結婚するまで親と同居すべきだと思いますか。

解答例①

Yes, I do. By living with their parents, people can save money. They can spend that money to start a new life. So, I believe it is a good idea.

訳 はい。親と同居することでお金を貯（た）めることができます。そのお金で新生活を始められるので，いい考えだと思います。

解答例②

No, I don't. People should live by themselves before getting married. That way, they can learn basic skills such as cooking and cleaning.

訳 いいえ。結婚前に一人暮らしをすべきだと思います。そうすれば，料理や掃除といった基本的なことを身につけることができます。

解説 「～すべきだと思うか」の質問にはcanやshouldを使って答えるとよい。

第6章 面接

音声はスマホやパソコンでお聞きいただけます。詳細はp. 3をご覧ください。

この項の使い方

最初に左ページの英文を使い，Column⑤（p.250）で紹介した方法で，リスニング → シャドーイング → パラレルリーディング　の順に進めます。パラレルリーディングの前後で，英文を赤シートで隠し，空所部分の音を拾えているか確認してみましょう。自動的に，リズムよく音が聞き取れているかが確かめられます。

右ページの ✔ 語句をチェック では，よく耳にするが聞き取りにくい表現のほか，英文の中で問いの答えとなりそうな箇所に下線を引いています。シャドーイングに慣れてきたら，これらの英文のキーワードが聞き取れているか，右ページの英文を使って確認しましょう。また，内容を理解する補助としても活用してください。

Reconsideration of "This is Japan"①

Track 52, 53

What was the first English sentence you learned when you were in junior high school? For people in their 20s or 30s or younger, it might have been, "Nice to meet you," "I'm Maria," "My name is Shelly," or something else you could use when you meet someone for the first time.

For most people in their 40s or 50s, however, the first sentence they encountered may have been one that is now infamous among progressive Japanese teachers of English: "This is Japan." It's very easy to criticize such expressions as awkward, old-fashioned, unnatural. But is it possible to find a context in which someone could use this sentence?

英文解説

全文訳

「ここは日本です」に関する再考①

中学校でならった最初の英文は何だろう。20 代か 30 代，あるいはそれより若い人々にとっては，おそらく「はじめまして」や「私はマリアです」，「私の名前はシェリーです」，または初めて誰かに会ったときに使うことができる，何か他の表現だろう。

しかし，40 代か 50 代の多くの人々にとって，最初に出合った文は，今や進歩的な日本人英語教師の間で悪名高い一文だったかもしれない。それは「ここは日本です」である。そのような表現をぎこちないとか，古くさいとか，不自然だと批判するのはとても簡単だ。しかし，この文を使うことができる状況を見つけることは可能だろうか。

✔ 語句をチェック

What was the first English sentence you learned when you were in junior high school? For people in their 20s or 30s or younger, it might have been (～だったかもしれない), "Nice to meet you," "I'm Maria," "My name is Shelly," or something else you could use (あなたが使える何か他のもの) when you meet someone for the first time (初めて).

For most people in their 40s or 50s, however, the first sentence they encountered may have been one that is now infamous amongprogressive Japanese teachers of English (進歩的な日本人英語教師): "This is Japan." It's very easy to criticize such expressions as awkward, old-fashioned, unnatural (ぎこちない，古くさい，不自然だとして). But is it possible to find a context in which someone could use this sentence?

シャドーイング

音声はスマホやパソコンでお聞きいただけます。詳細はp. 3をご覧ください。

Reconsideration of "This is Japan"②

Track 54, 55

"This is Japan." is infamous because progressive teachers cannot imagine a situation in which this expression could actually be used in communication. They also claim that saying "This is Japan." while pointing to a map is not appropriate for the academic achievement level of junior high students. This may be true, but some contexts might exist in which this sentence makes perfect sense. Even though such notorious sentences as this persist as examples in junior-high and senior-high textbooks, there must be some times when those expressions would sound natural.

英文解説

全文訳

「ここは日本です」に関する再考②

「ここは日本です」が評判が悪いのは，進歩的な教師たちがこの表現を実際にコミュニケーションで使える状況を想像できないからだ。また，彼らは「これは日本です」と地図を指しながら言うことは，中学生の学力レベルにふさわしくないとも主張する。これはそのとおりだろう。しかし，この文が完璧な意味を持つ状況が存在するかもしれない。このような悪名高い文が中学校や高校の教科書の例文として残っているのだが，これらの表現がしぜんに聞こえる場合もあるはずなのだ。

✔ 語句をチェック

"This is Japan." is infamous because progressive teachers cannot imagine a situation in which this expression could actually be used in communication. They also claim that saying "This is Japan." while pointing to a map is not appropriate for the academic achievement level of junior high students. This may be true, but some contexts might exist in which this sentence makes perfect sense. Even though such notorious sentences as this persist as examples in junior-high and senior-high textbooks, there must be some times when those expressions would sound natural.

- in which this expression could actually be used in communication：この表現を実際にコミュニケーションで使うことができる
- some contexts might exist：いくつかの状況があるかもしれない
- Even though such notorious sentences as this persist：このような悪名高い文が残っているのだが
- those expressions would sound natural：これらの表現がしぜんに聞こえる

シャドーイング

音声はスマホやパソコンでお聞きいただけます。詳細はp. 3をご覧ください。

Reconsideration of “This is Japan”③

Here is one situation in which “This is Japan.” would make perfect sense: You and your friend are Japanese. You’re in a cafe with a friend of yours who has lived in the U.S. for more than 30 years. Both of you speak English and Japanese. No native speakers are with you, but your friend starts to speak English. In this situation, you could say: “This is Japan.” In order to avert attention of the customers your friend attracted, you could encourage your friend to speak Japanese pointing out this is, in fact, Japan.

英文解説

全文訳

「ここは日本です」に関する再考③

これが,「ここは日本です」が完璧な意味を持つ状況である。あなたとあなたの友達は日本人だ。あなたはアメリカに 30 年以上住んでいる友達とカフェにいる。あなた方は 2 人とも英語も日本語も話せる。英語のネイティブスピーカーは同席していないが,あなたの友達は英語で話し始める。このような場合,あなたは「ここは日本だよ」と言うことができるだろう。友達が引いてしまった他の客の注意をそらすために,友達に実際ここは日本だと指摘することで,日本語を話すように促すことはありうる。

✔ 語句をチェック

Here is one situation in which "This is Japan." would make perfect sense: You and your friend are Japanese. You're in a cafe with a friend of yours who has lived in the U.S. for more than 30 years (アメリカに 30 年以上住んでいるあなたの友達と). Both of you speak English and Japanese. No native speakers are with you, but your friend starts to speak English. In this situation, you could say: "This is Japan." In order to avert attention of the customers your friend attracted (友達が引いてしまった客の注意をそらすために), you could encourage your friend to speak Japanese pointing out this is, (実際,) in fact, Japan. (ここは日本だ)

接頭辞・接尾辞・語根別単語リスト

pre-：～以前の，あらかじめ	
☐ precede	先行する
☐ precaution	用心，予防策
☐ prejudice	偏見，先入観
☐ preliminary	予備の

pro-：前の，前へ	
☐ profess	公言する
☐ proclaim	宣言する
☐ provoke	引き起こす，怒らせる
☐ proceed	進む，向かう
☐ prominent	突き出た，著名な

ob-，of-，op-：～に反対して	
☐ obstinate	頑固な
☐ obstruct	塞ぐ
☐ offend	感情を害する
☐ oppress	圧迫する，迫害する

sub-，sus-：下，副，補欠	
☐ subsequent	後の，次の
☐ substitute	代用品，代理
☐ subordinate	補助的な
☐ submissive	服従的な
☐ sustain	支える

inter-：～の間，相互に	
☐ intersection	交差
☐ interpret	解釈する，通訳する
☐ interfere	じゃまする

trans-，tran-：越えて，貫いて	
☐ transmit	送る，伝染させる
☐ transplant	移植する
☐ transparent	透明な

para-：そばに	
☐ parallel	平行の
☐ parasite	寄生虫

per-：～を通して，完全に	
☐ perspire	汗をかく
☐ perceive	知る，理解する
☐ perspective	見通し

ab-，abs-：離れて	
☐ absorb	吸収する
☐ abrupt	突然の
☐ abduction	誘拐
☐ abstract	抽象的な

super-：上位，超過，過度，超越	
☐ supervise	監督する
☐ superficial	表面的な
☐ superfluous	過分の，十二分な

uni-：1つ	
☐ unit	１個，１人
☐ unification	統合
☐ unison	調和，一致

ex-：～から外へ	
☐ expel	排出する，追放する
☐ extract	引用する，引き抜く
☐ exclude	締め出す，除外する
☐ exile	追放，亡命者

auto-：自身の	
☐ autobiography	自伝
☐ autograph	サイン，自筆
☐ autonomy	自治権

mono-：単一	
☐ monopolize	独占する
☐ monotonous	単調な

chron(o)-：時	
☐ chronological	年代順の
☐ synchronize	同時に起こる

contra(o)-：逆，反対	
☐ contrast	対照，相違
☐ contradict	否定する
☐ controversial	論争の

-fy：～にする，～になる（動詞を作る）	
☐ clarify	明らかにする
☐ falsify	偽造する
☐ intensify	強める，増す
☐ magnify	拡大する

-ance：性質・行為・状態（名詞を作る）	
☐ arrogance	横柄さ，尊大さ
☐ fragrance	よいにおい
☐ avoidance	回避
☐ utterance	発すること

-ible：～できる	
☐ feasible	実行できる
☐ accessible	接近できる
☐ audible	聞き取れる

-logy：言葉，～学，～論	
☐ cosmology	宇宙論
☐ analogy	類推，推論

-less：～のない	
☐ reckless	向こう見ずな
☐ witless	知恵のない
☐ ceaseless	絶え間のない

cap，cup(＝catch)：とらえる	
☐ capacity	能力，定員
☐ capsize	転覆させる
☐ occupy	占有する

fin(＝finish)：終わる，境界	
☐ define	定義する，限定する
☐ confine	制限する，閉じ込める
☐ infinite	無限の

mo，mot(＝move)：動く，動かす	
☐ demote	降格する
☐ remote	遠方の
☐ mobilize	動員する

vers，vert(＝turn)：回る，変える	
☐ adverse	反対する，逆方向の
☐ conversion	転換，転向
☐ inversion	逆，反対
☐ divert	方向転換する

tain，ten(＝hold)：保つ	
☐ obtain	手に入れる
☐ retain	保持する
☐ maintain	維持する，保つ
☐ detention	勾留

duo(＝two)：2つ	
☐ duplicate	～を複写する，複製
☐ dubious	疑わしい

dic(＝tell)：言う	
☐ dictate	書き取らせる
☐ predict	予言する
☐ jurisdiction	司法権

medi(＝middle)：中間	
☐ medieval	中世の
☐ mediocre	良くも悪くもない

10年分を総チェック!

試験に出た単語・熟語リスト

本書の第1章とこのリストをおさえれば，過去10年間に「語句空所補充」でよく出た単語・熟語をカバーできます。

単語

	単語	例文
☐	**abandon** ～をあきらめる,捨てる	He did not want to **abandon** his dream of becoming a doctor. 彼は医者になるという夢**をあきらめ**たくなかった。
☐	**abort** ～を中止する,失敗する	The launch of the new rocket prototype was **aborted** due to low visibility. 新型ロケット試作機の打ち上げは視界不良のために**中止さ**れた。
☐	**abound** あふれている	Rumors **abound** as to why the coach was suddenly fired. その監督がなぜ突然解任されたかについてのうわさが**飛び交っている**。
☐	**abridged** 要約[簡略化]された	To save time, he read the **abridged** version of the book before the discussion. 時間を節約するために，彼は議論の前にその本の**簡略**版を読んだ。
☐	**abundant** 豊富にある	The country depends on its **abundant** natural resources for its revenue. その国は，歳入源を**豊富な**天然資源に頼っている。
☐	**accumulate** 蓄積する	As a professional athlete, he **accumulated** wealth over his short career. プロのアスリートとして，彼は短いキャリアで富**を蓄えた**。
☐	**acknowledgement** 感謝	In **acknowledgement** of her performance, the company gave her a watch. 彼女の功績に対する**感謝**の印として，会社は彼女に腕時計を贈呈した。
☐	**acute** (痛みが)激しい	A man who fell, claiming **acute** pain in his chest, was rushed to the hospital. 転落した男性は，胸に**激しい**痛みを訴えたので，急いで病院へ運ばれた。
☐	**adaptation** (小説,戯曲などの)改作	Most critics viewed the novel was not suitable for **adaptation** for the screen. ほとんどの批評家たちはその小説は映画への**改作**には向かないと考えていた。
☐	**adequate** (かろうじて)十分な	My father left me **adequate** money. 私の父は私に**十分な**お金を残した。
☐	**admission** 入学,入場	Erica obtained the **admission** to the university. エリカは，その大学へ**入学**を認められた。
☐	**adverse** 逆の,不都合な	The law turned out to have **adverse** impacts on minority groups. その法律は，マイノリティーグループにとって**不利な**結果をもたらすことが明らかになった。
☐	**allegation** (証拠のない)主張,疑惑	He denied all the **allegations** about his involvement in the embezzlement. 彼は，横領への関与について全ての**疑惑**を否定した。
☐	**alteration** 修正,変更	**Alterations** of a contract shall not be made without permission. 契約の**変更**は許可なしでは認められない。
☐	**alternate** 交互にする[来る]	The patient often **alternated** between anxiety and depression. その患者は，しばしば不安と憂うつ状態を**交互に繰り返した**。
☐	**altitude** 高度,標高	When you reach a high **altitude**, you may get sick. 高い**標高**に到達したときに気分が悪くなるかもしれない。
☐	**ambiguous** あいまいな	The expression on her face was **ambiguous**. 彼女の表情は**あいまいだ**った。
☐	**amendment** 改正	Some people think that an **amendment** to the constitution is needed. 憲法の**改正**が必要だと思う人もいる。
☐	**ample** 十分な	They did not have **ample** evidence to arrest the actor for illegal drug use. 彼らにはその俳優を不法薬物使用で逮捕する**十分な**証拠がなかった。
☐	**anarchy** 無政府状態,無秩序	In **anarchy**, people's lives and properties are not protected. **無政府状態**では，人々の生命も財産も守られない。
☐	**annoyance** いらだたしさ,煩わしさ	Jane keeps turning down the air conditioner and it is an **annoyance** for me. ジェーンはいつもエアコンを弱める，私にはそのことが**いらだたしい**。
☐	**anonymously** 匿名で	Anybody could **anonymously** call the police tip line. 誰でも警察の情報窓口の番号に，**匿名で**かけることができた。
☐	**apparent** 明白な	It was **apparent** that Jack was not impressed by Dr. Clark's lectures. ジャックがクラーク博士の講義に感心していないことは**明らかだ**った。

☐ **applicable** 該当する	When not **applicable**, please write down N/A in the box. **該当し**ない場合はチェック欄にN/Aと書いてください。
☐ **appreciative** 感謝して	The boss was **appreciative** of his team's effort to double the sales. 上司は売り上げを倍増させた自分のチームの努力に**感謝し**た。
☐ **apprehension** 不安,心配	He was under the **apprehension** that he was going to lose his job. 彼は失業するのではないかと**心配**だった。
☐ **arc** 弧	After flying in an **arc**, the ball he kicked fell in front of me. 彼が蹴ったボールは**弧**を描いて飛んだあと，私の前に落ちた。
☐ **archaic** 旧式の,古い	The new president decided to get rid of some **archaic** practices. 新社長はいくつかの**古い**慣習を廃止する決定をした。
☐ **arouse** (感情,疑念など)を呼び起こす	When you see any behaviors that **arouse** your suspicion, please contact us. 怪しいと**思われる**行動を見かけたら，私たちに知らせてください。
☐ **array** 一群,勢ぞろい	To manufacture this product, a wide **array** of raw materials are used. この製品を作るには，幅広い**種類**の原材料が使われる。
☐ **ascent** 登ること,上昇	Their **ascent** of the mountain was hindered by an avalanche. 彼らのその山への**登頂**は，雪崩によって妨げられた。
☐ **ascertain** ～を確かめる	It is difficult for anyone to **ascertain** what will happen in the future. 誰にとっても未来に起こること**を確かめる**ことは難しい。
☐ **aspire** 切望する	Helen Keller is what I **aspire** to be. ヘレン・ケラーのような人に私はなりたいと**切望している**。
☐ **astray** 行方不明で,道を逸れて	Fortunately the typhoon's course went **astray**. 幸運にも，台風はコースを**逸れ**た。
☐ **attribute** ～のせいにする	Don't **attribute** your mistake to misfortune or others. 自分のミスを不運や他の人**のせいにする**な。
☐ **authorize** ～を認可する	The law **authorizes** the police to listen in to criminals' phone calls. その法律は，警察が犯罪者の通話を盗聴するの**を認める**ものである。
☐ **autobiography** 自叙伝	His dream was to write an **autobiography** after his retirement. 彼の夢は引退後に**自叙伝**を書くことだった。
☐ **autonomy** 自治(権)	At this school, **autonomy** of students is limited. この学校では生徒の**自治権**は限られている。
☐ **autopsy** 検死,解剖	An **autopsy** is performed to find out the cause of death. 死因を突き止めるために**検死**が行われる。
☐ **axis** 軸	Not every planet that rotates on its own **axis** spins from west to east. **自転**する惑星がすべて西から東へ回転しているわけではない。
☐ **ballot** 投票	He cast his **ballot** for the first time and thanked those who fought for the right. 彼は初めて**投票**して，その権利のために闘った人々に感謝した。
☐ **barren** 不毛の	The farmer's land was **barren**, so he was unable to harvest any crops. 土壌が**不毛だ**ったので，その農民は作物を収穫することができなかった。
☐ **batch** (生産,処理の)1回分,1群	Emily found a **batch** of newspapers in her grandmother's mailbox. エミリーは，祖母の郵便受けに新聞の**束**を見つけた。
☐ **bewilder** ～を当惑させる	The complicated train and subway systems of Tokyo often **bewilder** visitors. 東京の複雑な鉄道網や地下鉄網は訪問者**を当惑させる**。
☐ **bias** ～に偏見を持たせる	To avoid a **biased** decision, the company hired the third-party observer. **偏った**決定を回避するために，会社は第三者の立会人を雇った。
☐ **bid** 努力,企て	The company made a **bid** to win the contract. その会社は契約を勝ち取ることを**目指し**た。
☐ **bind** 縛る,拘束する	This agreement is **binding** and carries penalties for breach of contract. この協定には**法的拘束力**があり，契約に違反すると罰則が与えられる。
☐ **biographical** 伝記の	Reading **biographical** novels of famous people is interesting. 有名人の**伝記**小説を読むことはおもしろい。
☐ **blaze** 炎,火事	The fierce **blaze** had already spread to the nearby residential area. 激しい**炎**はすでに近くの住宅地に広がっていた。
☐ **blockade** 封鎖	A **blockade** of the country's border caused some issues. 国境の**封鎖**が問題を引き起こした。
☐ **boast** 自慢する	Truly smart people do not **boast** about their intelligence. 本当に賢い人は自分の知性を**自慢し**ない。
☐ **boost** 励まし,上昇	A **boost** in approval rating encouraged the prime minister to introduce the budget. 支持率の**上昇**を受けて，総理大臣は予算案を提出した。

☐ **botanical** 植物(学)の
Admission fee is required to enter the **botanical** garden.
植物園に入るには入場料が必要だ。

☐ **botany** 植物学
As a specialist in **botany**, Mr.Kim knows a lot about African plants.
植物学の専門家として，キム氏はアフリカの植物についてよく知っている。

☐ **breach** 違反
To avoid a **breach** of contract, you should read the contract thoroughly.
契約に**違反すること**を避けるために，契約書をしっかり読むべきだ。

☐ **bribery** 贈賄
Sending a gift to a voter is considered an act of **bribery**.
有権者に贈り物を送ることは**贈賄**行為とみなされる。

☐ **brochure** パンフレット,小冊子
Company **brochures** are mailed to anybody who requests one by email.
Ｅメールで頼めば，誰でも会社の**パンフレット**を郵送してもらえる。

☐ **burglary** 強盗,侵入窃盗
There was a **burglary** at one of the houses on our block.
同じ区画の1軒が**強盗**に遭った。

☐ **buzz** ざわめく
The auditorium **buzzed** with excitement as the singer appeared on the stage.
その歌手がステージに登場すると，観客席は興奮で**騒がしくなった**。

☐ **calamity** 大災害
After the earthquake, the town suffered another **calamity**.
地震のあと，その町は別の**大災害**に苦しんだ。

☐ **captive** 捕虜になった,閉じ込められた
Prisoners of war are those who are held **captive** by the enemy during a war.
戦争捕虜とは，戦争の間，敵国の**捕虜になって**いる人のことである。

☐ **casualty** 死傷者
While many cars were involved in the accident, there were no **casualties**.
多くの車がその事故に巻き込まれたが，**死傷者**は1人もいなかった。

☐ **cease** やめる
The verbal attacks from both sides need to **cease** before they work together.
両者からの言葉による攻撃は，共同で作業をする前に**やめる**必要がある。

☐ **censor** ～を検閲する
Everything is **censored** in the country.
その国ではなにもかも**検閲さ**れる。

☐ **charitable** 慈善の
A leader of a **charitable** organization took money from the elderly.
慈善団体のリーダーは，お年寄りからお金を取った。

☐ **chatter** (たわいもない)おしゃべり
There was **chatter** and laughter.
たわいもないおしゃべりや笑い声がしていた。

☐ **circulate** 回覧する,送る
A petition was **circulated** among parents.
嘆願書が保護者の間で**回覧さ**れた。

☐ **cite** ～を引き合いに出す
The report by the committee **cited** many negative effects of the incinerator.
委員会の報告書では，焼却炉の多くの悪影響が**例に挙げられていた**。

☐ **classify** ～を分類する
When dealing with information **classified** as confidential, be extra careful.
機密と**分類された**情報を扱う際には，特に注意しなさい。

☐ **clerical** 事務の
Some people disregard **clerical** work as unimportant.
事務の仕事を重要でないと思う人がいる。

☐ **clumsy** 不器用な
You dropped your smartphone again! You're so **clumsy**!
またスマートフォンを落としたの！　あなたは本当に**不器用**ね！

☐ **clutter** 混乱状態
If you have kids, it is difficult to avoid having **clutter** in your house.
子供がいると，家の中が**散らかった状態**になるのを避けるのは難しい。

☐ **collaborate** 協力する
Some scholars from seemingly unrelated disciplines **collaborated** on the project.
無関係に見える分野の学者たちが，プロジェクトで**協力した**。

☐ **compatible** 相性がいい
She does not seem to be **compatible** with her new boss.
彼女は新しい上司と**相性がいい**ように見えない。

☐ **compelling** 説得力のある
The defense lawyer made a **compelling** argument for his client's innocence.
被告弁護人は，依頼人の無罪を訴える**説得力のある**主張をした。

☐ **compensate** 補償する
Companies need to **compensate** the victims injured while using their products.
企業は，その企業の製品を使用中に負傷した被害者**に補償する**必要がある。

☐ **composed** 冷静な
She looked **composed** when she heard the news of her husband's death.
夫の死の知らせを聞いたとき彼女は**冷静に**見えた。

☐ **compulsory** 義務の,必修の
Albert failed the French class, which was **compulsory**.
アルバートは，**必修の**フランス語のクラスを落とした。

☐ **concede** ～を認める
We all **concede** that lying is wrong.
私たちはみなうそはよくない**と認めている**。

☐ **conceited** うぬぼれた
If you talk only about yourself, you may seem **conceited**.
自分のことばかり話していると，**うぬぼれている**ように思われるかもしれない。

☐ **concession** 譲歩
The management agreed to allow two additional sick-leave days as a **concession**.
経営陣は**譲歩**として，病気休暇を2日追加することを認めた。

☐ **condensation** 結露,凝結	The **condensation** caused by the humidifier dampened the curtains. 加湿器によってできた**結露**でカーテンが湿った。
☐ **conditional** 条件付きの	They gave Monica **conditional** permission to work at home. 彼らはモニカに**条件付きで**在宅勤務を認めた。
☐ **confer** (資格,称号など)を与える	The Mayor **conferred** the honorary citizen award to Ms. Havel. 市長はヘーベルさんに，名誉市民の称号**を贈った**。
☐ **confirmation** 確認	Ms. Knox kept the written **confirmation** of receipt of the application. ノックスさんは，願書の受け取りの**確認**書を取っておいた。
☐ **conflict** 矛盾する	Alec has **conflicting** emotions about his promotion. アレックは昇進について**矛盾する**気持ちを抱えている。
☐ **conform** 従う,一致する	Every worker has to **conform** to the company's safety guidelines. 従業員はすべて，会社の安全基準に**従わ**なければならない。
☐ **congestion** 混雑	The city announced a plan to expand the highway to ease traffic **congestion.** 市は交通**渋滞**の緩和のために高速道路を拡張する計画を発表した。
☐ **consecutive** 連続した	Their five **consecutive** losses killed any chance of going to the championship. 彼らは5回**連続で**負けたことで，決勝に進む可能性が完全に閉ざされた。
☐ **consensus** (一致した)意見	It took only 90 minutes for the jury to reach a **consensus.** 陪審員団が**合意**に達するのにわずか90分しかかからなかった。
☐ **conservation** (自然･資源などの)保護	As a water **conservation** effort, we are allowed only a 5-minute shower time per person. 水資源**保護**の取り組みの1つとして，私たちは1人につき5分のシャワー時間しか許されていない。
☐ **considerate** 思いやりのある	We should be **considerate** to others in social settings. 私たちは社会的な場では他の人に**思いやりを持つ**べきである。
☐ **consolidate** ～を強化する,強固になる	The military regime **consolidated** its power. 軍事政権は権力**を強化した**。
☐ **conspiracy** 陰謀	The president of the company prevented a **conspiracy** against the company. 会社の社長は，会社に対する**陰謀**を未然に防いだ。
☐ **conspire** 共謀する	Five men were arrested for **conspiring** a terrorist attack in the subway. 5人の男が，地下鉄でのテロ攻撃**を計画し**たことで逮捕された。
☐ **contaminate** ～を汚染する	Some **contaminated** food had been processed on the production line. その生産ラインで**汚染された**食品が加工された。
☐ **contemporary** 現代的な	Kira is not a big fan of **contemporary** art. キラは**現代**芸術があまり好きではない。
☐ **converge** 集まる	Many accidents happen at the junction where two busy streets **converge.** 2つの交通量が多い道が**合流する**交差点では多くの事故が起こる。
☐ **convey** ～を伝える	Ms. Kim asked me to **convey** her deepest condolences to my family. キムさんは私に，ご家族に心からの哀悼**をお伝え**くださいと言った。
☐ **convince** ～を説得する,納得させる	Olivia spent months to **convince** her parents to let her study abroad. オリビアは数か月かけて，留学させてくれるように両親**を説得した**。
☐ **corrupt** 堕落した	The country's politics are **corrupt.** その国の政治は**腐敗してい**る。
☐ **courtesy** 礼儀	You should bring a small gift as a matter of **courtesy.** **礼儀**としてちょっとした贈り物を持参する方がいい。
☐ **coverage** 報道	Only a handful professional athletes receive much of the media **coverage.** メディアで大きく**報道**されるのはほんの一部のプロ選手だけだ。
☐ **cramp** けいれん	Julia had an unbearable **cramp** in her stomach. ジュリアはお腹に耐えられない**けいれん**を感じた。
☐ **crave** 切望する	It is natural that people **crave** peace and happiness. 人々が平和と幸福**を切望する**のは当然だ。
☐ **crook** ～を曲げる	The first thing he saw was a **crooked** painting on the wall. 彼が最初に見たものは壁の**かたむいた**絵だった。
☐ **crumble** 崩壊する	His exit from the team was the sign that the project was about to **crumble.** 彼がチームをやめたことは，そのプロジェクトがまさに**崩壊する**前触れだった。
☐ **curfew** 戒厳令,門限	The government issued a **curfew** for its citizens after a coup. 政府はクーデターのあと国民への**戒厳令**を発令した。
☐ **cynical** 皮肉な	The union members have **cynical** views of the management. 組合員たちは，経営陣に対して**皮肉な**見方をしている。
☐ **daring** 向こう見ずな	Her decision to climb Mt. Everest at the age of 80 was considered **daring.** 彼女が80歳でエベレスト山に登頂する決心をしたのは**向こう見ずだ**と思われた。

☐ **deceased** 死亡している
The charges were dropped because the suspect was **deceased**.
容疑者が**死亡して**いたため，告訴は取り下げられた。

☐ **decency** 良識,品位
Not having any sense of **decency**, he stole money from one of his friends.
全く**良識**もなかったので，彼は友達の1人からお金を盗んだ。

☐ **deception** 詐欺,だますこと
He obtained 10 million dollars by **deception**.
彼は**詐欺**によって1000万ドルを手に入れた。

☐ **decisive** 決定的な
With nobody accumulating 50% of the points as he did, his victory was **decisive**.
彼が獲得した得点の50%を獲得した人が誰もいなかったので，彼の勝利は**決定的だ**った。

☐ **dedication** 貢献
The nurse's **dedication** to improving the condition of patients was remarkable.
患者の病状回復への看護師の**貢献**はすばらしかった。

☐ **deduct** ～を差し引く
This law allows people to **deduct** their medical expenses from their taxes.
この法律によって，人々は税金から医療費**を控除する**ことが認められる。

☐ **deficient** 欠けている
She is **deficient** in common sense.
彼女は常識が**欠けている**。

☐ **defy** ～に従わない
The current administration **defies** any bills passed by the previous administration.
現政権は前政権が可決したどんな法案にも**従わない**。

☐ **deliberately** 意図的に
He **deliberately** walked slowly to gather their attention.
彼らの注目を集めるために，彼は**意図的に**ゆっくりと歩いた。

☐ **dent** へこみ
Lisa found a **dent** in the door of her car.
リサは自分の車のドアに**へこみ**を見つけた。

☐ **depiction** 描写
The writer gave a faithful **depiction** of ordinary people's lives.
その作家は，一般の人々の暮らしを忠実に**描写**した。

☐ **destine** ～を運命づける
She seemed **destined** to be an Olympic athlete.
彼女はオリンピック選手になること**を運命づけられて**いるように思われた。

☐ **detach** ～を切り離す
Please sign on the bottom half of the sheet and **detach** it.
シートの下半分にサインをして，**切り離して**ください。

☐ **detain** ～を勾留する
People **detained** here will shortly be deported to their countries.
ここに**勾留されている**人々は，間もなく母国へ強制送還される予定である。

☐ **devastate** ～を破壊する
The hurricane **devastated** the town.
ハリケーンは町**を壊滅させた**。

☐ **devastation** 荒廃
The **devastation** caused by the typhoon was beyond description.
台風がもたらした**荒廃**は言葉では表せないものだった。

☐ **diagnose** ～を診断する
When Kent was **diagnosed** with cancer, he accepted he would not live long.
ケントはガン**と診断**されたとき，長くは生きられないことを受け入れた。

☐ **digest** 消化する
Don't feed babies with fiber-rich vegetables since they cannot **digest** them.
赤ちゃんは食物繊維が豊富な野菜**を消化する**ことができないので，与えてはいけない。

☐ **diligent** 勤勉な
The new trainer at the gym is very **diligent**.
ジムの新しいトレーナーはとても**勤勉だ**。

☐ **diligently** 真面目に
I **diligently** follow the strict diet my doctor recommended.
私は**真面目に**医者から勧められた厳しい食事療法を守っている。

☐ **diploma** 学位,卒業(証書)
Gary found out that he could receive his university **diploma** by mail.
ゲイリーは，大学**卒業証書**を郵便で受け取れるとわかった。

☐ **disastrous** 悲惨な
Spread of disease is one of the **disastrous** consequences of water shortages.
病気の蔓延は，水不足の**悲惨な**結果の1つだ。

☐ **disclose** ～を暴露する
The suspect voluntarily **disclosed** the location of the weapons.
容疑者は自ら武器の場所**を明らかにした**。

☐ **discontent** 不満
The feeling of **discontent** was enough to push the workers to have a strike.
不満は，労働者たちにストライキをおこさせるのに十分だった。

☐ **dismal** 憂うつな
Some people say that weather in London is **dismal**.
ロンドンの天候は**憂うつだ**と言う人もいる。

☐ **disobedience** 反抗
Mikey ran away in **disobedience** when his teacher caught him smoking.
マイキーは喫煙しているところを教師に見つかって，**反抗して**逃げた。

☐ **dispense** ～を供給する,調剤する
As a pharmacist,her job is to **dispense** medicines as prescribed by doctors.
薬剤師として，彼女の仕事は医師から処方された通りに薬**を調剤する**ことだ。

☐ **disposable** 使い捨ての
The number of people who use **disposable** chopsticks is decreasing.
割り箸を使う人の数は減少している。

☐ **disruptive** 破壊的な
Ms.Kelly was confused about his **disruptive** behavior in class.
ケリー先生は彼の授業中の**破壊的な**振る舞いに困惑していた。

☐	**distinguish** ～を区別する,特徴づける	Newborn babies cannot **distinguish** their parents from strangers. 新生児は見知らぬ人と自分の親**を区別する**ことができない。
☐	**distort** ～をねじ曲げる	The media coverage of the candidate conveyed a **distorted** image of him. その候補者についてメディアで報じられているのは，**ねじ曲げられた**彼のイメージだった。
☐	**distract** ～の注意をそらす	The noise from the nearby construction site **distracted** the students. 近隣の工事の音で生徒**の気が散った**。
☐	**disturbance** 動揺,混乱	The neighbors called the police and reported a **disturbance** at the apartment complex. 近所の人が警察に電話をして，アパートの**騒ぎ**について通報した。
☐	**divert** ～をわきへ逸らす	The president tried to **divert** criticism to the opposing party. 大統領は野党に批判**を向け**ようとした。
☐	**divine** 神聖な	The ruling of the Supreme Court was considered **divine**. 最高裁判所の決定は**神聖である**と見なされた。
☐	**dock** 埠頭	The huge cruiser slowed down and prepared to sail into the **dock**. 巨大なクルーザーはスピードを落とし，**埠頭**に入る準備をした。
☐	**dodge** ～をよける	When a man tried to hit the boxer, he **dodged** and avoided being hit. 男がボクサーを殴ろうとしたとき，ボクサーはさっと**よけて**殴られるのを避けた。
☐	**domestication** 飼育	Some animal rights proponents oppose the **domestication** of animals. 動物愛護団体の中には，動物の**飼育**に反対する人もいる。
☐	**dominance** 優位	The economic **dominance** of the country is supported by its strong currency. その国の経済的**優位性**は，その国の強い通貨に支えられている。
☐	**doom** ～を運命づける	Dana thought the new project was **doomed** to failure. ダナはそのプロジェクトは失敗する**運命だ**と思った。
☐	**downturn** (景気などの)後退	During the last **downturn** of the economy, thousands of people lost their jobs. 前回の景気**後退期**には，何千人もの人が失業した。
☐	**drastic** 思い切った	Since the time was limited, they made only a minor change, not a **drastic** one. 時間が限られていたので，彼らは**思い切った**変更はせず，少しだけ変更した。
☐	**duration** 期間	For the **duration** of her stay in New York, she tried to get a Broadway ticket. ニューヨークでの滞在**期間**に，彼女はブロードウェイのチケットを手に入れようとした。
☐	**elaborate** 詳しく述べる	Since what he wanted to do was not clear, he was asked to **elaborate**. 彼のしたいことが明確ではなかったので，**詳しく述べる**ように求められた。
☐	**elevate** ～を高める	His return to the team **elevated** the fans' hope. 彼のチームへの復帰は，ファンの期待**を高めた**。
☐	**elimination** 排除	They established criteria for **elimination** before the recruitment. 彼らは求人募集の前に，（選考から）**排除**する基準を作った。
☐	**eloquent** 雄弁な	His speech was **eloquent** and quite unexpected from a man of few words. 彼のスピーチは**雄弁で**，言葉数の少ない男からまったく予想できないものだった。
☐	**embark** 着手する	They are thinking about **embarking** on a new project. 彼らは新しいプロジェクトに**着手する**ことを考えている。
☐	**emit** ～を放つ	These new types of cars **emit** half as much CO_2 gas as the old ones. この新型の車は古いタイプの半分しか二酸化炭素**を排出し**ない。
☐	**encounter** ～に直面する	The Labor Bureau investigates problems that workers **encounter** at work. 労働局は労働者が職場で**直面する**問題を調査する。
☐	**endeavor** 懸命に努力する	The rescue shelters **endeavor** to save many lives of stray dogs and cats. それらの保護施設は多くの野良犬や野良猫の命を救おうと**懸命に努力する**。
☐	**enforce** ～を施行する	The teachers struggled to **enforce** the rules. 教師たちは規則**を守らせ**ようと苦心していた。
☐	**entrust** ～を[に]任せる	I **entrusted** one of my neighbors to water flowers while I was gone. 私が不在の間，隣人の1人に花の水やり**を任せた**。
☐	**erode** (権威などを[が])失う,失わせる	The bribery scandal has **eroded** public confidence in politics. 贈賄事件によって，人々の政治への信頼は**損なわ**れた。
☐	**erupt** (感情が)爆発する,(感情)を爆発させる	Mike sometimes **erupted** with anger in the office. オフィスでマイクは時々怒り**を爆発させた**。
☐	**estimation** 判断,評価	The doctor told her that her sore back would heal in two weeks in his **estimation**. 医師は彼女に，自分の**診断**では彼女の背中の痛みは2週間で治るだろうと告げた。
☐	**ethical** 倫理的な	An **ethical** issue was brought up regarding the treatment of the prisoners at the prison. 刑務所での囚人たちの扱いについて，**倫理的な**問題が提起された。
☐	**evacuation** 避難	An **evacuation** order was issued when the volcano showed several signs of eruption. 火山に噴火の兆候がいくつか見られたとき，**避難**命令が出された。

☐ **evaporate** 蒸発する[させる]	By **evaporating** sea water and purifying it, a high quality salt is manufactured. 海水**を蒸発させ**て精製すると，高品質の塩が製造される。
☐ **exceptionally** 非常に,例外的に	His thesis was **exceptionally** well-written and hence awarded a prize. 彼の論文は**非常に**うまくまとめられていて，それゆえ賞を与えられた。
☐ **exclusive** 排他的な,高級な	Some resort hotels are so **exclusive** that only rich people can stay there. いくつかのリゾートホテルは非常に**高級で**，豊かな人しかそこに滞在できない。
☐ **exempt** 免除された	June may be **exempt** from taking a placement test. ジューンはクラス分けテストを**免除される**かもしれない。
☐ **exemption** 免除	Foreign tourists are eligible for tax **exemptions**. 外国人観光客は**免**税を受ける資格がある。
☐ **exert** (力などを)使う	Though Sally **exerted** her utmost power in the race, she came in second. サリーはレースで最大限の力**を出したが**，2位だった。
☐ **exhaust** ～を疲れさせる	Long-distance driving is **exhausting**. 長距離の運転は**疲れる**。
☐ **exotic** 外国(産)の,珍しい	If you have an **exotic** animal, you should be careful not to let it escape. もし**外来の**動物を飼っているなら，逃げ出さないように気をつけないといけない。
☐ **expertise** 専門知識	With **expertise** in management, he is a suitable person for the position. マネージメントの**専門知識**があるので，彼はその地位にふさわしい人物だ。
☐ **explicit** 明確な	The lab technician gave **explicit** orders to the assistants. 研究室の技術者は，助手たちに**明確な**指示を出した。
☐ **fabricate** ～を捏造する	Since his **fabricated** excuses were so outrageous, teachers started to laugh. 彼の**でっちあげた**言い訳はあまりに突飛だったので，教師たちは笑い始めた。
☐ **faint** かすかな	We walked in the **faint** moonlight. 私たちは**かすかな**月明かりの中を歩いた。
☐ **familiarize** ～を習熟させる	New employees **familiarize** themselves with the company rules. 新入社員は会社の規則に**習熟する**。
☐ **famine** 飢饉	During the **famine** over 10,000 people died in this country. **飢饉**の間，この国で1万人以上が亡くなった。
☐ **fascination** 魅了されること	Erika always had **fascination** with rules and graphs. エリカはいつも法則やグラフに**魅了されて**いた。
☐ **fatality** 死亡者(数)	The exact number of **fatalities** in the explosion is being investigated. その爆発での正確な**死亡者数**は調査中だ。
☐ **faulty** 欠点のある	**Faulty** electrical wiring was one of the major causes of fires in the country. その国では，**欠陥のある**電気配線が火事の主な原因の1つだ。
☐ **feasible** 実現可能な	Bring up as many ideas as possible even if some don't seem **feasible**. たとえ**実現可能**に思われないものであっても，できるだけ多くアイデアを出しなさい。
☐ **fertilizer** 肥料	They found organic **fertilizers** that matched their cost. 彼らは費用に合った有機**肥料**を見つけた。
☐ **fictitious** 架空の	People showed up to the party dressed as **fictitious** characters. 人々は**架空の**キャラクターに扮装してパーティーに現れた。
☐ **finite** 限られた	You should apply now since only a **finite** number of seats are available. **限られた**数の席しかないので，今申し込んだ方がいい。
☐ **flattery** お世辞	I don't like people who use **flattery** to get promoted. 昇進するために**お世辞**を使う人は好きではない。
☐ **folklore** 民間伝承,民俗学	The number of people who study **folklore** is shrinking. **民間伝承**を研究する人の数は減っている。
☐ **forge** (関係を)築く	Several manufacturing companies **forged** business relationships. いくつかの製造会社が業務上の関係**を築いた**。
☐ **formulate** (計画など)を練り上げる	Some experts **formulated** a strategy against the outbreak. 何人かの専門家が疫病の大流行に対する戦略**を練り上げた**。
☐ **forthcoming** 率直な,協力的な	He was not very **forthcoming** with the information related to the scandal. 彼は事件に関する情報の公開について，あまり**協力的で**はなかった。
☐ **fragile** 壊れやすい	The package was marked as **fragile**. 包みには**壊れもの**という印があった。
☐ **fragment** 破片,断片	We removed all the **fragments** from the arm of the victim of the explosion. 私たちは爆発の被害者の腕から全ての**破片**を取り除いた。
☐ **fragrant** 香りのよい	The produce section was full of **fragrant** plants. 生産部は，**よい香りのする**植物でいっぱいだった。

☐	**frailty** 虚弱	Her intelligence makes up for her physical **frailty**. 彼女の知性が，肉体的な**弱さ**を補っている。
☐	**frustrate** ～をいらだたせる	Neil often gets **frustrated** by heavy traffic. ニールはよく渋滞に**いらいらして**いる。
☐	**fundamental** 基本的な	The professor said the **fundamental** factor of his success was his love for physics. 教授は自分の成功の**基本的な**要因は物理学への愛だと述べた。
☐	**fury** 激怒	Filled with **fury** against racism, he made a moving speech to the audience. 人種差別に対する**激しい怒り**に燃えて，彼は聴衆に向かって感動的なスピーチをした。
☐	**generalization** 一般概念	A: Do Japanese people love cherry blossoms? B: It's a **generalization**. A:日本の人は桜が大好き？ B:それが**一般概念**ね。
☐	**generate** ～を生みだす	A series of lectures for kids were held to **generate** interest in science. 子どものための一連の講座が，科学へ興味**を呼び起こす**ために開かれた。
☐	**gracious** 優しい	It was **gracious** of Ms. Atkins to open her house to the homeless. ホームレスの人々のために自宅を開放したなんて，アトキンスさんは**優しい**人だ。
☐	**graze** (草などを家畜)に食わせる	Once people have land to **graze** their animals, they begin to settle. いったん動物**に草を食べさせる**土地を持つと，人間は定住し始める。
☐	**guardian** 後見人	Since her parents died, her grandfather has acted as a **guardian**. 彼女の両親が亡くなってから，彼女の祖父が**後見人**を務めてきた。
☐	**gush** 流れ出る	A lot of blood was **gushing** from his head injury. 大量の血が彼の頭の傷から**流れ出て**いた。
☐	**habitat** 生息地	As the **habitat** for bears is shrinking, more and more bears are coming to the town. 熊の**生息地**が縮小するにつれて，ますます多くの熊が町へやって来る。
☐	**hasty** 急いだ	The boss told Jim to examine the data carefully before making a **hasty** decision. 上司はジムに，**慌てて**決める前にデータをよく検討するように言った。
☐	**haven** 避難所	The refugee camp was like a **haven** for people who fled from the war-torn country. 難民キャンプは，戦争で荒廃した国から逃れてきた人にとって**避難所**のようだった。
☐	**hazard** 危険	A bird can be a **hazard** to an airplane. 鳥は飛行機にとって**危険**なこともある。
☐	**heap** 堆積, 塊	At the crash site, investigators were going through a **heap** of wreckage. 衝突現場では，調査員が残骸の**山**を調べていた。
☐	**hectic** 大変忙しい	The life of a single parent is **hectic** since he or she has to balance work and childcare. 一人親の生活は，仕事と子育てのバランスをとらなければならないので**大変忙しい**。
☐	**hostile** 適さない	Many children living in a **hostile** environment don't give up their dreams. **恵まれない**環境で生活する多くの子どもは，夢をあきらめない。
☐	**hostility** 敵意	**Hostilities** between the two countries were felt only at the top level. その2国間の**敵対心**は，トップレベルだけが感じていることだ。
☐	**humanitarian** 人道的な	Some of the prisoners were released for **humanitarian** reasons. **人道的**理由から囚人の何人かが釈放された。
☐	**humidity** 湿度	Houses in Japan are said to last only fifty years or so due to the high **humidity**. **湿度**が高いために日本の住宅は50年くらいしかもたないと言われている。
☐	**hygiene** 衛生	The level of **hygiene** in the country rapidly improved. その国の**衛生**の水準は急速に改善した。
☐	**hypocrite** 偽善者	You are a **hypocrite** — you pretend to oppose racism but you're a racist. あなたは**偽善者**だ — 人種差別に反対するふりをしているが人種差別主義者だ。
☐	**hysterical** 狂乱状態の	After hearing a **hysterical** voice calling for help, a woman called the police. 助けを呼ぶ**狂乱状態の**声を聞いて，女性は警察に電話した。
☐	**idealistic** 理想主義的な	The idea of getting rid of guns from American society is too **idealistic**. アメリカの社会から銃をなくすという考えはあまりに**理想主義的だ**。
☐	**idle** 働いていない, 怠けた	She asked the workers to stack the shelf during **idle** time. 彼女は従業員に，**空いている**時間に棚に商品を並べるように頼んだ。
☐	**immigrate** 移住する	Ms. Yamamoto's grandparents **immigrated** to Hawaii before WWⅡ. ヤマモトさんの祖父母は第二次世界大戦の前にハワイへ**移住した**。
☐	**immortality** 不朽の栄誉	In a way, the writer achieved an **immortality**. ある意味では，その作家は**不朽の栄誉**を得た。
☐	**implication** 影響	Some theories sound good but lack practical **implications**. 理論の中にはよさそうに思われても実際的な**影響**がないものもある。
☐	**improper** 不適切な	In many countries, it is **improper** to ask people of their age. 多くの国では，人に年齢をたずねるのは**不作法**である。

- **impulsive** 衝動的な
  Ms. Miller makes random and **impulsive** comments.
  ミラーさんは場当たり的に**衝動的な**ことを言う。
- **inaccurate** 不正確な
  Some of the numbers on the list were **inaccurate**.
  リストの数字に**不正確な**ものがあった。
- **incomprehensible** 理解できない
  Jeff found the doctrine **incomprehensible**.
  ジェフは教義が**理解できない**と思った。
- **inconsiderate** 配慮がない
  Asking a person's age when you first meet him or her is an **inconsiderate** act.
  初めて会う人に年齢を尋ねるのは，**配慮のない**行為である。
- **incorporate** ~を合体させる, 取り入れる
  The company decided to **incorporate** some of the employees' opinions.
  会社は従業員の意見をいくつか**取り入れる**ことにした。
- **indifferent** 無関心な
  The administrators were **indifferent** about the working environment.
  経営陣は労働環境に**無関心だ**った。
- **industrialize** ～を工業化する
  One of the administration's accomplishments was that it **industrialized** the country.
  その政権の業績の1つは，国**を工業化した**ことだ。
- **infectious** 伝染性の
  Do not send your children to school when they have an **infectious** disease.
  子どもが**伝染性の**病気のときは学校に来させないでください。
- **informative** 有益な
  Most of the attendees of the conference found it very **informative**.
  参加者のほとんどは会議がとても**有益だ**ったと思った。
- **ingredient** 食材
  She has a good sense of taste and can identify **ingredients** by tasting the food.
  彼女は優れた味覚を持っていて，食べ物の味でその**材料**を特定することができる。
- **inherent** 生まれつきの
  Desire to be connected to other people is **inherent** in human nature.
  他の人と繋がっていたいというのは人間の**生まれつきの**性質だ。
- **inhospitable** 人が住みにくい, 無愛想な
  The village is in a mountainous area and it's considered **inhospitable**.
  その村は山間部にあって，**人が住みにくい**と思われている。
- **initiate** ～を始める
  The local police department **initiated** the investigation.
  地元の警察が調査**を始めた**。
- **inmate** 収容者
  Jason hopes to teach his computer skills to **inmates**.
  ジェイソンはコンピューターのスキルを**収容者**に教えたいと思っている。
- **inquiry** 問い合わせ
  Can we call the hospital to make **inquiries** about the condition of the victims?
  被害者の状態について**問い合わせ**をするために，その病院に電話をかけてもいいですか？
- **insoluble** 解決できない
  You may be able to find a solution to a seemingly **insoluble** problem.
  一見**解決できない**ように思われる問題の解決策が見つかるかもしれない。
- **integral** 不可欠な
  The CEO claimed that the Italian branch was **integral** to the company's strategy.
  最高経営責任者は，イタリアの支店は会社の戦略に**不可欠だ**と主張した。
- **integrate** ～と統合する
  The biggest question is how to **integrate** different peoples into one country.
  最大の課題はさまざまな民族をどのように1つの国に**統合して**いくかということだ。
- **integrity** 誠実
  Lisa is a person of **integrity**.
  リサは**誠実**な人だ。
- **intelligible** わかりやすい
  As Paul was entering the tunnel, his voice became barely **intelligible**.
  ポールがトンネルに入ったとき，彼の声はかろうじて**わかる**程度になった。
- **intentionally** 故意に
  Intentionally ignoring somebody is rude.
  わざと誰かを無視することは失礼だ。
- **interact** 相互に作用する, 交流する
  The psychologist observed how the child was **interacting** with other kids.
  心理学者はその子どもが他の子どもとどのように**交流して**いるか観察した。
- **intermittently** 断続的に
  If it rains only **intermittently** today, we should not postpone the company picnic.
  今日の雨が**断続的なら**，会社のピクニックは延期しない方がいい。
- **interrogate** ～を取り調べる
  The police had been **interrogating** the suspect for over 8 hours.
  警察は8時間以上容疑者**を取り調べた**。
- **intervene** 介入する
  Parents shouldn't **intervene** with the issues among children.
  親は子ども同士の問題に**介入し**ないほうがいい。
- **intimidate** ～を脅す
  When a group of local residents surrounded Lucy, she felt **intimidated**.
  地元の住人の団体がルーシーを取り囲んだとき，彼女は**おびえ**た。
- **intolerable** 容認できない
  Any forms of harassment are **intolerable** at this workplace.
  この職場では，どんな形のハラスメントも**容認されない**。
- **intoxicate** ～を酔わせる
  The police arrested Tim for driving while **intoxicated**.
  警察は**飲酒**運転でティムを逮捕した。
- **intricate** 込み入った
  The watch that Maria got from her grandmother has **intricate** carvings on it.
  マリアが祖母からもらった腕時計には，**複雑な**彫り物がある。

intruder 侵入者	Noah installed surveillance cameras to be alerted when there were **intruders.** **侵入者**があったときにわかるように，ノアは監視カメラを取り付けた。
invariably 例外なく	Political calculations **invariably** put some people at a disadvantage. 政治的打算によって，**例外なく**不利な立場に置かれる人がいる。
inventive 創意に富む	The company found Greg's idea **inventive.** 会社はグレッグのアイデアは**創意に富む**と思った。
inventory 在庫	To get rid of all the **inventory**, the manager decided to mark down all the items. **在庫**をすべて処分するため，マネージャーは全品を値引きすることにした。
invoice 請求書，送り状	The shipment I received did not include an **invoice.** 受け取った配達物に**送り状**がなかった。
irrational 不合理な	The debate team repeated **irrational** arguments. そのディベートチームは**不合理な**主張を繰り返した。
irrigate ～を灌漑する	The course of the river was changed hundreds years ago to **irrigate** cropland. その川は農地**を灌漑する**ために，数百年前に流れを変えられていた。
irritate ～をいらいらさせる	The constant noise from the construction site **irritates** her so much. 建築現場からの絶え間ない騒音は，非常に彼女**をいらいらさせる**。
irritation 炎症	The doctor prescribed Julia some ointment for her skin **irritation.** 医師はジュリアに皮膚の**炎症**のための軟膏を処方した。
kinship 親戚関係，親近感	I feel a **kinship** with this character. 私はこのキャラクターに**親近感**を覚える。
knot 結び目	The mother tied her baby around her waist with a tight **knot.** 母親はしっかりと**結び目**を作って，自分の赤ん坊を腰の周りにしばりつけた。
leak もらす，もれる	He **leaked** the information to the press. 彼は情報**を**報道に**もらした**。
likeness 類似	People see a **likeness** around the eyes of Sara and Erica. サラとエリカは目元が**似ている**。
literally 文字通りに	You should be careful because some people take things **literally.** **文字通りに**ものごとを受け取る人もいるので，気をつけるべきだ。
loathe ～をひどく嫌う	I **loathe** washing dishes every day, so I'll buy a dishwasher. 毎日皿を洗うこと**が大嫌い**なので，食器洗浄機を買うつもりだ。
loophole 抜け穴	Various gun laws still have a lot of **loopholes.** 多くの銃規制法には**抜け穴**がまだたくさんある。
lure ～を引き付ける	The study team **lured** wild monkeys into a cage. 研究チームは檻に野生のサル**を誘い**入れた。
mainstream 主流	Most of the music programs on TV only feature **mainstream** artists. ほとんどのテレビの音楽番組が**主流**のアーティストしか扱っていない。
malicious 悪意のある	He claimed that it was an accident, and that there were no **malicious** intentions. 彼は，それは事故で**悪意を持って**いたわけではなかった，と主張した。
materialistic 物質主義的な	If you are tired of **materialistic** lifestyle, get rid of unnecessary possessions. もし**物質主義的な**生活様式にうんざりしているなら，要らない持ち物を手放しなさい。
mediator 調停者，仲介者	Both parties agreed to bring in an independent **mediator.** 中立の**調停者**をたてることに双方が同意した。
merger 合併	Due to the **merger** of the two companies, twenty-thousand people lost their jobs. 2社の**合併**によって，2万人が職を失った。
migration 移住，移動	This lake is famous for being a resting spot for a flock of birds during their **migration.** この湖は渡り鳥の群れが**移動**中に休息する場所として有名だ。
mimic ～を真似る	Babies and children learn how to speak by **mimicking** the adults around them. 赤ん坊や子供は，自分たちの周りにいる大人たち**を真似して**話し方を覚える。
minute 微細な	The factory workers wear a special mask that shut out **minute** particles. 工場の従業員は，**微細な**粒子を通さない特別なマスクを着用する。
miscellaneous 様々なものからなる	Ms. Wilson sorted **miscellaneous** documents into five folders. ウィルソンさんは**様々な**書類を5種類に分類した。
mischievous いたずらな	A: Ken does not behave at all. B: Don't worry. Kids are usually **mischievous.** A:ケンはまったく行儀が悪いのよ。B:心配するなよ。子どもはたいてい**いたずら好きだ**よ。
misleading 誤解を招きやすい	The firm apologized for posting a **misleading** advertisement on the Internet. その企業は，**誤解を招くような**広告をネットに掲載したことを謝罪した。
missionary 宣教師	He traveled around the world as a **missionary.** 彼は**宣教師**として世界中を旅した。

☐ **mobility** 動きやすさ,流動性
Abolishment of the bus service reduced **mobility** of the elderly people.
バス運行の廃止によって，高齢者の**移動しやすさ**は低下した。

☐ **mock** ばかにする
Some kids **mocked** Frank because his T-shirt had a cartoon character on it.
Tシャツにはマンガのキャラクターが描かれていたので，フランク**をばかにする**子どももいた。

☐ **mockery** あざけり
He complained the posters were making a **mockery** of a certain group of people.
ポスターは特定のグループの人を**嘲笑**するものだと彼は苦情を言った。

☐ **moderation** 適度
Drinking wine in **moderation** may reduce the risk of heart disease.
適度にワインを飲むと心疾患の危険性が低くなるかもしれない。

☐ **modification** 修正,変更
Some think genetic **modification** might be necessary to increase food production.
遺伝子**組み換え**は食料生産を増やすには必要かもしれないと考える人もいる。

☐ **narrative** 物語,身の上話
The President published a **narrative** of his life during his presidency.
大統領は，在任中に自分の半生を綴った**話**を出版した。

☐ **narrowly** かろうじて
They **narrowly** escaped the hurricane in a car and drove to the gas station.
彼らは車で**かろうじて**ハリケーンから逃れて，ガソリンスタンドに乗りつけた。

☐ **nauseate** 吐き気を催す[させる]
I felt **nauseated** to see the gruesome murder scene photos.
ぞっとする殺人現場の写真を見て，私は**吐き気を催し**た。

☐ **nominate** ～を推薦する
Melissa's project was **nominated** for the most outstanding work of the year.
メリッサのプロジェクトは，その年のもっともすぐれた研究に**推薦さ**れた。

☐ **notably** 明らかに
The model of the smartphone is **notably** lighter than the previous version.
スマートフォンのそのモデルは，旧バージョンより**明らかに**軽い。

☐ **notify** ～に通知する
Please **notify** the landlord of your plan to move out 30 days in advance.
退去する予定の30日前に家主に**お知らせ**ください。

☐ **notoriety** 悪名,悪評
I gained public **notoriety** as "Mr. Scandal."
私には「ミスタースキャンダル」という**悪名**がつけられ一般に広まった。

☐ **notorious** 悪名高い
The town is **notorious** for its dirty beaches.
その町は砂浜が汚いことで**悪名高い**。

☐ **obedient** 素直な
Josh was easy to take care of because he was **obedient**.
ジョッシュは**素直な**ので，手がかからない。

☐ **objective** 目的
You should state the **objective** of a meeting before starting it.
会議を始める前に，その**目的**を述べるほうがいい。

☐ **obligation** 義務
Companies have an **obligation** to allow their workers to take paid leaves.
企業は従業員に有給休暇を取ることを認める**義務**がある。

☐ **obliged** 義務がある,感謝している
Don't feel **obliged** to call me back because I just wanted to say hi.
私はあいさつをしたかっただけなので，折り返し電話をいただく**必要はあり**ません。

☐ **observance** 祝うこと
The university has no classes today in **observance** of its foundation day.
大学では創立記念日を**祝して**，今日は授業がない。

☐ **observant** よく気がつく,観察力が鋭い
Some people say women are more **observant** than men in nature.
女性は男性よりも生来**観察力が鋭い**という人がいる。

☐ **obsessed** 取りつかれた
Alex seems **obsessed** with the game as he spends 20 hours a day playing it.
アレックスは1日に20時間ゲームをして過ごし，ゲームに**取りつかれている**ようだ。

☐ **odor** 悪臭
Some people light a match to get rid of the **odor** in the bathroom.
トイレの**悪臭**を消すためにマッチに火をつける人がいる。

☐ **offset** (損失など)を相殺する
We should examine if there are enough merits that can **offset** any drawbacks.
不利益を**相殺できる**だけの十分な利益があるかどうか検証するべきだ。

☐ **omit** ～を省く
Just **omit** question number 4 as it is not pertinent to you.
4番の質問はあなたにはあてはまらないので**省いて**ください。

☐ **oppressive** 不快な,耐え難い
Silence is **oppressive**.
沈黙は**耐え難い**。

☐ **optional** 選択の,随意の
This summer course is **optional**, but it's certainly useful.
この夏期講座は**選択**制だが，間違いなく役に立つ。

☐ **ordeal** 試練
Maria had survived the **ordeal** by herself for three days.
マリアは3日間1人で**試練**に耐えて生き残った。

☐ **orphan** ～を孤児にする
Today, the girl who was **orphaned** at five by the war graduated from college.
今日，5歳で戦争**孤児になった**少女が大学を卒業した。

☐ **outcast** 仲間はずれ
Polly felt like an **outcast** in her own family.
ポリーは家族の中で**仲間はずれ**のように感じた。

☐ **overcast** 雲で覆われた
Kate decided to take an umbrella with her because the sky was **overcast**.
空が**雲で覆われて**いたので，ケイトは傘を持っていくことにした。

☐	**oversight** 見落とし	Initially thought of as a simple **oversight**, the mistake led to a disaster. 最初は単純な**見落とし**だと思われていたが，そのミスが惨事を引き起こした。
☐	**overstate** ～を強調する	The easiness with which she won the championship was **overstated**. 彼女が優勝したのはいかに簡単なことであったか，**おおげさに言わ**れた。
☐	**overthrow** (国家・制度)を転覆する	There would be no democracy unless the military **overthrows** the current government. 軍部が現政権**を転覆し**ない限り，民主主義はない。
☐	**pace** (活動，出来事の)速度，ペース	Jerome walked at a uniform **pace** for a long time. ジェロームは長い間一定の**ペース**で歩いた。
☐	**paraphrase** ～を言い換える	To check his own understanding of the text, he tried to **paraphrase** it. 文書を理解しているか自分で確認するために，彼はそれ**を言い換え**ようとした。
☐	**partially** 部分的に	Many houses were **partially** destroyed by the earthquake. 地震によって多くの家が**部分的に**損壊した。
☐	**passionate** 情熱的な	Her speech was **passionate**, moving many people to tears. 彼女の演説は**情熱的で**，多くの人の心を動かし涙を誘った。
☐	**pending** 未解決の，未定の	The location of the annual conference is still **pending**. 例年の会議の開催地は**未定で**ある。
☐	**perch** (鳥がとまり木などに)とまる	Three little birds **perched** on the electric wire looking down on the garden. 3羽の小鳥が庭を見下ろして電線に**とまって**いた。
☐	**perilous** 危険の多い	Climbing Mt. Everest is very **perilous**. エベレスト山に登ることは非常に**危険だ**。
☐	**perpetual** 絶え間ない	The mountain top is covered with **perpetual** snow. 山の頂上は，**万年**雪に覆われている。
☐	**petition** 嘆願する	The residents **petitioned** the local authorities to review the plan. 住民たちは，地元の有力者に計画を見直すよう**嘆願した**。
☐	**pious** 信心深い	I have never seen such a **pious** person like Jake. ジェイクのように**信心深い**人には今まで出会ったことがない。
☐	**plague** ～を疫病にかからせる，～を悩ます	The country was **plagued** by a weak economy and an unproductive workforce. その国は脆弱な経済力と生産性の低い労働力に**悩まさ**れていた。
☐	**plea** 懇願	The soldiers heartlessly ignored their **plea** for life. 兵士は冷酷に彼らの命**乞い**を無視した。
☐	**poach** ～を密猟する	Some people came in to **poach** tigers and hippos. トラやカバ**を密猟する**ためにやってくる人々がいた。
☐	**potent** 効き目が強い	The medicine is **potent** but at the same time more addictive. その薬は**効き目が強いが**，同時に中毒性もより高い。
☐	**precedent** 前例	The manager told him there was no such **precedent**. マネージャーは彼にそのような**前例**はないと言った。
☐	**preconceive** (根拠の考えなどを)前もって抱かせる	Some people have a **preconceived** idea that ping-pong is a boring sport. 卓球はつまらないスポーツだという**先入**観を持っている人もいる。
☐	**predator** 略奪者，捕食者	The number of deer increased as that of their **predators** declined. **捕食動物**の数の減少に伴いシカの数は増加した。
☐	**prescription** 処方箋	She went to the local pharmacy to get the medicine on her **prescription**. 彼女は**処方箋**に書かれた薬を出してもらうために地元の薬局へ行った。
☐	**prestigious** 一流の	George is going to pursue new opportunity at a more **prestigious** company. ジョージはもっと**一流の**企業で新たなチャンスを追求するつもりだ。
☐	**prevalent** 普及している	The idea that if you stand out from the crowd, you will be in trouble, is still **prevalent**. 出る杭は打たれるという考えはまだ**広く行きわたっている**。
☐	**prime** 主要な	My **prime** concern is the press conference to be held today. 私の**主な**関心は今日開かれる記者会見だ。
☐	**privatize** ～を民営化する	The main focus of the political party was to **privatize** the subway company. 政党の主な焦点は，地下鉄会社**を民営化する**ことだった。
☐	**privilege** 特権	It is undeniable that some public servants take advantage of their **privileges**. 公務員の中には**特権**を悪用している人がいることは否定できない。
☐	**procession** 行列	The protesters marched in **procession** through the town. デモ隊は**行列**して町中を進んだ。
☐	**proclaim** ～を宣言する	After twenty-five years of civil war, peace was finally **proclaimed**. 25年の内戦の後，平和がようやく**宣言さ**れた。
☐	**prolong** ～を長引かせる	Mark's unrelated questions **prolonged** the meeting. マークが関係のない質問をしたので会議**が長引いた**。

☐ **prominence** 卓越, 有名
The role in the musical brought the actress into **prominence**.
そのミュージカルでの役がその女優を**有名**にした。

☐ **prosecute** 起訴する
The police couldn't collect enough evidence to **prosecute** the suspect.
警察は容疑者**を起訴する**だけの十分な証拠を集められなかった。

☐ **prospect** 見込み
The **prospect** for economic recovery seemed to be grim.
経済回復の**見通し**は厳しいようだ。

☐ **provoke** ～を引き起こす
She said that he was the one who **provoked** the fight.
けんか**を引き起こした**のは彼だと彼女は述べた。

☐ **quest** 探求
Mr. Jackson's **quest** for a dream job has not ended yet.
ジャクソンさんの夢の仕事への**探求**は，まだ終わっていない。

☐ **quote** 見積もり
The **quote** they gave me is more than I can afford.
彼らが出した**見積もり**は私には払えない額だ。

☐ **ranger** 警備員, 監視員
A forest **ranger** finally found the boy by the creek.
小川のそばで森林**警備員**がとうとう少年を発見した。

☐ **rapidity** 急速
Rapidity of motions makes fencing an exciting sport.
フェンシングは動作が**速い**のでおもしろいスポーツだ。

☐ **rash** 軽率な
The public criticized the law as a **rash** decision.
世論はその法律は**軽率な**決定だと批判した。

☐ **reap** (報いなどを)手に入れる
Not everybody can **reap** the benefit of the education.
すべての人が教育の恩恵**を受ける**ことができるわけではない。

☐ **reckless** 無謀な
The driver was arrested for **reckless** driving.
運転手は**無謀な**運転で逮捕された。

☐ **recruitment** 人員の募集
The company is struggling with **recruitment**.
会社は**人員募集**に苦労している。

☐ **recurrent** 頻発する
The spell checker spotted **recurrent** mistakes.
スペルチェッカーによって**繰り返し起きている**間違いが見つかった。

☐ **refuge** 避難
When the volcano exploded, we immediately took **refuge** behind the tree.
火山が爆発したとき，私たちはすぐに木の後ろに**避難**した。

☐ **reign** 統治
The war persisted during the entire **reign** of the king.
戦争はその王の**統治**期間中ずっと続いた。

☐ **reinforce** ～を強化する
The passage of the law **reinforced** the government's stance against racism.
その法案の成立は，政府の人種差別に反対する立場**を強固にした**。

☐ **relic** 遺跡, 遺物
Archaeologists found **relics** of the early civilizations at the construction site.
考古学者は建築現場で初期の文明の**遺跡**を発見した。

☐ **reluctant** 乗り気でない
William was **reluctant** to go to the high school at first.
ウィリアムは最初その高校に行くのは**乗り気でな**かった。

☐ **remainder** 残り
What's your schedule like for the **remainder** of the week?
今週は**このあと**どんな予定？

☐ **remorseful** 悔恨にあふれた
The convicted felon made a **remorseful** statement at the sentencing.
有罪を宣告された重罪犯は，判決の場で**悔恨にあふれた**陳述をした。

☐ **reputable** 立派な, 評判のよい
Even **reputable** mathematicians sometimes make calculation mistakes.
立派な数学者でさえ，ときには計算ミスをする。

☐ **resent** ～を不快に思う
After twenty years of being together, he began to **resent** his wife's company.
一緒にいて20年経ち，彼は妻のそばにいるの**が嫌になり**始めた。

☐ **resentful** 憤慨して
Tom is **resentful** of his brother's success.
トムは兄の成功に**憤慨して**いる。

☐ **residential** 住宅の, 居住の
The restaurant was located in a quiet **residential** area.
そのレストランは静かな**住宅**地にあった。

☐ **resignation** 辞任
The CEO of the company formally announced her **resignation**.
その会社の最高経営責任者が公式に**辞任**を発表した。

☐ **resistant** 抵抗力がある
The levees that are being built are more **resistant** to heavy rains.
建設中の堤防は大雨に対してもっと**耐久性がある**。

☐ **resolute** 意志の固い
Edison was a person of **resolute** will.
エジソンは**固い**意志を持った人だった。

☐ **resort** (手段に)訴える
After multiple warnings, Mr. Larson finally **resorted** to the last option.
何回も注意したあとで，ラーソンさんはとうとう最後の手段**を取った**。

☐ **resume** 再開する
The construction was finally **resumed** as the funding was secured.
資金が確保されたので，建設はようやく**再開さ**れた。

rhetoric 美辞麗句, 誇張	The President's claim to get rid of nuclear weapons is just another **rhetoric**. 大統領が核兵器廃絶を訴えているのはありきたりの**美辞麗句**だ。
roster 名簿	I went to Ms. Kawai's class, but my name was not on the **roster**. カワイ先生のクラスへ行ったけど私の名前が**名簿**になかったわ。
rusty さびついた, (能力が)衰えた	Mr. Kato practices English so that it won't get **rusty**. カトウさんは英語力が**衰え**ないように，英語を練習している。
sacred 神聖な	People believe the island as a **sacred** place. 人々はその島が**神聖な**場所だと信じている。
scanty 不十分な, わずかな	The information that Kira was given was extremely **scanty**. キラが与えられた情報は極めて**乏しかった**。
scarce (食料, 生活必需品などが)不十分な	Clean drinkable water is becoming **scarce**. 清潔で飲める水は**不足し**ている。
scarcity 不足	One of the causes of water **scarcity** is wasteful use. 水**不足**の原因の1つは，浪費だ。
scrub 磨く, ごしごし洗う	The first year students at the dorm are asked to **scrub** the bathroom floor. 寮では1年生が浴室の床を**磨く**ことを求められる。
seclude ～を引き離す	Fred decided to live a **secluded** life in a mountain lodge. フレッドは山のロッジで**人里離れた**生活を送ることに決めた。
selective えり好みする	Ken didn't know that the company was really **selective** about who to hire. その企業は採用する人をかなり**えり好みする**ということをケンは知らなかった。
sentimental 感情的な	The umbrella Fred lost was not expensive but had a lot of **sentimental** value. フレッドが失くした傘は高価なものではなかったが，**感情的な**価値が大きかった。
serene 穏やかな, 落ち着いた	She was **serene** when I saw her yesterday. 昨日会ったとき，彼女は**落ち着いて**いた。
shortfall 欠損	Clearly, there is a **shortfall** of affordable houses in the country. 明らかに，国内では手ごろな家が**足りない**。
shrewd そつがない	James is **shrewd** when it comes to judging people's characters. ジェームズは人の性格を判断するということにかけては**そつがない**。
shriek 悲鳴	Everyone at the campsite heard a **shriek** of a woman at night. キャンプ場にいた人はみな夜に女性の**悲鳴**を聞いた。
shrug (肩を)すくめる	They just **shrugged** their shoulders. 彼らはただ肩**をすくめた**。
sibling きょうだい	Mary was overwhelmed by her feelings of **sibling** rivalry. メアリーは，**きょうだい**への対抗意識に打ちのめされた。
simultaneous 同時に起こる	The three **simultaneous** explosions in the city were terrorist attacks. その都市で**同時に起こった**3つの爆発はテロリストの攻撃だった。
sizzle ジュージューいう	A: Bacon is **sizzling** in the pan. B: The breakfast will be ready shortly! A:フライパンでベーコンが**ジュージューいってる**ね。B:朝食がすぐにできるわよ！
sneak こっそり入る[出る]	He was heard **sneaking** into the kitchen to get some food. 食べ物を取るために，彼がキッチンに**こっそり入っていく**のが聞こえた。
sob すすり泣く	When the boy thought he might not find his dog, he started to **sob**. 少年はイヌが見つからないかもしれないと考えたとき，**すすり泣き**始めた。
sober しらふの, 真面目な	When I caused the accident, I was **sober**. 私が事故を起こしたとき，私は**しらふだ**った。
spoil ～を甘やかす, 損ねる	A **spoiled** child often grows up to be a financially irresponsible adult. **甘やかされた**子供は，経済的に無責任な大人に成長することが多い。
spontaneous 自発的な	The music the band plays is **spontaneous**. バンドが演奏する音楽は**自然に始まった**ものだ。
stagger よろめく	Luke **staggered** a few steps before collapsing. ルークは倒れる前に数歩**よろめいた**。
stale 新鮮でない	I wonder who would buy these **stale** hotdogs. 誰がこんな**古い**ホットドッグを買うのかしら。
standstill (完全な)停止, 休止	The project is currently at a **standstill** due to a lack of funding. そのプロジェクトは資金不足のため，現在**完全な休止状態**である。
stem 茎	We eat **stems** of asparagus and roots of carrots. 私たちはアスパラガスの**茎**やニンジンの根っこを食べる。
stern 厳しい	Her father's **stern** look suggested that he was not happy about her marriage. 彼女の父親の**厳しい**表情から，彼が彼女の結婚を喜んでいないことがうかがわれた。

☐ **stoically** 平静に
They remained silent and stared at the ceiling **stoically**.
彼らは黙ったまま**静かに**天井を見つめていた。

☐ **strain** 負担, 重圧
The physical labor put a lot of **strain** on his weakened body.
肉体労働は，彼の衰弱した体に大きな**負担**をかけた。

☐ **strive** 懸命に努力する
She **strived** to become an actress and went to New York by herself.
彼女は**懸命に努力して**女優になり，単身ニューヨークへ行った。

☐ **stubborn** 強情な
The boss is too **stubborn** to admit his mistake.
その上司はあまりに**強情で**，自分のミスを認めることができない。

☐ **sturdy** 頑固な
The car was very **sturdy** and kept running for thirty years.
その車は非常に**頑丈で**，30年間走り続けた。

☐ **submission** 提出, 提案
My **submission** is that we should increase healthcare workforce.
私の**提案**は，医療現場の人員を増やすべきだということだ。

☐ **subscription** 購読
He renewed the **subscription** to a journal at the end of this month.
彼は今月末に雑誌の**購読**契約を更新した。

☐ **subsidize** ～を助成する
They avoided getting involved in a program **subsidized** by the government.
彼らは，政府に**助成金を受けている**プログラムには関わらないようにしていた。

☐ **substitute** 代わり（になる物［人］）
Bamboo can be a **substitute** for plastic.
竹はプラスチックの**代用**となる可能性がある。

☐ **sue** 訴える
He threatened to **sue** the company for having failed to meet the deadline.
彼は，期限を守れなかったことでその会社**を訴える**と脅かした。

☐ **supernatural** 超自然の
He talked as if he had **supernatural** powers.
彼はまるで**超能**力があるかのように話した。

☐ **superstition** 迷信
According to a **superstition** in Japan, people shouldn't cut their nails at night.
日本のある**迷信**によると，夜に爪を切ってはいけない。

☐ **surplus** 黒字, 余剰
The company was able to run a **surplus** for fifteen years in a row.
その会社は15年間連続で**黒字**を計上することができた。

☐ **sway** 揺れる, 揺らす
Our office building **swayed** so violently that I was afraid it might collapse.
私たちのオフィスビルは非常に激しく**揺れた**ので，倒壊するのではと心配だった。

☐ **tackle** ～に取り組む
Let's **tackle** something manageable now.
今何とかできることから**取り組**もう。

☐ **tempt** ～を誘惑する
Junk foods **tempt** me at midnight.
深夜，ジャンクフードは私**を誘惑してくる**。

☐ **tempting** 魅力的な
The idea of being transferred to Hawaii was **tempting**.
ハワイに転勤という考えはとても**魅力的**だった。

☐ **testament** 証
That the driver hadn't ever had an accident is a **testament** to his skill as a driver.
事故を起こしていないことが，彼の運転手としての技術の**証**だ。

☐ **testify** 証言する
The secretary of the Finance Ministry was called to **testify**.
財務大臣が**証言する**ために呼ばれた。

☐ **threaten** 脅かす
The military practice could **threaten** the peace of the region.
軍事演習は地域の平和**を脅かす**おそれがある。

☐ **tickle** ～をくすぐる
Dana felt somebody **tickling** her back during the class.
ダナは授業中，誰かが背中**をくすぐる**のを感じた。

☐ **timid** 臆病な
He came to the room's door, but was too **timid** to go in.
彼は部屋のドアの所に来たが，**臆病に**なって入れなかった。

☐ **tolerable** 耐えられる
Even people from Thailand find summer in Osaka isn't **tolerable**.
タイ出身の人たちさえ，大阪の夏は**耐えられ**ないと思う。

☐ **touchy** 敏感な, 神経質な
People are **touchy** about certain issues when they talk in public.
公共の場で話すとき，人はある種の問題に**慎重**になる。

☐ **tranquil** 穏やかな
She loved the **tranquil** atmosphere in the garden.
彼女は庭の**穏やかな**雰囲気が大好きだった。

☐ **transaction** 取引
Alice examined the list of her **transactions**.
アリスは**取引**明細をよく調べた。

☐ **transmit** ～を伝染させる
Some people wipe their hands with alcohol to avoid **transmitting** viruses.
ウイルス**を伝染させ**ないように，手をアルコールでぬぐう人もいる。

☐ **traumatic** トラウマになる
People who have gone through a **traumatic** experience can have flashbacks.
トラウマになる経験をした人々は，フラッシュバックを起こすことがある。

☐ **treacherous** 危険な, 裏切りの
The road was too **treacherous** to drive at night.
その道路を夜運転するのは**危険**すぎた。

☐	**tremble** 震える	At the sight of the stalker, she called the police with **trembling** hands. そのストーカーを見て，彼女は**震える**手で警察に電話をかけた。
☐	**tyrant** 暴君	The **tyrant** was accused of using biological weapons against his citizens. **暴君**は自国民に生物兵器を使ったことで非難された。
☐	**unanimous** 満場一致の	A nearly **unanimous** decision was made against the war. 戦争に反対するほぼ**満場一致の**決定が下された。
☐	**unconditional** 無条件の	The founder of the orphanage gave **unconditional** love to all the children. その孤児院の創設者は，全ての子供に**無条件の**愛を与えた。
☐	**underlying** 根底にある	To eliminate homelessness, we need to solve the **underlying** causes. ホームレスの問題をなくすには，その**根底にひそむ**原因を解決する必要がある。
☐	**unfold** 明らかにする[なる]	The public saw the bribery scandal **unfold** during a live broadcast. 生放送中に，贈賄事件が**明らかになる**のを人々は目にした。
☐	**unorthodox** 正統でない, 型破りな	She is misunderstood because of her somewhat **unorthodox** view of things. やや**型破りな**考え方のせいで，彼女は誤解されている。
☐	**unwarranted** 正当性を欠く	The scientist claimed that such criticism of his method was **unwarranted.** その科学者は，彼の手法に対するそのような批判は**正当な根拠がない**と主張した。
☐	**unwittingly** 無意識に	You are punished if you break a law, whether you do it intentionally or **unwittingly.** 意図的であろうと**無意識で**あろうと，法律を破れば罰せられる。
☐	**upbringing** しつけ	Mikey's **upbringing** at home shaped who he is today. マイキーの家庭での**しつけ**が今日の彼を形成した。
☐	**uphold** ～を支持する	The appeal court **upheld** the decision made by the lower court. 高等裁判所は下級裁判所の決定**を支持した**。
☐	**uplifting** 気持ちを高める	They listened to the coach's **uplifting** words when they were losing the game. 試合に負けそうになっていたとき，彼らはコーチの**気持ちを高めてくれる**言葉を聞いた。
☐	**uproar** 大騒ぎ	When the professor announced that there would be three tests, there was an **uproar.** テストは3回あると教授が発表したとき，**大騒ぎ**になった。
☐	**uproot** ～を追い出す	Paul's grandparents had **uprooted** his family to move to the U.S. ポールの祖父母はアメリカ合衆国に移り住むために家族**を連れていった**。
☐	**upside** よい点	The **upside** of the system is that we can reduce the possibility of human errors. そのシステムの**よい点**は，人為的な間違いの可能性を減らせることである。
☐	**urgency** 緊急	The meeting was postponed after a matter of some **urgency** came up. ある**緊急**事態が起きて，会議は延期になった。
☐	**vacant** 空いている	As far as Connie could see, there was no **vacant** seat. コニーが見る限り，**空いている**席はなかった。
☐	**vandalize** (故意に)～を破壊する	Many store owners discovered that their stores had been **vandalized.** 多くの店主が自分の店が**破壊さ**れていたことを知った。
☐	**verge** 境界, 縁	Ms. Kelly was on the **verge** of losing the control of her emotion. ケリーさんは感情のコントロールを失う**寸前のところ**だった。
☐	**violation** 違反	The board found a **violation** of company regulations by him. 彼が会社の規則に**違反**していることを取締役会が知った。
☐	**virtually** 実質的には, ほとんど	There was **virtually** nothing we could do to save the patient. その患者を救うために私たちができることは**ほとんど**何もなかった。
☐	**vivid** 鮮明な	She has a **vivid** memory of her fifth birthday. 彼女には5歳の誕生日の**鮮明な**記憶がある。
☐	**vocation** 職業, 天職	For Erica, being a piano teacher was truly her **vocation.** エリカにとってピアノの教師でいることは本当に**天職**だった。
☐	**void** 無効の	The company declared the contract **void.** その会社は契約の**無効**を宣言した。
☐	**wag** (体の一部)を振る	The dog **wagged** its tail and welcomed the owner back home. その犬は尻尾**を振って**，飼い主の帰宅を出迎えた。
☐	**weary** 疲れた, うんざりした	The couple was becoming **weary** of repeated fighting. その夫婦は何度も喧嘩をすることに**うんざりして**きた。
☐	**withdrawal** 撤退	The president announced a **withdrawal** of the troops from the country. 大統領はその国から部隊を**撤退**させると宣言した。
☐	**witty** 機知のある	Ashley is not unserious at work; she is just **witty.** アシュリーは仕事にまじめでないわけではない。彼女はただ**機知に富んでいる**だけだ。
☐	**wretch** 悲惨な	The **wretched** outcome of the campaign was a sharp decline in the sales. そのキャンペーンの**悲惨な**結果は，売り上げの急激な減少だった。

熟語

熟語	例文
act on ～ ～に基づいて行動する	I **acted on** my judgment and escaped before the building collapsed. 私は自分の判断**に基づいて行動し**，ビルが崩壊する前に逃げた。
add up to ～ 結局～ということになる	All these things **added up to** a dire situation for her. こうしたことがすべて**重なって**彼女は悲惨な状況**になった**。
attend to ～ ～の看護をする,対応をする	To adequately **attend to** the patients, the hospital hired additional nurses. 適切に患者**の看護をする**ために，病院はさらに看護師を雇った。
bear with ～ ～を我慢する,我慢して待つ	I'll explain. **Bear with** me. 私が説明するわ。**我慢して**私の話を聞いて。
blow over おさまる	If snow storm doesn't **blow over** soon, the crops will die. もし吹雪がすぐに**おさまら**なければ，作物はダメになってしまうだろう。
bounce back 立ち直る	Experts wonder if the country's economy can **bounce back.** 専門家たちは国の経済が**立ち直れ**るだろうかと思っている。
branch off 枝分かれする	One sect **branched off** and developed into an established religion. 1つの宗派が**枝分かれして**，確立された1つの宗教に発展した。
branch out 活動範囲を広げる,進出する	The manufacturing company **branched out** and started to design their own machines. 製造会社は，**事業を拡大して**自社の機械を設計し始めた。
break away 離脱する	Some members of the band **broke away** to form a new band. バンドの何人かのメンバーが，新しいバンドを結成するために**脱退した**。
bring on ～ ～を引き起こす	Working too much time can **bring on** even mental illness. 働きすぎると，精神疾患さえ**引き起こす**ことがある。
bring out ～ (資質など)を引き出す	The sunlight **brings out** the actual color of the plant. 日光がその植物の本来の色**を際立たせる**。
bring up ～ (話題)を持ち出す	The politician avoided **bringing up** the issue during the meeting. 政治家はミーティングでその問題**を持ち出す**のを避けた。
burn out 疲れ切る	He decided to take up some hobbies before he gets **burned out** from work. 彼は，仕事で**疲れ切る**前に何か趣味を始めることにした。
buy out ～ ～を買い取る	The pharmaceutical company has been trying to **buy out** its competitors. その製薬会社は，競合相手**を買い取ろ**うとしている。
call for ～ ～を必要とする	Emi is looking for a job that **calls for** foreign language skills. エミは外国語力**を必要とする**仕事を探している。
carry away ～ ～を有頂天にさせる	The coach told the members not to be **carried away.** コーチはメンバーに**有頂天になら**ないように言った。
check up on ～ ～を確認する	She **checked up on** her son to see if he had finished his homework. 彼女は息子が宿題を終えたかどうか確かめるために，彼の様子**を確認した**。
chip in (金,労力などを)出しあう	If we all **chip in**, we can think of something. 我々全員で**考えを出しあえ**ば，何か思いつける。
come along (物事が)進む	A: How's your paper **coming along**? B: I have been struggling with it. A: 論文の**進み**具合はどう？　B: 悪戦苦闘しているよ。
come before ～ (法廷など)で審議される	The case will **come before** the Supreme Court early next week. その事件は来週早々に最高裁**で審議される**。
come down to ～ 結局大事なのは～となる	Jack often says everything **comes down to** money. ジャックはよく，何事も**結局大事なのは**お金**だ**と言っている。
come down with ～ (かぜなど)にかかる	Tyler **came down with** chickenpox. タイラーは水ぼうそう**にかかった**。
come off 順調に終わる	The stockholder's meeting **came off** without any problems. 株主総会は何の問題もなく**順調に終わった**。
come through やり遂げる,切り抜ける	It took eight hours to finish the job, but he **came through.** その仕事を終えるのに8時間かかったが，彼は**やり遂げた**。
count for ～ ～の価値がある	All of your effort will **count for** something even if you fail the exam. あなたの全ての努力は，試験に落ちたとしても何か**価値がある**だろう。
cover for ～ ～の代理をする	Bob led the meeting to **cover for** his manager. マネージャー**に代わって**，ボブは会議の進行を務めた。
cross out ～ ～を線で消す	She **crossed out** some vocabulary she knew from the list. 彼女はリストから知っている語彙**に線を引いて消した**。
cut back 節約する,減らす	The prolonged recession forced the consumers to **cut back** on buying luxuries. 長引く不況で，消費者は贅沢品を買うことを**控える**しかなかった。

熟語	例文
draw ～ into … ～を…に引き入れる	Peter often tries to **draw** others **into** an argument. ピーターはよく，人**を**議論**に巻き込も**うとする。
draw on ～ (知識など)を生かす	Judy **drew on** her own experience as a doctor when she wrote the novel. ジュディーはその小説を書いたとき，自分自身の医者としての経験**を生かした**。
dry up 干上がる，なくなる	The money the organization had put aside quickly **dried up**. 協会がとっておいた資金はすぐに**底をついた**。
eat up ～ ～を使い果たす	Health care costs **ate up** almost all the savings they had. 彼らは持っていた貯金のほとんど**を**，医療費に**使ってしまった**。
fall away (感情や疲れなどが)消える	All my stress **fell away** when I saw the breathtaking view. 息をのむような美しい景色を見たとき，私のストレスは全て**なくなった**。
fall back on ～ ～に頼る	He decided to retire soon. He had enough money to **fall back on**. 彼はすぐに退職することにした。**拠り所になる**十分なお金は持っていた。
fall off 衰える	The consumer spending is **falling off** again. 個人消費はまた**落ちて**いる。
fall on ～ ～にのしかかる	Some of the responsibilities **fell on** Mr. Kerry. 責任の一部がケリー先生**にのしかかった**。
fall through 失敗に終わる	The plan to expand the highway **fell through**. 高速道路の拡張計画は**失敗に終わった**。
feel for ～ ～に同情する	**Feeling for** someone is not the same as doing something for them. 誰か**に同情すること**と，その人たちのために何かしてあげることは違う。
fill in 代行する	Volunteers are ready to **fill in** for teachers in case they go on strike. 教師がストライキをする場合に備えて，ボランティアたちは彼らの**代行をする**準備ができている。
get around (～を)移動する	They have hard time **getting around** by themselves. 彼らは自分で**移動する**のが困難だ。
get at ～ ～をほのめかす	A: Paul's mother buys him anything. B: What are you **getting at**? A: ポールのお母さんは彼に何でも買うんだ。 B: 何**をほのめかして**いるの？
get down to ～ ～に取り掛かる	When they **got down to** the main topic, 20 minutes had already passed. 主題**に取り掛かろ**うとなったとき，すでに20分経っていた。
get into ～ ～に夢中になる	Some say that love is hard to **get into**, but harder to get out. 恋愛とは，なかなか**夢中になれ**ないものだが，抜け出すのはもっと難しいものだと言う人がいる。
give away ～ (秘密など)を明かす	The strange behavior of the man **gave away** his involvement in the crime. その男の奇妙な行動は，彼が犯罪に関わったこと**を表していた**。
give out だめになる	It seems like our car finally **gave out**. 私たちの車はとうとう**故障した**ようだ。
give over ～ ～を引き渡す，譲る	Ms. Wilson decided to **give over** her property to the charity group. ウィルソンさんは，慈善団体に自分の財産**を譲る**ことにした。
go along with ～ ～を支持する	The team decided to **go along with** Mr. Tanaka's plan. チームはタナカさんの計画**を支持する**ことにした。
go at ～ (人)を攻撃する	The customer **went at** the waiter when he brought the wrong dish. ウエーターが間違った料理を持ってきたとき，その客は彼**を厳しくとがめた**。
go for ～ ～がほしい	On a hot day like this, we could **go for** a beer. こんな暑い日は，ビール**がほしく**なる。
go over ～ ～を復習する	Julia **went over** the notes several times before her presentation. ジュリアはプレゼンテーションの前に何回かメモ**を復習した**。
grow out of ～ 成長して～から卒業する	It seems that Tyler finally **grew out of** having a tantrum. タイラーは**成長して**ようやくかんしゃくを起こさ**なくなった**ようだ。
hang around うろつく	People easily notice a stranger **hanging around**. 見知らぬ人が**うろうろしている**と人はすぐに気づく。
hang onto ～ ～を取っておく	Gary is very careful and **hangs onto** all the receipts. ゲイリーはとても注意深く，全部レシート**を取っておく**。
head off 向かう	A: Are you **heading off** to the office, honey? B: Yes, I'll be back soon. A: オフィスに**向かう**つもりなの，あなた？ B: ああ，すぐ戻るよ。
head out 出発する	Before **heading out**, George made sure that all the windows were locked. **出発する**前に，ジョージは窓が全部施錠されているか確認した。
hold back (～を)控える	The boss told his team members not to **hold back** their opinions. 上司は自分のチームのメンバーに，自分の意見**を控え**ないように言った。
hold off ～ ～を遅らせる，遅れる	The president had to **hold off** his departure to Asia for another three days. 大統領はさらに3日アジアへの出発**を延期し**なければならなかった。

☐ **hold out** 持ちこたえる	Villagers had **held out** for months before the UN came to rescue them. 村人たちは国連が救助に来るまで，何か月もの間**持ちこたえた**。
☐ **keep up** ついていく	If you can't **keep up**, you should talk to your boss. **ついていけ**ないなら，上司に相談すべきだ。
☐ **kick around ～** ～をいろいろ検討する	We need to **kick around** the ideas before we meet the client. 私たちは顧客に会う前に，アイディア**をいろいろ検討する**必要がある。
☐ **kick back** リラックスする	To **kick back** and enjoy the holidays, they decided not to invite their children. **リラックスし**て休暇を楽しむために，彼らは子どもたちを誘わないことにした。
☐ **kick off ～** ～を始める，始まる	He **kicked off** the discussion by showing some sales statistics. 彼は，売り上げの統計を示して議論**を始めた**。
☐ **knock down ～** ～を取り壊す	The school board's plan included **knocking down** the old library. 教育委員会の計画には，古い図書館**の取り壊し**が含まれていた。
☐ **lay down ～** ～を制定する	Before moving in together, Ann and Danielle **laid down** some rules. 一緒に引っ越して来る前に，アンとダニエルはいくつかのルール**を取り決めた**。
☐ **leave off** やめる	The professor started the lecture where they **left off** last time. 教授は前回**終わった**ところから講義を始めた。
☐ **live up to ～** （期待など）に応える	He stopped trying to **live up to** his parents' expectations. 彼は両親の期待**に応え**ようとするのをやめた。
☐ **make up** 仲直りする	They threw hurtful words at each other, losing all hope to **make up**. 彼らはお互いに傷つくような言葉を投げかけ，**仲直りする**望みは全くなくなった。
☐ **measure up** （基準などに）達する	The new product did not **measure up** to expectations of consumers. 新製品は消費者の期待に**そう**ものではなかった。
☐ **mess with ～** ～をいじくる	Ms. Clarkson asked the maid not to **mess with** things on the table. クラークソンさんはお手伝いさんに，テーブルの上の物**をいじら**ないようにと頼んだ。
☐ **pass up ～** ～を逃す	Dylan **passed up** the opportunity to go to university. ディランは大学へ進学する機会**を逃した**。
☐ **pile in** 乱入する	People **piled in** to get new smartphones as soon as possible. 少しでも早く新型スマートフォンを手に入れようと人が**押し寄せた**。
☐ **play down ～** ～を軽視する	The minister tried to **play down** his role in the scandal. 大臣はその事件で自分の役割**を軽く見せ**ようとした。
☐ **point to ～** ～を示す	All the evidence discovered **points to** his guilt. 見つかったあらゆる証拠が彼の有罪**を示している**。
☐ **pull in** （列車，船などが）着く，（車が）停止する	The artist's fans had been waiting for him for three hours when his car **pulled in**. アーティストの車が**止まった**とき，彼のファンたちは彼を3時間待っていた。
☐ **pull off ～** ～をうまくやり遂げる	Her last-minute effort enabled her to **pull off** her incredible performance on the stage. 最後まで努力を続けたことで，彼女は舞台ですばらしい演技**をやり遂げた**。
☐ **pull over ～** （車など）を脇に寄せて止める	Jessica was asked to **pull over** her car. ジェシカは車**を脇に寄せて止まる**ように言われた。
☐ **push for ～** ～を強く求める	The union kept **pushing for** a 5% across-the-board raise. 組合は一律5パーセントの昇給**を強く求め**続けた。
☐ **put forth ～** ～を提案する	One of the ideas you **put forth** in the meeting has been accepted. あなたが会議で**提案した**アイディアの1つが承認された。
☐ **put forward ～** （意見など）を出す	The committee **put forward** a bill to impose a term limit on members of the Congress. 委員会は議員の任期を制限する法案**を提出した**。
☐ **put in ～** ～を取り付ける	The maintenance crew worked very efficiently to **put in** the new system. メンテナンス班はとても効率よく作業し，システム**を取り付け**た。
☐ **relate to ～** ～に共感する	Kate read an autobiography, but couldn't **relate to** him in many ways. ケイトはある自叙伝を読んだが，あまり**共感でき**るところがなかった。
☐ **see about ～** ～について考える，～を手配する	I'll **see about** the airplane ticket. 飛行機のチケット**は手配します**。
☐ **see through ～** ～を見抜く	The interviewer **saw through** the applicant's lies and didn't offer her a job. 面接官は応募者のうそ**を見抜き**，彼女を採用しなかった。
☐ **sell out** 寝返る	Some critics say the band has **sold out** to mainstream pop music. バンドは主流のポップミュージックに**寝返った**と言う批評家もいる。
☐ **set aside ～** ～を取っておく	His parents **set aside** some money for his college tuition. 彼の両親は，彼の大学の授業料のためにいくらかのお金**を取っておいた**。
☐ **set down ～** ～を書き留める	One of the detectives tried to carefully **set down** every word the suspect said. 刑事の1人が，容疑者の言葉**を**すべて慎重に**書き留め**ようとした。

☐ **set in** (季節, 天候が)始まる	It seems that winter has already **set in.** 冬がもう**始まっ**たみたいね。
☐ **set out ～** ～を始める	After moving to the city, Linda **set out** to find her lost mother. 街に引っ越してから，リンダは行方不明の母親を探し**始めた**。
☐ **settle down** 落ち着く	The kids who were overly excited never **settled down.** はしゃぎすぎている子どもたちはまったく**落ち着か**なかった。
☐ **settle for ～** ～で承知する, 我慢しておく	Chelsea never **settles for** the second best. チェルシーは2番目では決して**我慢できない**。
☐ **shake up ～** (組織など)を大改革する	He hired young workers from around the world to **shake up** his business. 彼は自分の会社**を大改革する**ために，世界中から若い社員を雇った。
☐ **shape up** 態度を改める	Her coach told her to **shape up** because she kept skipping practice. 彼女は練習をさぼってばかりいたので，コーチに**態度を改める**ように言われた。
☐ **shove aside ～** ～を押しのける	The old man was **shoved aside.** その老人は**押しのけ**られた。
☐ **sit by** 傍観する	If we just **sit by,** the parliament will pass the bill to raise the tax. 私たちがただ**傍観している**だけでは，議会が増税する法案を通過させるだろう。
☐ **speak for ～** ～を代弁する	I will **speak for** other employees. 私が他の従業員**を代弁します**。
☐ **split up** 別れる	I heard that her parents have **split up.** 彼女の両親が**別れ**たって聞いたよ。
☐ **spring from ～** ～から生じる	Some trade agreement would **spring from** the top-level meeting. トップレベルの会談**から**貿易協定が**生まれる**だろう。
☐ **spring up** (急に)現れる	New hotels are **springing up** across the country. 国中で**急速に**新しいホテルが**できて**いる。
☐ **step down** 辞職する	The vice president announced that she would **step down.** 副社長は**辞職する**と発表した。
☐ **stick up for ～** ～を守る, かばう	Her parents **stuck up for** her when she was attacked online. 彼女の両親は，彼女がネット上で攻撃されたときに彼女**を守った**。
☐ **stick with ～** ～を堅持する	Let's **stick with** our original plan. 最初のプラン**を堅持し**よう。
☐ **stir up ～** ～を煽る	The online advertisement was made to **stir up** public opinion about wars. そのネットの広告は，戦争について世論**を煽る**ために制作された。
☐ **stop up ～** ～を塞ぐ, 詰まる	Jay applied some DIY products to **stop up** the leak in a plumbing pipe. ジェイは排水管の水漏れ**を塞ぐ**ために，DIY製品を使った。
☐ **straighten out ～** ～を解決する	The new president **straightened out** the mess caused by her predecessor. 新社長は，前任者が引き起こした混乱**を解決した**。
☐ **sum up** (～を)要約する	To **sum up,** you didn't like her novel. **要約すると**彼女の小説が嫌いだったのね。
☐ **talk ～ into …** ～を説得して…させる	She is often **talked into** buying something she doesn't really need. 彼女は本当は必要ないものを買わ**される**ことがよくある。
☐ **tear down ～** ～を取り壊す	The proposal to **tear down** the old library was rejected. 古い図書館**を取り壊す**提案は否認された。
☐ **throw up** (食べ物を)吐く	Some college students were **throwing up** on the sidewalk. 数人の大学生が歩道で**吐いて**いた。
☐ **track down ～** ～を追跡する	You can **track down** the package you have sent. あなたは送った荷物**を追跡する**ことができる。
☐ **tune in** 波長を合わせる	I **tuned in** to watch my favorite drama. 好きなドラマを見るために**チャンネルを合わせた**。
☐ **tune up ～** ～を調整する	Greg sometimes **tunes up** his car himself though he is not a mechanic. グレッグは整備士ではないが，ときどき自分で車**を調整する**。
☐ **turn around** (～を)好転させる[する]	The stock market will **turn around** soon in the next quarter. 次の四半期にはすぐに株式市場は**好転する**だろう。
☐ **turn away ～** (人)を退ける	Hospitals cannot **turn away** dying patients even if they cannot pay for the treatment. 病院はたとえ治療の支払いができなくても，瀕死の患者**を断る**ことはできない。
☐ **want for ～** ～を必要とする	He was born into a wealthy family. He **wants for** nothing. 彼は裕福な家に生まれた。彼には何も**必要としている**ものがない。
☐ **wrap up ～** (仕事, 議論など)を終える[が終わる]	Allison was eager to **wrap up** a negotiation with their prospective client. アリソンは，見込み客との交渉**をまとめ上げ**たいと熱心だった。

著者

花田七星　はなだ ななほ

オハイオ州立大学政治学部博士号(Ph.D)。英検1級、TOEIC990点。TESOL取得。英語学習認定コーチ。聖オラフ大学政治学部にてvisiting assistant professorとして政治学と女性学を教えたのち、日本の英会話学校、大学、専門学校で教える。主な著書に『英語の面接 直前5時間の技術』(アルク)、『いきなりスコアアップ! TOEIC® テスト600点これだけ英単語』(日本経済新聞出版社)、『TOEIC® L&Rテスト全パート完全攻略800点+』(共著、アルク)などがある。

執筆協力

表谷純子　おもてだに じゅんこ

関西学院大学文学部英文学科卒。Southern Queensland大学大学院Master of TESOL(英語教授法修士)修了。立命館大学TOEIC®講座講師、企業ビジネス英語研修講師を経て、神戸学院大学グローバル・コミュニケーション学部准教授として英語教育、大学英語テキストの出版に携わる。

本書は2023年8月に発刊した書籍を、2024年度の試験リニューアルに合わせて加筆・訂正した改訂版です。

英検®準1級 頻出度別問題集 音声DL版

著　者　花田七星
発行者　清水美成
発行所　**株式会社 高橋書店**
〒170-6014 東京都豊島区東池袋3-1-1 サンシャイン60 14階
電話　03-5957-7103

本書の内容についてのご質問は「書名、質問事項(ページ、内容)、お客様のご連絡先」を明記のうえ、郵送、FAX、ホームページお問い合わせフォームから小社へお送りください。
回答にはお時間をいただく場合がございます。また、電話によるお問い合わせ、本書の内容を超えたご質問にはお答えできませんので、ご了承ください。本書に関する正誤等の情報は、小社ホームページもご参照ください。

【内容についての問い合わせ先】
書　面　〒170-6014 東京都豊島区東池袋3-1-1 サンシャイン60 14階　高橋書店編集部
ＦＡＸ　03-5957-7079
メール　小社ホームページお問い合わせフォームから　(https://www.takahashishoten.co.jp/)

【不良品についての問い合わせ先】
ページの順序間違い・抜けなど物理的欠陥がございましたら、電話03-5957-7076へお問い合わせください。
ただし、古書店等で購入・入手された商品の交換には一切応じられません。